中国共産党

毛沢東から習近平まで　異形の党の正体に迫る

小滝 透

ハート出版

序章　近代中国は天下を止めて国家となった

大英帝国がインドを経て清に至った時のこと、中国史上初めての状況が出現した。それは、延々と続いてきた中華帝国の伝統が清で途切れ、世界が天下でなくなったことである。

それまでの王朝は、国家ではなく天下であり、天朝朝貢冊封体制と呼ばれるシステムで周辺諸国を睥睨していた。それは文字通り、天命を受けて統治する王朝（天朝）が、周りの国々から朝貢を受け、それに対して冊封（官位と暦の授与）しながら天下を治める体制だった。それが易姓革命を経ながらも延々と続いてきたのがこの地の変わらぬ風景だった。

ところが、ここに異変が起こる。西欧列強、とりわけ大英帝国による侵攻が、この体制を根本的に変えたのだ。インドを席巻した大英帝国は阿片戦争、次いでアロー戦争の勝利を経て自由貿易を清朝に強要する。当初清朝は、西欧列強の侵攻を撫夷（夷狄をなつかせる）をもって懐柔しようと試みたが、ことここに至ってはもはや如何ともしがたかった。その結果、朝貢冊封体制は崩壊し、世界に君臨していた天朝も数ある国の一つとなり、近代国際関係のただ中に組み込まれた。

それを、国内的に追認したのが辛亥革命である。それは、「中華民国」の国号が明確に示している。この時、当地の支配は「天朝ではなく『国家』が担うもの」となり、その版図内の民衆は「国民」と呼ばれる存在へ移行してゆく。

それまでの天下には一人の国民もいなかった。そこにいたのは天子（天の子＝皇帝）によって支配される天民と呼ばれる者だったが、彼らは二つの階級に分別され「漢字族」とも称すべき漢文を読め、漢語文化に親しんだ知識人や官僚と、それ以外の民衆に分けられた。一般に、前者が君子、後者が小人と呼ばれている者らである。この二者は厳格に峻別され、共にあることは一切なかった。ただ、この漢字族には、民族に関係なく誰でもが参加資格を持っており、かつてはこれが正式の中国人とされていた。

この概念はつい先ごろまで本邦の中国学会などにも残存し、中国文学の泰斗・吉川幸次郎は、学会の冒頭で「われわれ中国人は」とする挨拶からスピーチを始めたとの逸話がある。東夷である日本人も、中華文化に精通すると、中国人になれたのだ。

一方、この文化概念は、他民族への強い同化作用も及ぼした。長い中国史を見てみると、北方異民族に侵略され、その征服王朝が長く君臨していた時期もあったが、いつしか中華文明に啓蒙され、同化されてゆくのが常だった。この歴史観は長城外（関外）では通用せず、モンゴルもチベットもウイグルも中華文明に同化することはなく、またフロンティア諸民族が強大になり出すと逆朝貢が強要され、かつそうした諸民族も自らの文字を持ち、独自の文化文明を有することで中華世界から離脱していた。

だが、それでも何とか中華世界の面目は保っており、北狄の満洲族も清朝として君臨すると中華文明を採用し、その支配をなしている。

ところが、西欧は違っていた。彼らはいささかも中華文明に篭絡されず、却ってその文明を浸透させ、中国社会を欧化してゆく。これは中国史上初めての現象だった。

辛亥革命から始まる中国の近代史は、まさにこの欧化の中で進行してゆく。と同時に、それは列強諸国（西欧・ロシア・日本）に虫食いのように侵食され、半植民地になる屈辱の時代の到来だった。彼らが言う「百年の屈辱」が始まったのだ。今から述べる中国共産党は、この屈辱のただ中で誕生した。

では、その共産党の過去と現在、そして近未来につき、以下において語ってゆきたい。

目次

第五章　今、中国は

第一章　中国共産党前史

清朝は五つの国を束ねる「同君連合国家」だった

まずは、最後の王朝たる清朝の位置付けから始めてみたい。

清朝は、通常中国史の一部として扱われ、その版図もそのまま現中国に引き継がれるが、実質的には全く異なる存在だった。

清朝は、東アジアに君臨する世界帝国で、中国史の範疇に収まるものでは決してない。もし中国史に関係するなら、それは長城内での儒教天子として君臨する場合のみであり、藩部と呼ばれた他の地域（満洲、モンゴル、東トルキスターン、チベット）は、全く別の範疇に入っていた。

そもそも、清朝は北狄と見なされていた満洲族の王朝で、その支配も「五つの国を束ねる同君連合国家」であった。すなわち、満洲族には女真族を治める部族長として、モンゴル人には蒙古帝国から受け継いだ大ハーンとして、漢人には漢土を治める儒教天子として、チベット人には仏教の大施主兼保護者として、チュルク系ムスリムにはベク官人制や回部王公を通して支配する間接統治者として君臨していた。このうち儒教天子として君臨する場合のみが中華帝国と呼べるもので、しかもそれは夷狄が支配する華夷変態の王朝だった。

またその統治は、徹底した多元主義を国是とし、とりわけ藩部（少数民族地域）に対しては、その社会・習慣に一切介入をすることなく、政治的にもアンバン（大臣）と呼ばれるお目付け役を派遣して監視するのみであった。チベットではダライ・ラマに統治を委ね、モンゴルには盟旗制（部族編成）と婚姻政策をもって臨み、ウイグルには地方の名士を通した間接統治を行った。問題は漢人社会だったが、これは明代の統治システムをほぼそのまま温存し、その上に君臨する立場を取った。

また軍事面では、モンゴルと合邦して満蒙漢から成る正規軍（八旗）と、漢人から成る地方軍（緑営）を配置した八旗緑営制を採っていた。ただ、漢人は圧倒的に人口が多いため、その支配には気を使い、その官僚組織（内閣大学士）には同じ官職に同数を配置する「満漢併用制」を採っていたが、後にその非効率を解消するため人数を絞った軍機処が設けられ、支配の効率化が図られた。

もともと、数十万人の人口と数万の正規軍しか持っていない満洲族である。それが億単位の人口を持つ漢人版図を支配するのだ。間接支配しか統治の策は他になく、直接支配など考える余地もなかった。

この限界がもろに出たのが太平天国の乱であった。この時、乱鎮圧に当たった八旗軍は何とも用をなさなかった。これに業を煮やした地元民は、自衛軍を編成し乱から身を護ってゆく。こうした自衛軍は「郷勇」と呼ばれ、有名なところでは曽国藩の「湘勇」があり、民間の漢人部隊が表舞台に登場してくる。清は、曽国藩やその配下を総督や巡撫に任じ、公の軍事組織に編入した。その湘勇を、李鴻章の淮軍がこれを引き継ぎ、ウォードやゴルドン率いる「常勝軍」等と共闘しながら中国各地を転戦してゆく。後に彼らは、その戦勝の功により清朝の行政機構に採用され、やがて「洋務運動」に深く関わりを持ってゆく。洋務運動とは、中国の伝統に西欧文明を接木する「中体西用」を中核とし、これが日清戦争まで続いてゆく。

　こうした漢人組織の存在が、いわゆる軍閥の走りとなるが、これがいかに大きな力を持ったかは日清戦争を見れば分かる。日本の正面敵となったのは李鴻章の私兵たる北洋軍閥で、清朝本来の正規軍ではない。軍閥は自己増殖を続けた結果、対外戦の主力を担うまでになっていたのだ。しかも問題であったのは、この軍閥が漢人中心のものだったことである。そのため、従来の合邦相手たるモンゴルは隅に置かれ、満漢同盟が支配の要になってゆく。

　辛亥革命後、なぜ少数民族が漢人支配を受けたかはこの事に依っている。つまり、清朝の支配を脱しつつあった漢人が、太平天国を経てその地位を確立し、辛亥革命により満洲族を駆逐したため唯一の支配民族になったからだ。清朝末期は、それまで被支配に甘んじていた「漢人の表舞台への登場」とそれに伴う「軍閥の台頭」から始まった。

太平天国と義和団の乱

　さて、その転機となった太平天国を見てみよう。

　太平天国は、その創立者たる洪秀全のキリスト教との出会いから始まった。後に彼はイエスの弟と自己を位置付け、「上帝の下での大家族」との理想を掲げ、その理想のおもむくまま公有制（天朝田畝制）を実現して生産物の共有や弱者（孤児や老人）に対する保護を唱え、清朝打倒に邁進してゆく。これらは全て実現には至らなかったが、その唱えるところは非常に革新的であったのだ。

もともと、清朝は「華夷変態」と見なされる異民族王朝であった。だから、朝鮮朝では「我こそは中華帝国（明）の正式な継承を得た小中華である」との思想が芽生え、太平天国もまた清朝の正当性を全く認めていなかった。それは、満洲族の習俗たる辮髪を拒否し、長髪にしていたことからもよく分かる。

これは「頭を留める者（辮髪者）は髪を留めず、髪を留める者（長髪者）は頭を留めず」とする清朝の政策に異を唱える反清反満の象徴となっていた。

一方の漢人部隊は、太平天国のキリスト教イデオロギーに対抗し、伝統儒教の徹底や民間信仰で人気のある関帝（関羽）への信仰で応戦していた。

そこに割り込んできたのが西欧列強である。彼らは太平天国のキリスト教信仰に関心を持ち、それがどのような存在なのかを見極めるべく接触してきた。が、その結果は時を経ずして失望に変わってゆく。大英帝国の使節ボナムは「太平天国が未だ華夷思想を強く持ち、近代国家間の関係を持ちえない」と断定し、その後のフランス使節（ブルブロン）やアメリカ使節（マクレーン）も華夷思想に違和感を強く覚え、かつ太平天国の正統キリスト教への曲解を知るにつれ、急速に関心を失ってゆく。

要するに、付き合ってみて変なのだ。洪秀全は「自分は天下万国の唯一の真主である故これに従うべき」などと言ってくる。また、キリスト

洪秀全

教のドグマたる三位一体を改変し、指導者らも一夫一婦制を採ることなく皇帝の後宮を真似た多妻制を採っている。太平天国は、西欧キリスト教徒を「洋兄弟」と呼び親近感を示していたが、その教義は端的に異端であった。

また、具体的な政治面でも太平軍は時と共に追い詰められ、またアロー戦争での清との妥協が成立すると、西欧列強はこぞって清を支持するようになってゆき、南京（天京）陥落とともに乱はここに終息した。これが五千万ともいわれる世界史上最大の犠牲を出した反乱の結末だった。

では、太平天国の史的意味とはどのようなものとなるのか。

まずは、近代を先取りし、キリスト教という西欧由来の宗教を史上初めて採用し、上帝（神）を至上の存在とすることで、皇帝至上主義を採る王朝（この場合は清朝）を否定したことが挙げられる。これは稀に見る転換で、それまでの政治宗教概念を大きく変えることとなる。

その一方で挙げられるのが非常な反キリスト教感情の勃興で、これ以後繰り返し反キリスト教事件が多発する。また、太平天国との戦いから、従来の社会概念ではもはややっていけないとの思想が芽生え、とりわけ西欧の軍事技術が重視され、それが中体西用を核とする洋務運動に繋がることになってゆく。思想面でも、太平天国の伝統無視のキリスト教思想は、読書人の強い反感を生起させ、侵略を進める列強への排外主義とも相まって反キリスト教運動を促してゆく。

そもそも、当時のキリスト教宣教師は戦勝国の立場をもって中国社会に臨んでいた。これが地元の郷伸や役人らとの確執となっていた。また、「ライス・クリスチャン」と呼ばれるキリスト教の慈善事業に引き寄せられた貧民や社会的弱者が寄り集まり、宣教師や列強の後ろ盾を背景に仇教事件（キリスト教側と地元側の衝突）を多発させる。この当時、各地で起こった土地問題や教会設置問題等がそれに当たる。

その頂点となったのが義和団の乱で、その進軍過程にある教会がことごとく破壊され、中国人クリスチャンや宣教師の排斥・殺戮が起こってゆく。この場合、清朝の官吏らが、こうした行為をあえて黙認した事も乱を大きなものにしていった。その頂点が清朝（西太后）による列強への宣戦布告である。これには砲台の明け渡しを巡る大沽砲台問題等も絡んでいるが、こうした極端な排外主義を説明するには精神分析を適用するのが最もいい。

一般に、自国を外敵に犯された国家や社会は、激しい屈辱と憤怒を持つ。と同時に、強大な敵を前にしては戦えず、むしろそれに擦り寄る態度を取ろうとする。

この時、侵略された者の心理は、屈辱を晴らすべく一矢を報いようとする内面と屈辱を抑圧しながら敵に擦り寄る外面に引き裂かれることになる。精神分析家の岸田秀は、前者を内的自己、後者を外的自己と呼んでいる。この場合、内的自己から見て、西欧に擦り寄る外的自己は裏切り者に見えてしまう。義和団で言えば、中国人クリスチャンがその典型で、その姿は中国の伝統をかなぐり捨て侵略者たる西欧（の宗教）に身を売った売国奴なのである。その結果、義和団は中国人クリスチャンを目の敵にして追い回し、教会破壊や信者の殺戮に狂奔する。もとより、彼らの背後にある西欧列強やその手先となっている宣教師が侵略者と見られたことは言うまでもない。

では、それを取り締まるべき清朝はどうであったか。

本来なら、内的自己（義和団）の暴発を止めなければならないところを、あまりに粗暴な西欧列強の仕打ちに耐えかねて内的自己に同調してしまう。その結果が、列強に対する宣戦布告だったが、結果は周知の通りである。圧倒的な実力差がある中で、内的自己の勝てる見込みはほとんどない。力ずくでねじ伏せられ、目の玉が飛び出るほどの賠償金を要求された。

ちなみに、現中国は義和団事件を反帝国主義運動の一環と総括し、民族愛国運動と位置付けている。「義和団義挙は中国を侵略している帝国主義八ヵ国（日本・英国・ロシア・ドイツ・フランス・アメリカ・イタリア・オーストリア）と戦った愛国主義運動であった」と。

このことから、現中国が内的自己を継承していることがよく分かる。事実、キリスト教や西欧思想は厳しい監視下に置かれている。

中国人社会は、近代以降、西欧クリスチャンを洋兄弟と呼ぶ親西欧感情（外的自己）と、西欧人をゼノフォビア（外国人嫌い）と毛嫌いする排外主義（内的自己）のただ中にあったものと思われる。それは政治的にも説明でき、太平天国の「反満反清」と義和団の「扶清滅洋」、太平天国の「キリスト教」と義和団の「反キリスト教」は見事に対照をなしている。

ちなみにその後、清朝に見捨てられた義和団は「扶清滅洋」を取り下げて「掃清滅洋」へとその立場を移してゆく。彼らにとり、列強と妥協した清朝も異国に与する裏切り者になったのだ。

西欧の侵攻――朝鮮朝と日本、そして清の対応

今少し、太平天国について見てみよう。

実は、この乱は稀に見る大乱であったにもかかわらず、日本ではあまり問題視されなかった。むろん、その情報は入っていたが、「邪教の反乱」と見なされた。当時の日本はキリスト教禁教であったため、当然のことかもしれない。

それよりも何よりも、日本が問題視していたのは阿片戦争以降に見られる西欧列強の東進だった。これに衝撃を受けた日本は、海防の必要性を痛感し、以後それに備えた改革を急ピッチで進めてゆく。

これと正反対であったのが朝鮮朝（李氏朝鮮）である。彼らは、太平天国の乱の背後に易姓革命の影を見た。もし、太平天国が清朝を打倒して政権を掌握すれば、朝鮮朝も即座にそれに対応する必要が生じてくる。したがって、この乱の動向は、自国の命運を左右する事件として、固唾を飲んで見守っていた。これに比べれば、西欧の侵略など取るに足らぬ問題だった。そのため、日本とは正反対に、太平天国の乱を過大評価し、西欧の東進を過小評価したのである。

このことから、両国に見られる近代化への態度がはっきりと見て取れる。

すなわち日本は、近代を捉えるに当たり、

「西欧―日本―中国・朝鮮」

との情勢認識を持つに至り、

一方の朝鮮は、東アジアの旧体制、すなわち、

「中国―朝鮮―日本」

との認識を維持していたため、その双方がバッティングし、前者が後者を圧倒してゆくことになる。

この場合、なぜ朝鮮朝が方針を転換できなかったかは容易に分かる。歴代中華王朝への徹底した事大主義が西欧を選択する芽を摘んだからだ。新羅から始まった韓半島の政権は延々と中華王朝の冊封下で延命してきた。その間およそ千三百年。それをいきなり「さあ、西欧が強そうだから、そちらの方に乗り換えろ」と言われても容易にできない。

だが、できなければ、亡国になるより他にない。事実、この伝統墨守の故をもって朝鮮朝は崩壊の道を歩み始める。

では、清朝の側はどうであったか。十九世紀は、継続する西欧の侵略とユーラシア大陸を東進する帝政ロシアの脅威が急であった。それが、清朝内の反乱と連動し、清朝の世界認識を変えてゆく。

一八六二年のことである。この年、陝西省で回族の大反乱が勃発する。反乱は甘粛から東トルキスターンに飛び火し、清朝の支配が及ばなくなってしまった。回族の反乱は何波にも分かれて反復されるが、このたびの反乱はとりわけ大規模なものであった。清はこの反乱の初期鎮圧に失敗し、太平天国や捻軍の乱も抱え込んでいたために非常な窮地に立たされた。

そこで派遣されたのが左宗棠である。太平天国の乱鎮圧で功をなしたこの将軍は回族叛乱の鎮圧に指名されるが、朝廷内ではその派遣を巡り二手に分かれて激論が交わされた。今に至る中国の版図を決める重大な論争だった。

一方は李鴻章を筆頭とする「海防派」で、他方は左宗棠をトップとする「塞防派」である。前者が西欧の侵攻を重視し「辺境の防衛（この場合は東トルキスターン）は諦めて、金を費やするだけの辺境維持は切り捨てろ」と述べたのに対し、後者は「もし東トルキスターンを失えば、モンゴルを繋ぎ止めることができず、モンゴルが繋ぎ止められないなら清朝は崩壊する」と述べたもので、この二派が激突し、激しい論争が繰り広げられた。西欧の侵攻に重きを置く日本人なら、海防派に賛意を示すはずであるが、勝ったのは塞防派の方であった。

この結果、派遣された左宗棠は同反乱を鎮圧し、ここに新疆省（新たな辺疆の省）と名付けられた清朝の直轄領が設けられ、その統治に当たっては漢人の省長が任命された。

これは、それまでの間接統治が直接統治に転換し、藩部と呼ばれた非漢人地域を直接支配の及ぶ自領とし、その領土主権を主張し始めたことを意味する。と同時に、それは満蒙同盟から満漢同盟への移行を意味し、今に至る少数民族地域への直接支配の分岐となる。この領土主権は、その後他の少数民族地域にも及んでゆき、朝貢国（朝鮮朝）への適用も検討されることになる。

左宗棠

清朝は他の王朝に比べ遥かに巧妙な支配を行い、その皇帝にも暗愚な者はほとんどいない王朝だったが、そこにはやはり限度があった。対外的には列強の侵攻は止められず、国内的にも少数民族保護を放棄し（漢人の内モンゴルの土地所有の承認やチベットへの支配強化、さらには故地である満洲への漢人移住の解禁等々）、その離反を招いてゆく。その領土主権への分岐となった事件こそ新疆省の直接支配で、それを決定的にしたものがこの論争であった。

ここでもし、海防派が勝っていれば、現在の中国版図は大きく削られ、モンゴル、チベット、東トルキスターンは異国領になっていたはずである。それだけ重要な岐路だったのがこの論争で、その結果生まれたのが新疆省の誕生（直轄領化）だった。

日清戦争は中国の変革を促した

だが、塞防派を採用し、東トルキスターンを直轄領とした清も、列強の侵攻は止められなかった。そのダメ押しが日清戦争である。

その敗戦はこれ以上ない衝撃を清に与え、近代化への変革を強要する。つまり、それまでの国策だった「洋務運動」が通じなかったということだ。というのも、この改革は、西欧文明の吸収を軍事技術のみに集約し、明治維新に見られる社会全般にわたる近代化には程遠かったからである。

その結果がいかに惨憺たるものになったかは、敗戦後の清の状況を見れば分かる。

清の弱体化を見た列強の利権強奪ラッシュが凄まじい勢いで開始される。

まずフランスは、三国干渉の功績（下関条約の直後、日本は露・仏・独の申し入れによって、遼東半島を三千万両で清国に返還）を理由に、清国に対して仏領インドシナから広西にいたるルートの鉄道施設権（越南鉄道の龍州への延長）、雲南・広東・広西の鉱山採掘権の承認を要求し、一八九六年これを認めさせた。膠州湾の租借を要求していたドイツは、曹州教条（一八九七年十一月、二人のドイツ宣教師が山東省内で殺害された事件）を口実に、膠州湾を占領し、九八年三月、膠州湾の九十九年間の租借権、山東省内における膠州湾と済南を結ぶ二つのルートの鉄道施設権、鉄道沿線三十里以内の鉱山採掘権を獲得した。ドイツの積極的行動は他の諸国に連鎖反応をよびおこした。ロシアはドイツの膠州湾占領を口実に八七年十二月、旅順・大連を占領、翌年三月、これを租借することに成功した。フランスはロシアの旅順・大連租借を理由に、広州湾の租借と滇越鉄道（ヴェトナムと雲南省昆明を結ぶルート）施設権を獲得し、イギリスもロシア・フランスに対抗して、威海衛・九竜半島および深圳湾・大鵬湾の租借を強行した。さらに列強は、個々の鉄道施設権や鉱山採掘権獲得にも狂奔し、その結果、多くの利権が列強の手中に帰した。それは鉄道についていえば、「実に支那に於ける鉄道特権の半分以上或は現国有鉄道の総延長の三分の二内外の利権は、総て光緒二十四年（一八九八）前後の数年間に列強が獲得せる所」（吾孫子豊『支那鉄道史』）という状況であり、中国の歴史家は日清戦争以後の数年間を列強による「利権争奪の時代」と呼んでいる。

（堀川哲男『孫文と中国の革命運動』清水新書）

まさに死肉（清国領）に群がるハゲタカの群れである。そして英仏独米四ヵ国の借款団が国有化された鉄道網を担保とし、六百万ポンドの借款を成した事で民衆の怨嗟を生み、激しい抵抗が引き起こされた。その怨嗟の頂点になったのが前述の義和団の乱と位置付けられよう。

一方、この事態に直面し、清は抜本的改革に踏み込まざるをえなかった。軍事技術などに特化した洋務運動では事足らず、その改革を政治にまで及ぼそうとしたのである。これが康有為や梁啓超が中心となった「変法自強運動」である。これは明治維新にならった改革運動で、光緒帝と結ぶことで清の根本的改革に乗り出した。

これがいかに革命的なものであったかは「それまで金科玉条としていた伝統文化を全面日本式に改める」としたことだった。その中には立憲君主制の採用も含まれるが、これが日本の丸写しであった。君主無答責（君主はその責任を問われず、輔弼が全責任を負う）が清朝（皇帝保護）の延命に役立つ概念であった事、西欧の列強に近代化した国家の形を見せる必要があった事等が主たる理由と考えられる。その中心にいた康有為は、立憲政治や学制改革のみならず風俗にさえ手を付けて、光緒帝に断髪を要請し洋服着用を上申している。

ここまで来れば、西太后ら守旧派の反発は頂点に達してゆく。

もともと、康有為の存在には反感が強かった。儒者であるにもかかわらず、その内実が外夷（西欧人）のように見えたからだ。曰く「その貌は則ち孔、その心は則ち夷」と。

かくして、改革派へのクーデターが勃発し戊戌維新はわずか百日の短期日で終わりを告げた（一八九八）。具体的には、光緒帝が軍権を与えた袁世凱が守旧派に付いたことが決め手となった。改革派官僚は軒並み捕縛・処刑され、康有為と梁啓超は命からがら日本へ亡命を果たしてゆく。

これが、一八六一年に始まった改革運動、すなわち洋務運動と変法自強運動の結末だった。ただし、その後西太后ら保守派の側も時代の潮流には逆らえず、近代化政策（富国強兵から立憲君主制まで）を採るに至り、その後の小康状態が黄金の十年と言われることになるのだが。

では、その清に決定的な影響を及ぼした日清戦争とはどのようなものであったのか。初めに誤解なきように言っておくと、この戦争は日本と清の戦争で、中国との戦争ではないということである。中国という国家が存在するのは少なくとも辛亥革命以降の話で（それでさえ、とても統一国家とは言えないものであったが）、この時代にはまだ影も形も見えていない。日本が中国と刃を交えるのは、一九三七年に始まった日中戦争を待たなければならなかった。

ちなみに、日清戦争の勝敗予想は「清朝乗り」が圧倒的に多かった。当時の世界世論でもこの論調が優勢で、清が日本を打ち破り、ペリー艦隊と同様に東京湾に歩を進め、日本に降伏を迫るとの観測がもっぱらだった。むろん、その場合は不平等条約を押し付けられ、領土割譲を求められたはずである。その劣勢を何より知っていたのが日本である。開戦の四年前（一八九一）、丁汝昌提督率いる北洋艦隊が旗艦・定遠など十七隻を従えて長崎に入港してきた。威風堂々たるその艦隊に圧倒され、上陸した水兵が市民に暴行を加えても、それを黙認するしか他なかった。

無理もない。当時の北洋艦隊は世界第八位に位置付けられ、その旗艦「定遠」に至っては、ドイツのヴルカン・シュティティン造船所で建造された第一級の装甲艦とされていた。これに匹敵する装甲艦を日本はまだ持っていない。両国の間にはこれだけの差があった。

ただ、そんな北洋艦隊にも弱点が存在していた。練度が低かったことである。長崎に先んじて横浜に寄港していた定遠を視察した東郷平八郎は、定遠の巨砲に洗濯物が干されているのを見るにつけ、その練度の低さ、軍紀の乱れを痛感し、自軍の勝利を予測している。

それでも戦いが至難であったことに変わりはない。日本は、この戦いで海陸双方での完勝を迫られていた。陸戦で勝つのは当然として、海戦で敗れれば、ただちに補給線を切断され、陸上部隊は孤立する。その典型が秀吉の朝鮮出兵で、李瞬臣率いる水軍に補給を断たれ、非常な困難を味わった。さらに時を遡れば、日本建国の契機となる白村江の戦いでも、日本水軍は唐艦隊に完敗し、勢い乗る唐・新羅連合軍の侵攻を想定し、急遽都を大津に遷都し、水城を築き、国土をハリネズミのようにしてこれに対した。

このように、陸で勝ち、海でも勝って補給線を確保するのは至難の業だ。

それは、十年後に起こる日露戦争でも同様で、帝政ロシアに勝利するには、ロシアの陸海軍を完封しなければならなかった。

ちなみに、この日露戦では、日英同盟（英国は好意的中立を守り、第三国が介入すれば日本側に立って参戦する）に助けられ、陸においては露清密約（日本が侵攻した場合は両国でこれに当たる）が英国の参戦を招くとして機能せず、海においてもバルチック艦隊の補給を妨害し、その動向は逐一日本に通報された。

が、それでもなお日本の利は少なかった。同盟相手の英国も、日本は善戦してくれればそれでいい、との立場だった。

では、なぜこのような困難が予想される戦争をせざるをえなかったのか。

まずは、地政学的理由である。日清戦争の主戦場たる韓半島はユーラシア大陸から盲腸のように垂れ下がり、かつ日本海を西方から睨んでいる。ここに敵対国家が誕生すれば、非常な脅威となってしまう。

　まだある。実は、当時の明治国家樹立に当たり、日本が地政学的条件を教授されたことがあった。それが「国家の外縁部には利益線も言うべき外堀がある」ということだ。これは、伊藤博文がドイツに赴いた時、国際政治学者のローレンツ・フォン・シュタインから次のようなアドバイスを受けたことに依っている。

「国家には主権線と利益線の二つがあり、前者は国土、後者は国土防衛上不可欠な地域を指して言う。したがって、国土を護るためには主権線はもとより、利益線を確保する必要があるのだ」と。

日本にとり、その利益線に当たるのが韓半島であったのだ。これが清の手に落ちれば、ただちに国防上の危機になる。これは日露戦争の折でも同様で、南下する帝政ロシアを阻止しなければ、利益線を突破され国土防衛が果たせない。

　それ故、日本は韓半島の政権（当時は朝鮮朝）が近代化を達成し、独立してくれることを願っていた。そのことにより、大陸国家との中間に緩衝地帯ができるからだ。

が、長年の事大主義に犯された朝鮮朝はひたすら清に頼ったため、これが日清戦争の元凶になってしまった。この場合、日本が負けていれば、小中華を任じていた両班（朝鮮朝の支配者）のことである。清朝の直轄領化に異議を挟まなかったと思われる。

　もう一つ、日本の欧州使節団が当時のドイツ宰相ビスマルクに教えを受けたことがある。国際法についての扱いがそれである。ビスマルクは、ほぼ次の趣旨の発言をして一行への忠告とした。「弱小国が国際法に頼っても無駄であり、その権利を生かそうとするならば強国にならねばならない。そもそも、強国は都合がいい場合にのみ国際法を守り、悪ければ平然とそれを破って力の行使に及んでくる」と。

その通りであった。当時の清がそれに当たる。清は、西欧や日本とは対等の国際関係を結びながら、その一方で、朝鮮やベトナムとは今まで通り朝貢関係を保っていた。この状況の改変を日本は清に要求する。「中朝関係も国際秩序に従って、対等なものに置き換えろ」と。朝鮮の独立が日清間の最重要の外交課題とされたのだ。日清戦争は、朝鮮の清朝からの冊封離脱と大韓帝国の独立で終戦を迎え、ここに韓半島の国王は史上初めて帝王を名乗ることになってゆく。

日清戦争は、日本への模倣と憤怒を与えた

一方の清の意図は朝鮮朝を、それまでの属邦から直轄領にすることだった。そうしなければ、列強による国土浸蝕の憂き目に遭うと思ったからだ。東トルキスターンを新疆省とし、ロシアの侵攻に対抗しようとしたのと同じである。

その結果は右に述べた通りだが、その敗北の衝撃は大きかった。

この時清には、二つの相反する感情が交錯する。

一つは、日本を真似て近代化を推し進めねばならないとする思いである。そのため、前述の変法自強運動を推進し、政治軍事社会文化のあらゆる面で日本を模倣する動きを示してゆく。先に述べた通りである。

この当時活躍した中国人で、日本と関わらなかった人物はほとんどいない。まずは康有為ら革新官僚、次いで孫文・黄興ら革命派。彼らはいずれも日本を拠点に活動していた。それは、後の政治家・軍人も同じだった。彼らも国民党・共産党の別を問わず、その大半が日本への留学体験を持っていた。それも建党のトップからしてそうなのだ。国民党は蒋介石、共産党も陳独秀（初代中国共産党書記長）以下主要幹部は皆日本留学を果たしている。後に国民党はアメリカからの、共産党はソビエトからの支援を受け、多大な影響を受けているが、その文明開化の基盤となるのは何といっても日本からのものだった。となれば、国民・共産両党も日本が産婆役となって誕生した赤子であり、彼らが作った中華民国も人民共和国も日本を後見人として建国されたものとなる。

それもこれも、近代日本が目覚ましい文明開化を実現し、日清日露の戦役で勝利をおさめたことに依っている。それに対する熱狂が中国全土を覆い、日本のあらゆる文献が漢訳され、それがあっという間に広がる状態となっていた。この場合、留学生が学ぶ必要があったものが、漢文訓読体や和製漢語、そして西欧から和訳された夥しい翻訳本の読解だった。これをマスターすることがキーポイントで、それには伝統的教養を隅に置き、新たな文化を学ぶ態度で向き合わねばならなかった。梁啓超がこれらを自家薬籠中し、和製漢語（新民体）を駆使しながら非常な影響力を持ったのはこうした条件をクリアーしたからである。中国人が、家名王朝下の天民であるのを止め、支那という和製漢語が作り上げた新たな国の国民を自覚するのもこの時のことであった。そしてこれに、留学が科挙に代わって出世の登竜門となったことがさらに日本熱を加速させた。

その行き着く先に白話文と呼ばれる文学革命が存在する。そこには、もはや古典である経書も何も不要であった。これに伝統的知識人が眉をひそめたのは言うまでもないが、時代の潮流は容赦なくそうした伝統を突き破り、新たな段階に進んで行った。

だが、これと同時に芽生えてゆくのが、日本に対する怨念だった。

何せ、超大国と自負していた清が、歯牙にもかけぬ極東の小国に大敗したのだ。しかもこの小国、それまで師と仰いでいた中華文明をかなぐり捨て、西蛮（西欧）に擦り寄って忘恩の限りを尽くしている。その忘恩不義の小国日本に完敗したのがどれほど屈辱であったかは察するに余りある。自我は、格下の者に足蹴にされる屈辱に耐えられるようにはできていない。中国が、なぜあれほど日本に牙を剥けるかはこの事に依っている。その嚆矢（始まり）が日清戦争であったのだ。

ただし、ここで疑問が起こる。それは「清朝から漢奴と呼ばれ屈辱を味わってきた漢人が、なぜ清朝が日本に負けたことを屈辱に思わねばならないのか」との疑問である。

そもそも、日本がその清を打ち破ったこらからこそその後の辛亥革命を誘発し、漢人政権（中華民国）ができたのではなかったか。にもかかわらず、清朝の敗北をなぜ日本に対する屈辱と思わねばならないのか。

これは面白い問題だが、心理的にははっきりしている。中国が清朝の存在を自己同一化しているため、清朝の敗北を自己の敗北と捉えているからに他ならない。

同様の例がソビエトにも見られる。ソビエトも革命を弾圧していた帝政ロシアが日露戦争で敗れたことを屈辱に思っている。そのため、第二次大戦の折日本軍（関東軍）を一蹴したとの報告を聞いたスターリンはこう叫んだと言う。「これで日露戦争の仇を討った」と。
ソビエトもまた、革命で倒した帝政ロシアと自己同一視していたのだ。

さて、最後の疑問は「なぜ中国（清朝）が日本に先駆け、西欧に学ぼうとしなかったか」ということだ。清朝は、日本より遥か前から西欧の侵攻を受け、その脅威を身をもって知っていたはずである。阿片戦争（一八四〇）を手始めに、アロー戦争（一八五六）、清仏戦争（一八八四）と続く諸戦争を考慮すれば、ペリーによる日本開国などとは比べものにならないほどの大問題で、その都度賠償金をむしり取られていた。なのになぜ、日本は西欧の侵攻から学ぶことができ、清はそれができなかったのか。

それには、彼らの持つ中華思想が関係していたと思われる。「世界に冠たる帝国が西蛮（西の野蛮人）などに教えを乞う必要など全くない」との自負心が西欧文明を拒絶したのだ。

それを証明するには、清が西欧の使節に対する応対を見れば分かる。

清（乾隆帝の折）は大英帝国の大使ジョージ・マッカートニーが皇帝に謁見する折、三跪九叩頭を要求している。一度跪き三度頭を垂れる――これを三度繰り返せというのである。世界に冠たる大英帝国の使節に、である。

さすがに、これは拒絶され、女王への謁見と同じ礼をもって決着するが、それでも清（この時は嘉慶帝）はその要求を繰り返し、次に謁見を求めて来たウイリアム・アマーストにも三跪九叩頭を求めていた。清はもともと、明と違って朱子学的華夷思想に染まっておらず、倭寇に手こずった明代を参考に、「互市」なる範疇を新たに設け対等な交易を承認したが、時代が進むに従って、夷狄と見なした国への態度が華夷の別を問題にする立場に移行してゆく。その典型が乾隆帝の「外夷の物品などに頼る必要などどこにもない」との言葉である。

それは乾隆帝の思い違いで、清は生糸や茶の輸出による銀流入で繁栄を極めたのだが、その事を棚に上げ、華夷思想を振り回していたことになる。

このような態度で、果たして西欧に学ぶことができるだろうか。絶対できない。中国は「師夷（夷を師とする）」することができなかった。これが、西欧から学べなかった最大の理由である。

朝鮮朝も西欧に学べなかった

対する日本は、外来文化の移入に慣れていた。実際、それらを受け入れて自家薬籠中にしてきた歴史を持つ。だが、同じサブカルチャーの国である韓半島の国々は反応の仕方が違っていた。文化文明の背後にある地政学的条件が異なっていたからだ。

韓半島の政権は、文化移入に当たっても、その背後に見え隠れする中華帝国からの政治的威嚇や軍事的恫喝を考慮しなければならなかった。何せ、中国に不始末をすると、身震いするような恫喝が飛んでくる。さらにそれがこじれると、軍事力さえ行使され、有無を言わさずねじ伏せられる。それがあるから、一見無難な文化移入にも恐怖を覚えてしまうのだ。しかも、そうした恐怖が延々と続いている。

それがどれほどの恐怖であるかは、次の例が示している。

隋の文帝の時代である。高句麗の平原王は、文帝から一通の脅迫文を受け取った。そこには、中国を統一した自信から来る有無を言わさぬ恫喝が連ねてあった。

「高句麗の王よ、よおく聞け。お前は南朝の陳がどのような運命をたどったか知っておろう。隋はわずか数千の騎兵をもって陳を屠り、わずか一ヵ月で平らげた。ましてや高句麗など物の数では全くない。お前は遼河が長江より広いとでも思っているのか。高句麗の民が陳の民より多いとでも思っているのか。もしわれわれがその過ちを正そうとするならば、一将軍を派遣して事足りるであろう。その意を深く推し量れ。お前の国が幸を得るには、このことを慮るより他ないと思い知れ！」

これがもたらす結果がどのようになったかは、次の事例が示している。

「湯（平原王）、書を得て惶恐して、将に表を奉りて、陳謝せんとす。病に会ひて卒はる」（『隋書・高句麗伝』）と。すなわち、書を見て、驚愕の余り病にかかって死んだというのだ。すさまじい恫喝である。

高句麗の恐怖はなおも続く。文帝の跡を継いだ煬帝は何波にもわたり、膨大な兵をもって高句麗討伐に乗り出した。これに対する高句麗・嬰陽王はよく隋の大軍を迎え撃ち、劇的な勝利を挙げて押し返す。

ところが、ここで嬰陽王は不思議な一文を煬帝に差し出す。

「王また恐懼し、使を使はして罪を謝り、表を上りて、遼東糞土の臣、某と称す」と。

これは前代未聞のことだった。つまり、完勝した側が完敗した側に弁明の使を送り、自らの存在を

「汚物の国の臣（糞土の臣）」と奏上したのだ。完勝をこれだけの卑屈で述べたのは古今東西例を見ない。つまり、それだけ、中国が怖かったのだ。これほど卑屈にならないと、隋の再征を免れないと思ったのだ。

　高句麗の受難はなおも続く。隋に代わった唐代でのことである。高句麗の宮廷で内紛が起こり、栄留王をその臣下である淵蓋蘇文が弑逆（臣下による君主の殺害）をし、権力を掌握した。が、これが恐るべき事態を招く。唐の太宗（李世民）が弑逆を事由にして大軍を送り込んできたのである。高句麗はまたもや滅亡の危機に瀕し、全土をハリネズミの如くして待ち受けた。この事から分かることは、中国がその気になれば、内政問題（弑逆）だけで戦争を仕掛けてくるということだ。なぜか。

　それは、中華皇帝（唐の太宗）が高句麗王（栄留王）を臣下として封じているからである。その臣下たる高句麗王を殺したとなれば、中華皇帝への謀反となる。唐の高句麗征伐とはこのような感覚なのだ。

　したがって、韓半島の王朝は常に中国の動向をうかがうことになるのだが、難しいのは易姓革命が起こり、前王朝への忠誠を新王朝に切り替える場合である。この時、韓半島の王朝は二派に分かれ抗争する。その典型が明朝から清朝への移行期だった。当時の朝鮮朝は明朝に過剰な忠誠心を抱いており、その国教たる朱子学に凝り固まっていた。そのため、北狄と見なした満洲族（清朝）への忠誠を誓うことができなかった。これが恐ろしく高くつく。満洲族は二度にわたる朝鮮侵攻を敢行し、とりわけ二度目の「丙子胡乱」に至ってはホンタイジ自ら十三万の軍を率いて親征し、敗れた朝鮮王は額を地に擦り付けて許しを請わねばならなかった。むろん、その結果は苛烈であった。王世子は人質として連れ去られ、それまで忠誠の限りを尽くしていた明朝（の残党）の掃討を申し付けられ、二十万もの民衆を遠く満洲の地に連れ去られることになる。

一つ判断を誤るとこのような結果を招くのだ。それほど恐ろしいのが中華帝国なのである。それは、今にまで続いており、北朝鮮の金正日は「中国に気を付けろ」との遺言を残して逝っている。「『アメリカに気を付けろ』ではなく、『中国に気を付けろ』と言った」のだ。むろん、それについては中国側も承知しており、常に自国への従属を確認させ強制している。金正恩が習近平を訪ねた折のことである。金正恩は、習近平の一言一句を書き取らされる事実をもって臣下の立場を思い知る。「俺が主人で、お前はその家臣にしかすぎない」――習近平は、それを嫌というほど金正恩に思い知らせた。金正恩は北朝鮮国内で行っている部下への指導（自らの言葉の筆記）を、今度は自分がしなければならないはめに陥った。おそらく、恥辱に身を震わせていたことだろう。

現在、北朝鮮は核ミサイルの開発に執着している。それはむろん、対米関係が表向きの理由だが、その裏には明らかに対中関係が潜んでいる。「核を持てば、中国といえども容易に侵略できまい」と。金正日の遺訓は、中国の動向を気にせずにいられない韓半島政権の思いの程がしのばれる。

この事から「韓国がなぜ無数の侵略があった中国に面と向かって抗議できず、日本にのみ執拗な抗議をするのか」も説明できる。中国に恐怖を抱く分、その「抑圧の移譲」を日本に振り向けているからだ。

この抑圧の移譲は、軍の秩序を見れば即座に分かる。上等兵に殴られた一等兵は、上等兵に殴り返すことができないため、その抑圧を自分より弱い二等兵を殴って解消する。すなわち、韓半島の国々は、圧力をかけてくる中国には何ら反撃できないため、格下と見なした日本にその抑圧を移譲し続けてきたのである。近年でも竹島問題はその典型であり、もし領土問題を言いたければ、何より韓国の故地（高句麗領）である南満洲に言及しなければならないはずだが、こちらの方は何ら言及されていない。

それもこれも、韓国に過剰な抑圧の移譲が働いているからだ。

王冠は敗戦を生き延びられず

だが、海に囲まれた日本には、韓半島政権に見られる斟酌をする必要がまったくなかった。したがって、外来文化がいいとなると抵抗なく受け入れた。これが、西欧の侵攻を前にして、清朝や朝鮮朝と決定的に違った道を歩ませた。

ちなみに、日清戦争で重要なことは、敗戦により清朝の命運が尽きたことだ。

政治学者のハロルド・ラスキの「王冠は敗戦を生き延びられず」とのテーゼは、このたびも証明された。事実、敗戦後に生き延びた王朝は非常に少なく、いずれも崩壊の憂き目を見ている。近代に例を取れば、第一次大戦での敗北がそれに当たろう。ドイツのフォーエンツォレルン家、オーストリアのハプスブルク家、トルコのオスマン朝、ロシアのロマノフ朝は、そのいずれもが敗戦の末に崩壊している。唯一の例外は日本で、天皇家は第二次大戦の敗戦にも拘わらず存続した。だが、これも危なかった。アメリカが天皇を通じて日本の支配する方が得策だと考えての存続だった。敗戦は、為政者への不信を決定的なものとし、体制変換を誘発するのだ。

かくして、清朝は日清戦争が致命傷となり、帝政ロシア（ロマノフ朝）も日露戦争が仇となって統治能力を喪失した。前者は義和団の乱を鎮圧できず、それどころか乱に加担をしたために眼の玉の飛び出るほどの賠償金を請求され、後者もシベリアで反乱を起こされて第一次革命を誘発している。

そして、これを最後に帝国なる政治システムも終わりを告げ、時代は国民国家の全盛を迎えてゆく。その帝国再興のアナクロニズムを今中国は追っているのだ。

最後に挙げなければならないのが日本の国体問題である。

日清戦争前夜のことである。日本政府は陸奥宗光（外相）を中心とする主戦派が主導権を握っていた。が、明治帝は和平を願い、外交交渉による解決を求めていた。

しかし、その思いは握り潰され開戦に至ってしまう。明治帝は怒髪天を衝く勢いで激怒され、皇祖皇宗への開戦報告さえ拒否された（小室直樹）。

が、その結果は変わらない。日本は清に宣戦布告し、戦争に突入する。

このことから一つの重要な前例が作られた。すなわち「日本は、国家元首たる天皇の親裁はなく、輔弼が政治的実権を握る立憲君主制であること」が明らかにされることになる。「君臨すれども統治せず（親裁せず）」がそれである。

この親裁問題は重要である。これが「有るか無しか」で、国家元首の立場が激変する。もしあれば専制君主、無ければ立憲君主と見なされる。日本は日清戦争を経る中で、立憲君主制が確立したのだ。

立憲君主制とは、

「君主への十分な敬意と、その権力行使の否定」

なのだ。

もともと、日本の国の形は楕円国家、すなわち二権分立（権威・権力の分散体制）となっていた。少なくとも、武家政治以降はそうである。したがって、権威と権力は並び立ち、そのどちらもが互いに競合しながらも相手の領分に食い込めない。その典型が承久の変で、鎌倉方が朝廷側を一蹴し、京師（天皇の都）を占領したとしても、鎌倉王朝（北条朝）を創れなかった。日本に易姓革命が起こらないのは、この二権分立の故である。そして、日清開戦時にも、その伝統が生きていた。権威（明治帝の意向）は、権力（輔弼）の領域に及ぶことなく跳ね返された。

近代日本の立憲君主制は、その伝統を引き継いでいたと言えよう。

ちなみに、昭和帝の時代になり、二・二六事件と終戦時の昭和帝の決断が問題になってくるが、前者は輔弼が殺害され内閣が機能しなかったための非常措置、後者は輔弼自らが決断できず昭和帝に決断を委ねたためのもので、立憲君主制の逸脱には当たらない。ただし、それでも天皇の立場は微妙であり、張作霖爆殺事件の折、容疑者の厳罰を主張しながら前言を翻した田中義一首相を詰問した例のように、昭和帝がその意志を仄めかされることは度々あった（田中はその数ヵ月後に憤死）。従って、完璧な立憲君主制とは言えなかったが、帝自身は自らの立場をその枠内にとどめるよう極力自制をされていた。むしろ問題であったのは、権力側が天皇の権威を楯に取り自らの意志をごり押しすることであった。初期帝国議会では政府側がその意志を通すため勅令を乱発し、あるいは軍部が天皇の勅許を待つことなく軍（朝鮮軍）を動かし（満洲への越境）、さらには統帥権の独立を振りかざし、反対者をねじ伏せたのはその典型的な例である。これは権力への介入を控えておられた天皇の立場を無に帰した逸脱行為とみなされよう。

日本の立憲君主制は、非常な葛藤に揺れながら成立してきた制度と言えよう。

では、日清戦争下の国民の状況はどうであったか。

実は、未だ国民の形成は不十分で、天皇の権威も下々まで行き渡っていなかった。それが明らかであることは、徴兵拒否が頻発し、反戦気運が蔓延していた事である。

これは、日本が国民国家に成り切っていないことを示している。国民である限り、国家による国民保護と引き換えに徴兵・納税義務を果たす事が求められるが、国民意識の無いところ、その要求は理不尽にしか思えない。この時期の厭戦気運は、この事を端的に示している。

無理もない。それまでの天皇は、武家政権下で厳重に管理され、その何たるかを知悉している者は少なかった。まあ、京都にいる権威ある存在くらいにしか思われていなかった。

それがいきなり維新によって表舞台に登場し、急に「国家の最高権威であるから、さあ拝め、さあ言うことを聞け」と言われても、躊躇するのが普通であろう。したがって、そのカリスマが行き渡るには天皇の絶大な権威を示す実績が必要だった。

それが戦勝である。事実、天皇のカリスマが絶頂に達するのは日清・日露の戦役に戦勝した後である。

「戦勝が王冠を輝かせた」のである。

王冠とは、戦勝と敗北により決定的に左右される存在なのだ。日清戦争の結果とはその事を端的に示している。

辛亥革命と軍閥割拠

さて、清朝は一九一一年に崩壊する。辛亥革命である。

実はその前年、孫文はペナン（マレー半島）で会議を開き、広州占領を目指す武装蜂起を決定していた。ところが、これが見事に失敗していた。一九一一年四月に決行された黄花崗起義である。この失敗で百名近い貴重な人材をなくしてしまい、清朝打倒は遠のいたかに見えていた。

ところが、武昌蜂起を中心に全土で蜂起が勃発した。それは偶然の僥倖で、軍内で工作していた革命派が、追い詰められて蜂起をしたのが偶然当たって成功したのだ。これに刺激された革命派が次々と決起して、全土三分に二の省が清朝から離反した。だが、孫はというと、当時デンバーに滞在しており、その一報を三日後にしか知っていない。

さらに、蜂起派の内実は決して革命勢力が大半を占めているわけではなく、清朝の改革を進めていた立憲派や、新たに建軍された新式軍を擁する軍閥が数多く存在していた。

そうした彼らが激しい主導権争いを繰り返し、混沌とした情勢が続いてゆく。それを収拾するために、孫文を推挙することで折り合いがつき、孫の臨時大統領就任が決定する。まさに棚ぼた式の革命だった。

では、そうした革命派のよって立つ理論とは何であったか。

孫は三民主義など新機軸を出しているが、それが理解されることはなく、結局は清朝打倒による中華回復以外の方針は出されていない。また、その場合の版図についても、孫の領土認識は長城内に留まっており、その証拠には異民族の集住地を「化外の地（中華文明の及ばぬ地）」と認識し、革命の援助と引き換えに満洲を日本へ譲渡することもやぶさかでなかった。孫が日本外務省に出した日中盟約案はそれを端的に示している。

孫は国民・共産両党の国父とされているために、こうした事実は語られないが、当時の漢人革命家の世界観がこれをもってもよく分かる。

孫らは林立している革命組織（興中会・華中会・光復会）を中国同盟会にまとめ上げたが、革命後における国の形はほとんど決められていなかった。そもそも、孫が三民主義（民族主義・民権主義・民生主義）を背景に提案した四綱（駆除韃虜・恢復中華・創立民国・平均地権）や三序（軍法の治、約法の治、憲法の治）にも反対がかなり多く、容易に一致がはかれなかった。

この三民主義は、その後反帝国主義などが加わって変貌を遂げてゆくが、この時の原型は次のようなものだった。まず、最初の民族主義は「満

孫文

洲族の打倒」。次の民権主義は「民衆による国民政府の樹立」。最後の民生主義は「貧富の差など社会問題の解決」である。その具体的な方法が平均地権（土地所有の均等化）で、これをもって新国家の理想形としたのである。と同時に、これを実現するには「駆除韃虜（満洲族の排撃）」をなした後、「革命派の軍政」を行い、「民衆の教化」を行い、その後「憲政に移行する」との三序（三段階）が必要だとされていた。直接憲政に移行するには、当時の民衆レベルでは、とうてい無理だと見ていたからだ。が、こうした孫の思想を何とか消化していたのは興中会だけで、華興会や光復会は清朝打倒のみに絞った復仇主義が色濃かった。

したがって、孫らは、新たな世界を統治する方策を何ら持たず、体裁だけは国家（中華民国）となったが、それを支える国民はどこにもおらず、軍閥乱立を招いただけで終わってしまった。

むろん、その結末は無残であった。孫についても臨時大統領に就いたものの、すぐさま袁世凱に権力を奪われる。これでは、何のために革命を行ったのか分からない。

後に袁は帝位就任を目指してゆき、その年号（洪憲）さえ決定していたところを見ると、辛亥革命は単なる易姓革命で終わる可能性が十分あった。この事態に呆れ返り、手を引く日本人支援者（内田良平など）が続出した。

この場合、なぜ袁が権力を握れたかははっきりしている。彼の指揮下にあった六個師団が他のどこよりも強力であったからだ。袁は、その新式軍を投入し、革命軍の要衝たる漢口を陥落させる。と同時に、革命軍は壊滅させず、彼らと取引することで宣統帝を退位させ、孫から大統領の地位を取り上げた。

だが、混乱は続いてゆく。袁は大統領になったものの、国会選挙では宋教仁率いる国民党（同盟会系）に大敗し、宋の暗殺に走ってゆく。

これに対し、国民党の一部が武装蜂起し、反袁闘争を開始する。中国第二革命である（一九一三）。が、これはわずか二ヵ月で鎮圧され、孫は日本に逃れ、ここで中華革命党を結成し再起を図る。一方、袁は第二革命鎮圧を背景に国会を牛耳って、実質的な独裁制を開始する。

この一年後に起きたのが、日本（第二次大隈内閣）による二十一ヵ条要求である（一九一五）。第一次大戦が勃発し、西欧列強が介入できないのを見越してのものであった。

山東省におけるドイツの権益を引き継ぎ、南満洲並びに東部内モンゴルでの日本の優先権などを求めるもので、中でも問題であったのは第五号（七ヵ条）の「日本人の政治・軍事顧問の招聘と、警察の日中共同管理、日本からの武器供与等」であった。

これが、中国社会を激怒させる。「何？　わが国の軍の指導を日本軍に任せろだと？　日本人の警察官を駐留させろだと？　何という傲慢な！」。

宋教仁

現在、人民中国がこの日を国辱記念日にしているのはこうした経緯に依っている。と同時に、門戸開放を目指すアメリカもこの動きに便乗し、中国に接近を図ってゆく。

これは致命的な状況だった。

もともと、日本のアジア主義は、日本単独では列強に太刀打ちできないとの思いから、朝鮮・中国・インド等と連合してこれに当たるとする対抗概念から出発していた。ところが、日本が西欧化すればするほど帝国主義化し、盟友たるべきアジア諸国と乖離してゆく。白色帝国主義打倒の裏には日本帝国主義の陰影が付きまとっていたのである。宮崎滔天はそれを「泥棒根性」と呼んで嫌い、北一輝もその事を痛罵したが、アジア主義の内部には元々そうした原理が潜んでいたのだ。

日本政府は、最後通牒を突き付けて、問題の五号を除くすべての要求項目を原案通りに飲ませてゆく。

一方袁は、この対日問題が一段落したことで帝位就任に動き出し、推戴への工作活動（帝制運動）を開始する。すなわち、国民代表大会なるものを開催し、そこでの決議をもとにして帝位就任が承認され、一九一六年一月一日をもって洪憲元年とされるに至る。

これは、中国社会が未だ帝制の存在に未練を持っていたことを示している。何せ、二千年余りも存続した体制である。その帝制がいきなり喪失したことに付いて行けなかったのだろう。清朝（宣統帝）復活を目指した張勲の復辟も、こうした思いに依っていよう。おそらく、清が漢人王朝であったなら、この試み（復辟）は成功した可能性がかなりある。

しかし、ここから袁の思惑が狂ってくる。これに反発した蜂起が各地で起こり（中国第三革命）、袁は立憲派や諸外国からも見放され、失意の内に憤死する。以前なら、ここで袁世凱を太祖とする洪憲朝が成立したはずであるが、時代の潮流（西欧から来る共和国制の潮流）が余りに強く、従来の易姓革命を図れなかった。時代はやはり変わっていたのだ。

かくして中国は、主のいない軍閥割拠の時代となり、その軍閥にそれぞれの列強が後援し、自らの利権獲得に狂奔するところとなってゆく。

その最中で起こったのが五・四運動であった（一九一九）。

事の始まりは、第一次大戦の処理をめぐるパリ講和会議であった。その席上、戦勝国として参加した中国の代表団は、先の二十一箇条の取り消しを要求するも棄却され、これに憤激した北京大学の学生らが抗議活動に走ってゆく。この動きはやがて一般民衆にも広がって、労働者のストライキ・日貨排斥・軍閥批判へと拡大してゆく。

が、この間の孫の動きはほとんど見るべきものは何もない。彼は北の軍閥政府に対抗し、南の中小軍閥と提携した反乱を試みるが、いずれも成果を上げることなく敗退する。

それを踏まえて、彼が到達した結論がかの「国共合作」であった。一九一七年のロシア革命が、大きな転換点となったものと思われる。「中国革命はロシア革命に倣うことで初めて成功できるのだ」と。

これが孫の行き着いた地平である。

その孫の最後の日本訪問が、神戸での大アジア主義の講演となる。それは日本に「西方覇道の手先になるのか、東方王道の干城となるのか」を問い詰めたものとして有名だが、この時もはや孫の思いはソビエトに向いており、第二の故郷と自負していた日本への思いは消えつつあった。すなわち、日本への全面依存から始まった孫の立場は、日露戦争で頂点に達し、次第に批判的立場となり、二十一ヵ条要求以降はさらにそれが強まって、遂にはその立場を詰問するものとなってゆく。また、孫の目指す革命モデルも、アメリカ独立やフランス革命から始まって、右のロシア革命に至るまでめまぐるしく変わってゆく。

それは、宋教仁を盟友とし中国革命に深く関わった北一輝の批判するところとなり、宋の暗殺を孫の指令と断定して激しい批判を加えている。北はその後中国の革命運動から手を引いて、日本での革命を目指してゆく。

ただし、北の思想はその中国の激動を経る中で築かれたものであった。処女作の『国体論及び純正社会主義』は日露戦争により、『支那革命外史』は辛亥革命により、『日本改造法案大綱』は五・四運動により触発されたものである。

その『大綱』の主張がすさまじい。「憲法停止」から始まって「華族制廃止」「国家改造議会の発布と解散」「皇室財産の国家下附」「私有財産の限度設定」「私有財産の限度超過額の国有化」「私人生産限度の設定」「私人生産限度を超過せる生産業の国有化」等がずらりと列挙されている。仮定しよう。もし、ここに天皇という文字が無ければ、これは社会主義革命と同じではないか。この主張が実現すれば、日本は実質的な人民共和国になってしまう。いや、実際、北はその事を言っているのだ。そしてその主張は、二・二六事件の将校団に引き継がれ、その時のスローガンが「君側の奸を打つ」であった。が、ここで問題が起きてくる。「君側の奸に十重二重に囲まれている天皇が果たして維新を行えという詔勅などを下すだろうか」との疑問である。当然にも降ろさない。となれば、残るは架空の詔勅、すなわち「内なる詔勅」を持ち出して維新を実現するしかない。事実、青年将校らは「内なる詔勅」を心に秘めて決起をなし、具体的な詔勅によって鎮圧された。北はその失敗を「宮城を襲わなかったのが間違いだった」と総括したが、もはや如何ともしがたかった。彼は青年将校もろともに処刑される。

以上が、中国革命に参加し、日本革命を目指した北の軌跡である。

では、一方の孫の場合はどうであったか。彼はその最後に当たり三通の遺書の中にその思いを残している。一つ目は国民党への遺訓。二つ目は家族への遺書。三つめはソビエト政府に向けたものである。国民党への遺訓は革命の継続を訴え、家族への遺書は妻・宋慶齢と子供らへの遺嘱であるが、三つ目はソビエト政府に当てたもので、異常なまでに社会主義革命への親近感が溢れている。

それは、孫の意向を受けてソビエト視察に赴いた蒋介石と対称をなしていた。蒋は全くソビエトを信用せず、それを終生変えることはなかった。

以上、孫文を中心にこの間の状況を見てきたが、その実情は相も変わらぬ混乱が継続し、統一国家に移行するなど夢のまた夢の状態だった。いや、その混乱を前提に一九二〇年代から連省自治制派（地方分権派）が台頭してくる。彼らは、統一に程遠い現状を鑑みて「各省ごとに憲法を持ち、選挙による自治政権を確立し、その延長線上に連省共和国を建国する」との構想を打ち出していた。中国史上、唯一、選挙で民意を問うシステムが成立した時代であった。

この影響は多岐にわたり、かの共産党でさえ「少数民族地域（内モンゴル、チベット、新疆）での自治を認め、連邦共和制にする」との方針を打ち出している。

中国史を見てみると、むしろ国内が分裂し、群雄割拠時代の方が思想的に活発で（春秋戦国）、政治的にも平穏であったことが多い（南朝時代）。だから、無理やり統一を目指さぬ方が民衆には歓迎でき、周辺国も中国の圧力を気にしないで済む分だけ安心できる。統一による強力な中央集権国家ができることで、途端に息苦しくなるからだ。周辺国家、とりわけ韓半島の政権が唯一ほっとする時期が中国の分裂期に当たるのはこのことに依っている。さらに言えば、統一は思想的にも経済的にも競争を否定する為、社会が急速に沈滞する。群雄割拠は、互いに相争う一方で、社会を活性化していたのである。

実は、かの毛沢東も群雄割拠に同調していた時期があった。いや、彼の主張は連邦制をさらに越え、分国制にまで及んでいた。

曰く「最上の方法は、思い切って全面的建設を謀らないこととし、思い切って分裂して、各省の各個建設を謀り、『各省人民自決主義』を実行することだ。二十二行省、三特区、二蕃地、合わせて二十七地方があるから、合わせて二十七国になるのが一番いい（横山宏章『中華民国』中公新書）。後の毛は、こうした考えを地方主義・分裂主義と罵倒して、激しい弾圧を加えているが、毛自身がその地方主義者であったのだ。それだけ、地方政権の林立が常態であったのだ。

しかし、この連省自治運動は、急速に萎んでゆく。その主たる理由は、実力（軍事力）が伴わなかったことである。そのため、軍閥との戦闘に敗北し、さらには孫文の使嗾した討伐軍にも敗れるなどして終息に向かってゆく。具体的には、湖南と湖北、広西と広東の戦いで、連邦派が負けたことが終息を招いてゆく。

一方、一九二〇年代後半には、北伐による国民党の統一運動が存在するが、それも不徹底なものであり、真の祖国統一は一九四九年の共産党政権樹立まで待たなければならなかった。その間、およそ四十年弱。中国は長い混乱の時代を続けてゆく。

国共合作と北伐と

さて、孫文の連ソ・容共方針に基づき、国民党と共産党がコミンテルンの仲介を得、合作に向けて談合してゆく。

この場合、体質を違える両党を合作に導いたのは、孫文の意向が大きかった。ロシア革命に感化された孫は、レーニンに倣った革命遂行を志し、レーニンもコミンテルンから派遣されたマーリンの報告で孫を支持する方向を示してゆく。

が、共産党はこれをすんなり受け入れなかった。

共産党の成立は一九二一年七月の第一回全国代表大会であるとされるが、コミンテルンへの加入はその二年後で（一九二三）、この年「民主主義連合戦線樹立」の方針を打ち出している。

したがって、コミンテルンの意向もあり国民党との合作に向かうのが筋なのだが、これが意外に難しかった。合作へ向かう態度が両極に分裂していたからである。「全面的な合作」と、それを否定する「共産党指導下での連合戦線樹立」が対立したのだ。前者を「党内合作」、後者を「党外合作」と呼んでいる。

結局、中国共産党三全大会で合作は正式に承認されるが、条件が付いていた。それは「反帝国主義と反軍閥を明確にしろ」というものだった。

これは孫も認めるところで、それまでの失敗は南方の中小軍閥に依拠して、北方の大軍閥に対抗するとの方針から、幾度もの失敗を重ねてきた。また、彼の初期三民主義では反帝国主義が抜けており、それが共産党から指摘されてきたのである。むろん、この間のロシア革命の成功や五・四運動の高揚が後押ししたのは言うまでもない。新三民主義には中国の独立（植民地的地位の解消）が入り、労働者保護や小作の地位向上が新たに付け加えられることになる。

と同時に、共産党との合作に向けた国民党の改組がなされ、その方針として「連ソ・容共・扶助工農」が打ち出された。

だがこれも、共産党と同様に、国民党でもすんなり受け入れられなかった。党内の反共意識はなお強烈で、孫が打ち出す容共を頑として受け入れず、党を去る者も存在している。

それでもようやく国共合作が成立し、黄埔軍官学校が設立されたのが国民党第一次全国大会であった（一九二四）。

が、これで収まりがついたわけでは全くなかった。孫の死を契機にして、路線論争を伴った派閥抗争が噴出してくる。それは武力を伴った抗争へと発展し、まず極右グループが蒋介石に鎮圧され、次いで国民党左派と共産党が排除され、ここに蒋介石の支配権が確立する。

その最終局面が一九二六年から始まった北伐開始と、それに伴った共産党弾圧であった。

上海クーデターから長征へ

右に述べた黄埔軍官学校は、やがて北伐の中心となり表舞台に登場する。校長は蒋介石。ちょうどソビエト視察から帰ったのを孫文が抜擢し校長に任命している。だが、その蒋は強い反共意識とソビエトへの不信をもって帰国していた。

一方、共産党側で活躍していたのが周恩来である。

このフランス帰りの青年は、軍官学校の政治部でオルガナイザーの役目を十分果たし共産党の浸透に貢献する。後の林彪を初めとする人民解放軍の幹部らはこの時の周の弟子筋に当たっている。

だが、この国共の共存も、長く続くものではなかった。全土統一を目指した蒋介石は北伐を開始し、その途上クーデターに関与したとの嫌疑をもって中山艦艦長・李之龍を逮捕し、省港罷工委員会を武装解除し、コミンテルンから派遣されたロシア人顧問や共産党を監視下に置いてゆく（中山艦事件）。そして国民党革命軍総司令官に就任するや北伐を続行した。ただ、この段階ではまだ国共合作は解消していない。

だが、その翌年（一九二七）。蒋は北伐軍を率い上海に迫ってゆく。この時周ら共産党は、北伐軍が上海に入る前に同市を占拠し、共産党の主導権を確立すべく武装蜂起を敢行していた。あらかじめ組織していた数万の労働者にゼネストを打たせた上、武装させた労働者に警察署を襲わせて、租界を除く上海全域を支配していた。

が、ここから事態が急転する。上海に入った北伐軍は、共産党系労働者自衛組織・糾察隊を武装解除し、それに抗議する労働者のデモ隊に発砲し、抵抗する者は有無を言わさず殺害した。上海クーデター（四・一二反共クーデター）である。これに仰天したのが武漢にあった国民政府（国民党中央）で、蒋を解任・除籍するが、蒋はこれに対抗して南京国民政府を樹立し、国民党中央もその後共産党を排除する「武漢分共」を

周恩来

実施して国共合作は終焉する。ちなみに、蒋は翌年に北伐を再開し北京を落として全国統一を成し遂げる。

一方、排除された共産党は、国民党との全面対決に突入し、全土にわたる蜂起路線に踏み切った。その代表が南昌蜂起だ（一九二七年八月一日）。周は同市の公安部を掌握していた朱徳と共に武装蜂起し、南昌市の実権を手中にする。

だが、この蜂起も失敗する。

その二日後、鎮圧すべく急行した国民党軍の猛攻に耐えられず、壊滅の憂き目に遭う。以後、同様の蜂起が連続するが、そのいずれもが惨敗し、それに伴う共産党指導部もめまぐるしく変わってゆく。

この時、その流れから離れていた人物が一人いた。毛沢東である。

毛は井崗山に立て籠り、次いで江西ソビエト区で解放区を作るに至る。共産党はここを新たな拠点にしようとしていた。

この井崗山は匪賊の根拠地となっていたが、共産党がその地に侵攻したことで匪賊もろとも配下に収めることになった。この体験をもとに、毛は「農村の自衛組織やアウトローも配下に収めるべきだ」と主張している。その毛が、井崗山で養われた武装集団（工農紅軍第四軍）を率いてできたのが江西ソビエト区であった（後に臨時革命政府となる）。毛沢東を主席に、朱徳を軍事委員会主席に、項英と張国濤を副主席にした布陣であった。

この経験は大きかった。というのも、連続して失敗したソビエト型都市蜂起路線に対し、農村根拠地論が曲がりなりにも成功するに至ったからだ。この経験が後々中国共産党の戦略論に大きな影響を与えてゆく。

しかし、この江西ソビエト区も安住の地とはならなかった。国民党軍の包囲が回を追うごとに狭まってきたからだ。そこで国民党を迎撃するに当たり、正面戦か遊撃戦かが激論され、かつ内部では幾多の粛清劇が演じられた。

結果は正面戦が採用されるが、紅軍は惨敗を喫してしまい、以後解放区を後にして、あてどない旅路に向かうことになってゆく。長征が始まったのだ。

ちなみに、江西ソビエト区は、後の解放区のひな型になっている。その農村根拠地論も共産党の全体支配もそれに伴う粛清劇も、江西ソビエト区でその原型が作られた。

後にエドガー・スノーの書いた『毛沢東伝』には、そうした暗部は書かれていないが、その実態は眼を覆うばかりのものであった。その結果、ソビエト区の人口は、半減するまでになっている（ユン・チアン／J・ハリディ、土屋京子訳『マオ』講談社）。

共産党は、その置き土産に数千人の処刑を行い、この解放区から逃亡した。その後、延々一万キロ余りの逃亡劇を終えた末、延安で落ち着くことになってゆく。では、なぜ延安であったのか。

それにつき、楊海英（静岡大教授）は次のように述べている。「敗れていく中共はその不名誉な逃亡を『北上抗日』と言い換えた。内モンゴルに入って満洲国の日本軍と戦う、とのスローガンだった。当の内モンゴルは日本軍の力を借り中国からの独立を目指していたのを知った毛沢東は三五年末に『中華ソビエト対内モンゴル宣言書』を公布し、内モンゴル人はチンギスハンの子孫で、独立する権利を擁する、と語っていた。毛の宣言を信じたモンゴル人は北上してきた中共軍を攻撃しなかったので、内モンゴル南部と陝西省北部の延安に割拠して生き延びた」（産経新聞令和三年一月二十五日）と。

長征軍は、追いすがる国民党軍を何とか振り切り、延安の解放区設置を黙認した内モンゴル軍に助けられ、かろうじて生き延びた。共産党はこの長征を英雄伝として吹聴するが、その内実は僥倖に助けられたみじめな逃亡劇でしかなかった。一九三四～六年にかけてのことであった。

北伐成る

さて、蒋介石の北伐である。

その途上、共産党を弾圧した上海クーデターや、それによる国共合作の崩壊、さらには日本軍の山東出兵等々で紆余曲折を経験するが、それでも何とか北京を落とし、張学良（満洲軍閥）の易幟等も加わって北伐が達成された。易幟とは、北京政府の五色旗を降ろし、国民党の青天白日旗を揚げてその配下に入ったことを意味するもので、ここに満洲軍閥（奉天派）も全国統一に参加を果たしたことになる。

が、問題はまだ山積していた。この北伐には旧来の軍閥も参加しており、かつ群雄割拠も続いており、真の国家統一には程遠かった。

そのことは、その後に続く軍閥との戦闘からもよく分かる。

まずは、広西派の李宗仁と李の直系の白崇禧、次いで河南省の馮玉祥、さらにはそれが飛び火して討伐に向かった国府軍（唐生智）も反旗を翻すという有様だった。その最後の決戦が閻錫山・馮玉祥・

李宗仁らと戦った中原戦争で、何と半年以上も戦われ三十万もの犠牲が出ている。統一がどれほど大変であったかが分かろうというものだ。

　実は、この北伐と統一は、日本にとっても、その権益さえ確保できれば悪い話ではなかった。そもそも、中国が安定しないから、めまぐるしい軍閥の動向に引きずられ、膨大な借款（西原借款等）を与えざるをえないのだ。そして、ついには満洲事変を引き起こし、華北への侵攻を余儀なくされた。それがどれほど多大な人的財政的負担となったかは言及するに及ばない。それを少しでも考慮すれば、統一による中国の安定は歓迎すべきものだった。と同時に、その満洲利権をアメリカの要求（満鉄の日米共同経営等）に応じる形で門戸開放をしていれば、共栄が図れたものと思われる。

　が、日本はそれを拒否してゆく。これが後々、日米間の摩擦となり、以後アメリカは反日への傾斜を進めてゆく。反日の動きは、満洲国建国でさらに高まり、九ヵ国条約（中国の門戸開放、機会均等、主権尊重）に違反するとの非難に繋がり、ついには国際連盟脱退を強いられることになってゆく。

蒋介石

　一方この間、国民党（蒋介石）も、日本の利権を認めながら日中関係を取りもとうとしていたが、日本はそれに十分こたえることはなかった。加えて、中国の反日世論は執拗で、西安事件での張学良の強要により、共産党との合作を受け入れざるをえなかった。最も痛かったのは、対日交渉の最中に一部関東軍が関与した内モンゴル独立軍が中国の軍閥軍（国民党綏遠省長・傅作義）に惨敗したことであった。これを契機に国内が交戦論に傾斜してゆく。

かくして、蒋の構想していた「先案内・後擁外」は未完の内に終わりを告げた。

その結果、西安事件が決定的な潮目となり、微妙な関係を保っていた日中関係が壊れてしまった。第二次国共合作が成立し、抗日統一戦線がなされたからだ。

この時毛は喜色満面の笑顔となり「これで蒋を殺せる」と漏らしていたが、スターリンがそれを止めさせたため地団駄踏んで悔しがったと言われている。

スターリンにとり
「最悪の夢魔はヨーロッパではドイツから、東アジアでは日本から挟撃を受けることで、それを極力阻止すべく日本の矛先が自国に向くのを避けることが最大の課題」
であった。

そのためには日本の眼が中国に向くことが必須であり、それには蒋は欠くことのできない人物だった。ソビエトのこの方針は一貫しており、日ソ中立条約の締結も、西安事件の処理も、この方針のもとで決断された。同様に日本もまた、真の主敵はソビエトで、対中国政策も常にその動向を見やりながら実施された。

かくして、束の間の全国統一は、未だ多くの難題を残したまま引き継がれることになる。

第一章のまとめ

一、清朝は満・蒙・蔵・回・漢の五ヵ国を統治する「同君連合国家」であり、決して中華帝国ではない。また、その支配形態は徹底した間接統治で、地方政権の内情には原則として関わらなかった。

二、阿片戦争、アロー戦争の結果、清朝の「天朝朝貢冊封体制」は崩壊し、その存在は天下（世界）ではなく世界の中の一国となり、自由貿易体制の中に組み込まれることになる。

三、太平天国は、西欧の影響を受けた異端キリスト教徒の反乱で、後に起こる義和団の反西欧排外主義と好一対をなしている。

四、日清戦争に敗れた結果、清朝は明治維新に倣った改革を開始し、その後立憲君主制を目指す立憲派と反満反清を唱える革命派の競合が政治の中心課題となってゆく。また、日清・日露の戦勝を機に、大陸からの留学生が大挙押し寄せ、日本をモデルにした改革熱が高揚する。

五、辛亥革命により中華民国は成立したが、不徹底な革命により袁世凱にその成果を簒奪され、その後は軍閥割拠による混乱の時期を迎える。

六、国共合作とその後に続く北伐過程で、蒋介石の上海クーデター（四・一二反共クーデター）が勃発し、以後国民・共産両党は相争う内戦時代に入ってゆく。

第二章　中華人民共和国

剣とペン

中国共産党の誕生は一九二一年のことである。この時期から政権を樹立する一九四九年までを共産党前史としてみる。

この間二十八年。長く苦難の時代であった。

では、ほんの弱小な共産党がなぜ政権を取ることができたのか。

それには様々な理由が挙げられるが、次の言葉が鮮烈だ。

「われわれは剣とペンで勝利した」

毛沢東の言葉である。

毛の人口に膾炙する言葉では「銃口から政権が生まれる」が有名だが、彼の卓見はそれにペンを加えたことだ。すなわち、宣伝（謀略）による政権奪取だ。

だが、毛のこの言葉にはさらに深い歴史的意味が含まれている。それは中国史の原点たる春秋戦国期の謀略を尽くして覇を競った五百年の歴史が横たわっているからだ。幼児体験は、個人を超えて社会や国家にも多大な影響を与えるが、その幼児期の謀略使用はその後の為政者の在り方を決定的に左右し、中国政治の常となった。毛の言葉の背景には、有史以来の歴史の蓄積が存在している。

かくして、毛は国を乗っ取り、「暴力至上主義」と「マキャベリズム」は共産党の党是となった。

ここでは、その概念をベースにして、政権奪取とその後の国家運営を語ってゆきたい。

中国国盗り物語（一）――人民解放軍の幼児体験

さて、中国での歴代王朝は、常に血まみれの中から生み出された。その血まみれの勝利を掴んだ者が覇者となり、それが天命を受けたと見なされる。

むろん、中国共産党も同じである。いや、彼らこそ、共産主義特有の暴力革命をテーゼとし、血まみれの抗争劇を演じた末、政権を奪取したのだ。

だが一つだけ、それまでの易姓革命と違っていた。それは、対日戦や内戦が長期にわたったことにより、根こそぎ動員を伴った総動員体制で戦われたことであった。

このため、戦勝後の共産党は、それまでの王朝が支配下に置けなかった最下層の人民をも直接支配のもとに置いた。これが同党による全体支配の嚆矢となる。

では、そうした共産党の建党過程はどのようなものであったのか。それを概観してみると、その萌芽は五・四運動に参加したマルクス主義研究会に見られるが、まだこの段階では正式な結党に至っていない。

それは一九二一年の共産党第一回大会に依っているが、客観的にはロシア革命の成立が最重要のファクターとなっている。この結果、マルクス主義は単なる机上の空論でなく、現実のものとなったことで非常な影響を与えてゆく。これにソビエト新政府が発表したカラハン宣言（帝政ロシアの利権の返還）が加わって、共産主義待望論が急速に高まった。また、中国人留学生のマルクス主義の翻訳・紹介も多大な影響を与えていた。周恩来などは『貧乏物語』で有名な河上肇に傾倒し、その著作を常に持ち歩いていたという。三番目には、コミンテルンが中国共産党結党に向け工作員を派遣した事が挙げられる。右の共産党大会など、彼らの活動抜きには考えられない。

その時の指導者には、陳独秀や李大釗、さらには毛沢東の名も見られるが、その実態は当地によくある秘密結社の一つに過ぎず、未だ小集団の反体制派に過ぎなかった。そのため、スターリンからその政治力を疑われ、国民党の存在に重点が置かれてゆく。その結果が国共合作になったわけだが、やがて国民党からもその加入戦術に嫌疑がかけられ、蒋介石の弾圧（上海クーデター）を受けることになってゆく。第一章で述べた通りだ。

まだ失敗は続いてゆく。

ソビエト革命の経験を金科玉条としたために都市武装蜂起を繰り返し、そのいずれもが惨敗に終わってしまう。無理もない。ソビエトでさえ、労働者の占める割合は人口の二パーセント程度であり、「『存在しない階級の前衛党』が権力を握った（ジノビエフ）」（下斗米伸夫『ソビエト連邦史』講談社学術文庫）とまで言われている。となれば、中国の状況は推して知るべしと言っていい。その未形成の労働者に働きかけ、各地でストライキを指導・扇動していたが、いかんせん力不足で、軍閥の弾圧などでいずれも失敗に帰している。その結果が国共合作による国民党との共闘だったが、それが解消された後に採用したのが都市蜂起路線だった。

ただ、階級闘争も熟す事無く、党の力も微弱な中で武装蜂起を連発しても、成功の見込みは全くなかった。

その一つに、先に挙げた南昌蜂起がある。一九二七年八月一日に南昌を制圧し、革命委員会の樹立を見たものである。

蜂起は国民党の鎮圧で失敗するが、ただこれは重要な意味を持っていた。というのも、この日を解放軍の建軍記念日としたからだ。

このことから分かることは「人民解放軍は『内戦を前提にした軍』という事実」である。

しかも、その名称が後の人民解放軍になったことも重要な意味を持つ。つまり、「解放の意味が国民党からの解放」であり、「他国（西欧列強や日本）の侵略からの解放ではない」ということだ。

すなわち、人民解放軍とは「内戦用に誕生した共産党の私兵」であり、国軍ではなかったのだ。

では、そうして解放された民衆はどうなったのか。

いわゆる「人民」となった。

これは冒頭でも述べた事だが、歴代王朝の支配層とは「漢字族」であっ

毛沢東

た。次いで中華民国誕生と共に「国民」となった。そして、共産党支配下では「人民」にされた。

だが、この人民、総ての者がなれるものではなかった(毛沢東時代)。早い話が国民党に所属した者も、地主や資本家と見られた者も人民にはなれなかった。それは、人民なる概念が階級闘争から生まれたものだったからである。その結果、反人民とされた者は黒五類（地主・富農・反革命分子・破壊分子・右派）に分類され、党への加入はむろんのこと、就職差別・解放軍への入隊拒否等さまざまな差別に遭い、とりわけ文革中には激しい批判にさらされた。つまり、共産党支配に不適とされた者たちは人民の資格を持てなかった。その結果、改造の見込みのある者は何とか生かされ、無い者は反人民として処分された。一方、それと対照的であったのは紅五類（革命幹部・革命軍人・革命烈士・労働者・農民）とされた者らで、人民の有資格者として優遇された。

人民解放軍はこの人民（紅五類）を護る軍であり、人民に所属しない者には鉄槌を下す役目を担ったのだ。

もう一つ重要なことがある。

それは、共産党が政権を握ったことから始まった。この瞬間、解放軍は「内戦用の軍（共産党の私兵）」であると同時に、「国防を担う国軍」の役割をも担うことで、相矛盾する性格を持つことになる。

なるほど、日本軍など外敵が侵入した時にはこの矛盾は起こらない。共産党にとっても国家にとっても外敵を駆逐する目標に変わりはない。また、建国後の平和時にも、両者の間に矛盾はない。

だが、ひとたび国内に擾乱が起こった場合はこの限りではない。その代表が天安門事件（第二次）である。この時、解放軍は国軍の役割を放棄して、内戦用の軍（共産党の私兵）たることを選択した。

その結果、共産党に反対する学生らを虐殺する挙に及んでゆく。この矛盾は、共産党内部でも意識されており、国家中央軍事委員会と党中央軍事委員会のメンバーは同じ構成員から成っているが、それでも危機に陥ると、解放軍は国家か党かの選択を迫られる。その結果が人民への虐殺だった。

さらに、解放軍は今一つの役割を持っていた。「階級闘争用の軍」であったことだ。

これまた重要な意味を持っている。

階級は国家を超えているために、自国の階級闘争のみならず、世界階級闘争に勝利する役割も担うことになるからだ。天安門に掲げられた「世界人民団結万歳」とのスローガンはそれを端的に示している。このスローガンは、通常の国是としてはありえない超国家的なものとなっている。つまり共産党とはインターナショナリズムを党是とする超国家組織であり、かつてのコミンテルンをモデルとした共産主義なき世界戦略（中華帝国主義路線）を担ってゆくものと思われる。

かつて、中国は右の役割（世界階級闘争の勝利）を担う方針を「紅」と呼び、中国の国防を担う場合を「専」と呼び、「紅」は対外的に好戦的な構え（世界革命）を見せ、「専」は一国防衛主義の構えを取っていた。この紅と専の二つの路線が相争う状態が解放軍の中に内在してゆくことになる。

ちなみに、それが最も顕著に表れたのが文革期で、紅を代表する文革左派（過激紅衛兵や造反派）と専を代表する修正主義派（一国主義者）が真正面から激突した。

この路線論争は、文革の終了時（毛沢東死亡）まで延々と続いてゆき、それが一応収まった現段階でも、復興する中華帝国の是非をめぐる形で存在している。

中国国盗り物語（二）——人民解放軍は決戦を回避する

こうして成長した解放軍である。

その幼児体験たる内戦用の軍たることが否応もなく試される時が来た。日本敗戦後に勃発した国共内戦である。この時初めて解放軍は、大々的な戦闘を経験する。それ以前の共産党はひたすら正面戦を回避してきた。というよりか、国民党に追い回され、解放区とした江西ソビエト区（中華ソビエト共和国臨時政府）からも命からがら脱出し、逃げまくるしか術がなかった。

これが長征の実態である。

長征は、共産党の勝利により、これ以上ない英雄的叙事詩とされているが、その実態は惨憺たる逃亡と、その途上における路線論争・離反・粛清、さらには階級敵と見なした者（地主ら）への殺戮の連続だった。解放軍（当時の紅軍）はその行動規範を「三大規律・八項注意」としてまとめ、厳格な規律をもって人民に接したとされているが、階級敵と見なした者（地主ら）には容赦はなかった。日和見主義や反党分子にも容赦はなかった。そのため、いったんそのレッテルを張られた者には断固たる鉄槌が下された。したがって、長征の行くところ、累々たる屍が築かれた。

その長征途上で行われたのが遵義会議（一九三五）である。この時、それまでの都市武装蜂起路線は否定され、農村根拠地論が採用された。と同時に、これをもって、後者を主張していた毛沢東が党の中枢に参加するきっかけとなってゆく（それはあくまできっかけで、共産党正史が述べているような指導権の確立ではなかったのだが）。

なぜこうした路線変更が可能であったかと言えば、この間コミンテルンとのコミュニケーションが取れなくなっていたからだ。通常の場合なら、コミンテルンの介入があったはずだが、それが無いため自らの判断のみで路線変更が可能になったと思われる。

もう一つ重要なことがある。解放軍の性格についてである。

すなわち「解放軍は、それまでの都市プロレタリアートを代表する蜂起軍を止め、農民革命軍に変貌した」ということだ。

何のことはない。中国史に頻発する農民反乱軍と同じ立場を採るに至ったということだ。そしてそのアピールも、貧農下層中農に向けたもので、地主からの土地没収とその配分を掲げていた。

この結果、ソビエト革命の基本姿勢（労働者革命）と全く異なる状況が出現した。毛が好んで語る「マルクス・レーニン主義の普遍的真理を、中国の特殊事情に当てはめる」とのテーゼは、こうした経験に依っている。以後、農民革命軍となった解放軍は、頭上で噛み合う日本軍と国民党軍の戦いを横目で見ながら、台頭の機会を伺ってゆく。

それを毛は、諸葛孔明の「天下三分の計」になぞらえ、日本と国民党と共産党の三派並立に例えているが、その実日本と国民党が共倒れになるのを待ち望み、反日救国の掛け声とは裏腹に、日本軍との戦いを回避する姿勢を取り続けた。

事実、日本軍と国民党軍の戦いがなかったなら、共産党が政権を握ることはできなかった。それが分かっているのだろう。毛は、日本の元軍人や社会党代表団にも、次のように述べている。「日本（の軍閥）が侵攻してきたことに感謝する。そうでなければ、われわれは未だ北京に到達していなかった」

と。

ちなみに、当時の共産党の基本戦術となっていたのが、以下の遊撃戦論（ゲリラ戦術）である。

「敵進我退（敵が進めば我退く）」
「敵止我撹（敵が止まれば我撹乱する）」
「敵避我撃（敵が戦いを避ければ我撃つ）」
「敵退我進（敵が退けば我進む）」

毛の辞書には、一か八かの決戦主義などどこにもない。あるのはただ、解放軍の戦いをいかに内外に宣伝し、それを政治的優位に結び付けるかの戦略だけだ。極論すれば、毛の戦争とは政治工作の一環なのだ。人民の士気を揚げ、己に引き寄せるための戦いなのだ。これが前述の「剣とペンの戦い」の内実である。

かくして毛は、強い敵とは戦わない。敗戦の危機がある場合は極力忌避する。だから、共産党の主張する対日戦の功績などほとんど、ない。彼らが一貫して述べてきた「解放軍が日本軍を打ち破った」との主張は、捏造以外何ものでもない。

この状況をもたらしたのは、いずれ訪れる国民党との内戦に向け兵力を温存すべきとする毛沢東派と、総出撃を主張する朱徳や彭徳懐の抗戦派の路線論争の結果であるが、毛派が勝ったことにより対日戦への参入は極力控えることとなった。

その結果、解放軍（当時は紅軍改め八路軍）が日本軍と本格的に戦ったのは「林彪が指揮した平型関の戦い」と「彭徳懐が指揮した百団戦」くらいで、しかもそのどちらもが日本軍の虚を突いた奇襲であったため、それなりの戦果はあったが、それが却って日本軍の反撃を引き起こし、多大な損害を被ることになってしまった。

毛はそれに激怒し、以後解放軍はほとんど日本軍と矛を交えることがなくなった。前述の百団戦など文革の折には反革命行為と糾弾され、激しい批判に遭っている。ただ、その成果だけはちゃっかりと利用し、共産党の抗日宣伝に挙げている。

では、共産党の私兵たる解放軍の内実とはどのようなものであったのか。

以下にそれを概観してみる。

中国国盗り物語（三）——人民解放軍は軍閥の寄せ集め

国共内戦は、幾つもの僥倖により共産党の勝利となる。

まず挙げられるのがソビエトの支援や降伏した日本軍の武器弾薬を赤軍から貰い受け、日本人捕虜を利用できたことである。一方の国民党軍はこの日本軍の武器・人員の回収に失敗した。これが後々大きく祟る。

だが、最も勝利に寄与したのは国民党の体たらくである。国民党は経済政策に失敗してハイパーインフレを起こした上、腐敗の極に達していた。これが支援国のアメリカを極度の不信に陥らせる。また、国民党の党・軍組織は共産党のスパイ網に埋め尽くされていた感がある。そのため、重大な戦役では、常に誤った戦術に誘導され、信じられない敗北を喫している。

それを解放軍と比べると、その違いがはっきりと見てとれる。共産党（並びに解放軍）の中にスパイはほとんど入れなかった。共産党が整風運動等を通じ、徹底した身元調査や思想調査を行っていたからだ。それは執拗を極め、付け入る隙を与えなかった。加えて解放軍は、自治・独立を餌にして少数民族を味方に付けた。とりわけ、日本軍が長年手塩にかけたモンゴル騎兵を手中に収め、それを対国民軍の尖兵として利用している。

では、解放軍の実態とはどのようなものであったか。

まず、国共内戦時における解放軍の編制を見てみると、次のようになっていた。

第一野戦軍司令員は彭徳懐、政治委員は習仲勲
第二野戦軍司令員は劉伯承、政治委員は鄧小平
第三野戦軍司令員は陳毅（政治委員を兼任）
第四野戦軍司令員は林彪、政治委員は高崗

この他に、華北兵団（司令員は聶栄臻）が北京とその周辺に置かれていた。

これら解放軍の力をもって対日戦や国共内戦に勝利して国内統一を果たしたのだ。

だが、問題なのは、この諸軍団がいずれもゲマイデ（閉鎖共同体）を形成し、司令員や政治委員を

頂点とした末広がりの組織をもって軍閥化していたことである。

ゲマインデとは、ドイツのマックス・ウェーバーの提起した概念で、自らの共同体の内と外を峻別した二重規範を事としている。その結果、共同体の利益が最優先されてゆき、それにそぐわぬ党の意向は棚ざらしになってしまう。例えそれが、毛沢東の意向であったとしても。

だから、解放軍は党中央の意向をストレートに伝達するシステムにはなっていない。解放軍が軍閥であるとする所以である。中国の政治情勢を言及する時、よく「各派各系」との言葉が出て来るが、それはこのことを指している。各派各系とはゲマインデ化した政治軍事集団の別名なのだ。

さらに言えば、この野戦軍は大行政区たる東北、西北、西南、華東、中南を支配し、右に挙げた司令員と政治委員が行政区のトップに横滑りしている。各野戦軍による半独立の地方政権が出来上がっていたということだ。

中華民国の場合を想い出していただきたい。蒋介石の北伐が終わった後でも各地には軍閥が林立割拠し、しかもその大半は国民党所属の場合が大半だった。共産党の場合にはそれより統制は効いていたが、基本構造は同じである。

この場合、ゲマインデ化した軍閥の性格は、平時には表れないが、非常時には明確に表れる。文化大革命期の動向を決定的に左右した武漢闘争（湖北省）がそれに当たる。あの時、武漢軍区の司令員・陳再道は、文革の穏健派が組織した百万雄師と連合し、中央から派遣された文革小組の命に抗し、造反派を弾圧した。そのため毛は、自ら武漢に乗り込ん

陳再道

で陳の路線を修正しようと試みるが、これが完全に裏目に出た。陳と彼を支持する武漢軍区は、それに反旗を翻す。

前代未聞の事態が起こった。軍と武装した民衆が、毛の滞在する別荘にデモをかけ文革小組から派遣された王力と謝富治を拘束してゆく。そのため、毛を逃がし謝や王を奪還すべく、揚子江を遡行する海軍や落下傘部隊までが動員され、周恩来に至っては自らが指揮する中央警備隊を率いて急行した。

なぜ、このような事態となったかははっきりしている。

陳の率いる武漢軍区がゲマインデ化していたからだ。そのため、ゲマインデの要求する二重規範のおもむくまま、党中央の意志よりも自らの利益を優先してしまったのだ。

それは、今に至るまで変わらない。しかもそれは、中国特有の人間関係に依っているため、容易に変更はなされない。

つまり、こうだ。

一般に、近代国家の国軍は、人間関係から抽出された官僚制になっている。そのため、誰が上官になろうとも変わりなく作動する。

ところが、前近代の社会においては、それが全くできえない。全ては人間関係が優先され、それをもとに出来上がる上下関係や横のつながりに規定される。要するに、眼に見える人間関係があって初めて組織が作動するのだ。

中国もそうである。いや、中国ほどそれが徹底している国はない。社会学者の小室直樹は、その関係性を次のように表している。「中国人の社会秩序は人間関係の濃淡に依っている」と。

すなわち、「ごく初歩の『知人関係』から始まって『関係《カンシー》』『情誼《チンイー》』『幇《バン》』という、より濃密な人間関係に深化してゆき、そのそれぞれが濃淡に見合った人間関係を形成している」ということだ。

中国に在住する外国人は異口同音に「中国人の態度がその人間関係によりガラリと変わる」と述べているが、それはこのことに依っている。知人関係では適度につながり、関係《カンシー》になると濃密な関係に、情誼《チンイー》や幇《バン》にもなると、これはもう絶対的なつながりになってゆく。

これがよく表れているのが「組」と言われる人間関係である。その典型が、文革時に現れた四人組（紅青、張春橋、姚文元、王洪文）だが、こうした「組」は中国社会の至る所に見受けられ、右の文脈に当てはめると「関係」か「情誼」の段階に当たるだろう。四人組の場合は死なばもろとも「幇」にまで至るかもしれない。

とすれば、いったいどうか。

濃密な人間関係の網の目状に形成された軍閥は、それがいかに党中央の命であっても自らの不利益になる場合は黙殺し、危急存亡の折には反抗する挙に及んでゆく。

この関係が良かれ悪しかれ、中国社会を支配しており、それが武漢闘争で表れたのだ。これこそが軍閥の依って立つ基盤である。

人民解放軍は、未だ組織内から人間関係を抽出した近代軍になっていない。そして、おそらくここにこそ、将来の中国分裂のファクターが潜んでいると見なしていい。

ゲマインデ（閉鎖共同体）と粛清と

以上に述べた組織原理は、粛清の折にも見受けられる。

長征の折のことである。毛には幾人ものライバルがいたが、その代表が張国濤と項英だった。とりわけ張の第四方面軍は八万余りの兵を持つ最強の紅軍で、毛の率いる第一方面軍を質量ともに圧倒していた。そこへ合流したならば、毛の第一方面軍は確実に吸収される。

そのため、合流を延ばしに延ばし、その間第一方面軍の過半数（三万）の将兵が死に至った。また、合流後にも、張を左遷し、第四方面軍を兵士丸ごと死地へと追いやった。

この事から分かることは次のことだ。

近代軍であれば、張のみを解任し（あるいは左遷し）、新たな司令官を任命すればそれで済む。ところが、軍団がゲマインデとなっている中国ではそうはいかない。第四方面軍は、言ってみれば張の私兵なのである。したがって、張を左遷するということは、その私兵を始末することも意味している。事実、毛はそのように考え、そのように実行した。

これがどれほど悲惨な結果を招いたかは、次の文が語っている。

> 三月なかばには、かつて張国濤の主力部隊だった西路軍はほぼ全滅した。敵に捕らえられた兵士は残虐な方法で殺された。甘粛省西部で最大の戦闘がおこなわれたあとでは、千人以上が生き埋めにされた。虐殺される前、待ち受ける運命を知らぬ大勢の捕虜たちを写した写真が残ってい

る。二千人いた女性兵士は強姦されたあと、拷問を受けて殺されたり、あるいは地元の奴隷市場で売られたりした。初め二万千八百人いた男女兵士のうち、四月末に新疆にたどりついたのはわずか四百人前後、それもほとんど死にかけたような状態だった。（前掲『マオ』）。

項英の指揮する新四軍の場合も同じだった。毛は謀略を用い、新四軍を国民党部隊の密集する中央部に誘導し、救援を求める項英の要請を黙殺したまま全滅させた（『マオ』）。

ここまで来れば、もはや友軍とはとても呼べない。いや、表向きには友軍であるため、よけいに危険な存在と言えるであろう。解放軍は、その内に軍閥同士の抗争を含んでいたのだ。この間の将兵の粛清とは、ゲマインデ化したライバル私兵軍団の殲滅を意味していたのだ。

ちなみに、中国の行政機構もこれと同様、ゲマインデとなっている。

だから、地方官僚は、党中央から派遣される官僚群を「赤の他人」と見なしており、自らの輪の中には決して入れない。ましてや、彼らが自らの特権を犯す場合は、執拗に抵抗する。

そのため、中央から天下る官僚群は、まずその地方に着任するや、当地に根付く地方官僚と交渉し、その権限や利益の配分を決めることから仕事を始める。この場合、中央の官僚は、当地の出身者でない者が選ばれる。これを「回避制」という。また、その官僚は、地方での業績をキャリアとして数年後には次の任地に移ってゆく。これが「不久任制」という。なぜ、このような制度にするかと言えば、長く同一の出身地に中央官僚が居ついてしまうと、その地のゲマインデに取り込まれ、党中央に逆らう場面が出てきてしまうからである。近年では、クーデターの噂までささやかれた重慶市党委員会書記であった薄熙来がそれに当たる。彼は重慶市を自らの勢力下に囲い込み同地区の解放軍を篭絡させ、政権を伺う姿勢を見せた。こうした現象が起こるのが党中央には怖いのだ。

そのため、江沢民の時代には、中央と地方の官僚を互いに転任させる「輪調互換制度」を新たに設け、さらには地方と地方の官僚の互換制度も実施してゆく。

日本でも、全く見知らぬ新人が上司として舞い降りることをパラシュート人事と言い、時には多大な困難に見舞われるが、中国の場合はその程度ではまったく済まない。中央から降下した赤の他人の上司など対等な人間とは認められず、その逆も真だからだ。中国では、自己の輪に入らない者はその権利を認められないのである。

ここまで来れば、先に挙げた文革小組の謝冨治や王力がなぜ拘束されたのかが分かるであろう。また、張国濤や項英の方面軍がなぜ全滅に追いやられたかも分かるであろう。毛にとり、彼らの率いる方面軍は友軍ではなく、張や項の私兵であると見なしたからだ。中国の軍事組織や行政組織は人間関係が何よりも優先し、それが支配している場なのである。

この事から分かることがもう一つある。

中央と地方の対立だ。

これは、巨大国家に常に付きまとう問題で、中央がその求心力を増せば増すほど地方の権益を犯すため、その遠心力が増すのである。

その典型が、改革開放のモデルとなった広東省で、「放権譲利（経済運営の権利譲渡）」を受けた同省は、中央の意を超えた経済自由化に邁進し、ついには地方税の一部支払いを拒否する挙に及んでゆく。これに怒った中央は、同省を抑え込むべく食料供給の制限さえ発動した（黄文雄『どこまで中国に喰われ続けるのか』徳間書店）。

中央と地方の関係がこじれれば、この段階まで達してしまう。

よく我々は、中国が「相手が弱いと見るやそれに付け込み、相手が抗議の意を示さなければ、それを既成事実化する場面」をしばしば見るが、これは地方政府の中央に対する態度にも当てはまる。それを実証する地方官僚の発言があるので見てみよう。

> 私が直接インタビューをした雲南省やその他の地方官僚は、「われわれはまず行動し、それから、北京が何もリアクションを起こさなければそのまま続ける。これがわれわれのやり方だ」と語った。北京がリアクションを起こせば多少修正するが、とにかくやり続けるという考えに変わりはない。そして、必要なこと以外はいっさい中央に報告しない。まず、行動し、イニシアチブを取る。そのあとで、必要とあらば是正措置を取る、と。
>
> （ピーター・ナヴァロ『米中もし戦わば』文藝春秋）

右の二例は、中央対地方がどのような関係にあるのかを端的に示している。

そもそも、共産党支配下にあっては、税の徴収・分配から始まって、人事権や軍や警察に至るまで中央政府（共産党中央）の手中にあり、地方は支配の対象、収奪の対象としてしか見なされない。したがって、地方としては中央にパイプを通して工作をかけるか、面従腹背して中央の命を黙殺するか、さらには公然と反抗するかを選択し、常時生き延びる策を講じている。この事から分かることは、地方が決して中央を信じておらず、その頸木から逃れようとしていることだ。

一方、それとは逆に、中央の意向を忖度し、その成果を嬉々として報告する場合も見られるが、それは当地に赴任してきた官僚が精一杯背伸びをしながら中央に挙げた報告で、そうしたものには虚偽が多く、また地元の歓迎するところではないために長続きしないのが常である。

毛沢東とは何者か（一）――革命の原点は農民暴動

次に、毛の心の内に分け入ってみよう。

この場合驚くのは、毛に対する毀誉褒貶した評価である。これが何とも激しいのだ。

まずは、毛に対する称賛から。

> 毛沢東は労働者や農民、抑圧されている勤労大衆に対し、一種独特な感情を抱いていました。特に貧苦な農民と彼の気持ちが通じたのは、彼が小さい頃からの家庭生活、彼が接触した社会と関係があると思います。ですから彼は一生の大半を革命に費やし、中国人民、特に貧苦にあえぐ農民を解放しようとしたのです。そして毛沢東は現状には満足せず、「だめだ、今よりももっとよくならなければならない」と、一生絶え間なく革新を求め、一生絶え間なく進歩を追及したの

でした。

（ＮＨＫ取材班『毛沢東とその時代』恒文社）

これは、十五年間、毛沢東の図書管理を行ってきた秘書・逄先知の言葉である。
他方、これとまったく正反対の評価もある。

一九三九年以降に税収が急増しているのは、毛沢東が積極的に進めていた根拠地および軍の拡大を支える資金が必要だったからである。強制的暴力的な徴税が多くおこなわれたことはまちがいない。陝甘寧辺区政府の秘書長だった謝覚哉は、一九三九年六月二十一日の日記に、農民たちは収税吏に「死ぬまで追いつめられている」と書き残している（謝覚哉は地位が高く、毛沢東の若いころからの長年にわたる関係があったおかげで、日記を保存しておくことができた数少ない一人だった）。一九四〇年、ひどい天候不良と凶作にもかかわらず、穀物税は二倍に増税された。さらに一九四一年には、収穫高が前年比で二、三割減であったにもかかわらず、穀物税はふたたび倍増された。毛沢東は地元の住民から嫌われていた。（『マオ』）。

この毀誉褒貶をどう考えるか。
私は、後者が毛の実態により近いと考える。
それは、毛が農村出身者でありながら農作業に関心を持たず、労働を忌避し続けてきたことからもうかがえる。確かに毛は、農民の暮らし向きを熟知し、詳細な農村調査（湖南省農民運動の視察報告）もやっているが、農民と共にあろうとしたことは一度もなかった。農民の苦しみを理解しようともしなかった。ただ、地主の土地を貧農に分け与え、彼らの支持と力を得、それをいかに利用するかのみを考えた。

そもそも、中国共産党には「一村一焼一殺、外加全没収」との指針があった。ある村に共産党が押し入ると、まずは地主を一人殺し、その家を焼き払い、その財産を没収するというのである。その上で、貧農下層中農に土地を分け与えることになるのだが、それは共産党への支持と恐怖と服従を強いることになってゆく。この農民政策は建国後も継続され、殺された地主の数は実に二百万にも及んでいる。

これをもってしても、毛の立場が了解できよう。彼には農村の生活向上、生産性向上をほとんど考えることはなく、政治的利用のみに終始していた。これが共産党の農民支配の実態だった。

ちなみに、当時の彼が興味を持ち、熱中したのは読書であり政治活動のみであった。その政治活動の分野において、唯一農民との接点を持ってゆく。その接点とは熾烈な農民暴動とその破壊的な力であった。

その折の有名な言葉が残っている。

> 革命は、客をよんで宴会をひらくことではない。文章をつくることではない。絵をかいたり、刺繍をしたりすることではない。そんなふうに風流で、そんなふうにおおらかにかまえた、文質彬彬で、そんなふうに温、良、倹、譲ではありえない。革命は暴動である。ひとつの階級が一つ

の階級をくつがえす激烈な行動である（湖南省農民運動視察報告）。

（竹内実訳『毛沢東語録』角川文庫）

これが、毛の農村で経験した原体験である。彼の暴力至上主義は、農民暴動を見た体験や井崗山での農村アウトローに出会った体験に依っていた。要するに、農民の地位向上には無関心で、その暴力性とその結果が引き起こす政治性のみに関心を寄せていたということだ。毛の言う農村根拠地論はこの文脈で初めてよく理解できる。そして、その力を暴力革命へと誘導し、それが利用できない場合は、搾取の対象として捉えていた。事実毛は、戦時には農民を兵士調達の供給源として捉え、平時には搾り取るだけ絞る政策を採っていた。

右の記述は、そうした毛の農民への態度を端的に示している。

毛沢東とは何者か（二）――知識人へのコンプレックス

もう一つ特徴的な青年期の体験を示してみよう。

それは、知識人への劣等感と反感である。

毛は、湖南省の第一師範学校の恩師・楊昌済の紹介で、北京大学図書館に職を得る。その時の模様を彼は次のように記している。

「（ここに来る）知識人たちは私を人間扱いしなかった」と。

また言う。
「私は彼らと政治や文化について話したかったが、誰も相手にしてくれなかった」と。
知識人との出会いはこれ以上ないトラウマ（心的外傷）となって刻まれたのだ。これ以後毛は、知識人に対するコンプレックスと嫌悪感を抱き続ける。それがなぜ分かるかと言えば、学歴がなく有名になった文化人——ゴーリキーやチェホフ等——をことのほか称賛し、学歴を誇る知識人を何かと批判しているからである。

要するに、知識人が嫌いなのだ。彼らを見ると、青年期に受けたトラウマが蘇り、何とも言えぬ嫌悪感が込み上げてしまうのだ。

こうした青年期のトラウマは、人間である限り誰しも有するものであるが、常には時と共に薄れてゆき、何とかコントロールする術を得る。だが毛は、それにひどく固執した。加えて、権力を握るに至ったため、その怨念を自由に吐き出す機会を得た。

こうなれば誰をもっても止められない。毛は、嬉々として知識人を粛清し、あるいは農村に下放させた。毛には「調査無くして発言権無し」との有名な言葉があるが、その背後には饒舌を尽くす知識人への強い怨念が感じられる。

ちなみに毛は、当時の知識人の素養である儒教が大嫌いだった。それは、年少の頃からそうであり、四書五経などには見向きもせず、伝奇小説を読み漁った。『三国志』『水滸伝』『資治通鑑』などがそれに当たる。そうした毛の精神を高文謙、上村幸治訳『周恩来秘録（下）』（文藝春秋社）はこう述べている。

毛自身の人生哲学は――「天と闘い、地と闘い、人と闘う。その楽しみ、尽きることなし」というもので、儒家の「天人合一」を至高の境地とする思想とはまったく逆行していた。毛のこうした独断専行、伝統蔑視、反権威という思想と性格は、その後数十年の人生の中で一度ならず現れることになる。

ただ毛は、儒教に代わる古典として法家の思想は気に入っており、その証拠には法家を用いて天下統一をなした始皇帝に自分をなぞらえ「（俺は）マルクス＋始皇帝だ」（前掲書）と自称していた。

もう一つ挙げなければならないのが毛の持つ権力志向だ。これまた尋常ではない。共産党は、常に熾烈な権力闘争を常とするため、これを毛だけの性格に還元はできないが、その分を差し引いても、その権勢欲は度を越している。

何せ、自分に一度でも刃向かった者には容赦ないのだ。それを何年経っても覚えており、機が熟すると復讐する。終生毛に付き従った周恩来さえ、百回もの自己批判を迫られ、ついには膀胱ガンが発見されても手術許可を得られなかった。かつて、毛に反対していたのがその原因と言われている。

この偏執狂的性格は、極度の人間不信に裏付けられていたと思われる。

毛は人を信じなかった。常に疑ってかかっていた。なぜそれが言えるかは、家族への態度で分かる。とりわけ、父に対してはそうであった。

毛の成育歴を見てみると、まず特徴的なのが父に対する過剰な反感である。父も毛に愛情を感じなければ、毛も父に愛情を感じていない。そこには、互いに相手を利用するだけの存在になっている。毛に言わせれば、父は自分をこき使う労働力としてしか見ず、しぶしぶ教育を受けさせたのも、金勘定（帳簿の書付等）をさせるためだったと述べている。

だが、その父を非難する毛も、父と同じ体質を見事に受け継いでいる。人を利用し、自分のためにこき使う体質は父とまったく同じである。そのため、両者は常に口論を繰り返していた。毛の家庭は寂しく、暗い。後の毛は「父が生きていれば、ジェット式（整風運動で行った両腕をジェット機の翼のように捩じ上げる形）にかけてやるのに」とまで述懐している。

まだある。毛は結婚を繰り返しているが、そのいずれの妻にも愛情を感じていない。それは、驚くほど薄情で、革命のため離れ離れになっているにもかかわらず、一通の手紙も出していない。子供にもそうだ。毛と最も近い関係にあったのが毛岸英だが、彼が朝鮮戦争で戦死しても涙一つ流さなかった（義母の紅青でさえ、少しは泣いたと言われている）。

その毛が唯一愛したのが自分であった。『マオ』によると、自己が激しく攻撃され、窮地に陥った折の毛は、過剰にセンチメンタルになり、自身の身を嘆いていた。他人が同じ立場に立っても、まったく無関心であった毛が、である。

一般に、権力闘争で傷を負った人間は、その悪夢にうなされる。周恩来など、長年の同志（賀竜や陳毅ら）を見捨てた事を悔やみ続け、悪夢に苛まれ続けていた。毛でさえ、権力闘争で深く傷つき、幾度もうなされることがあったという。ただし、これは自らが攻め立てられた折の夢であり、自らが葬った他者への後悔のためではない。

そんな毛のことである。自己の安全と健康には、細心の注意を払っていた。少しでも危険があり、健康を害すると思しきものは徹底して排除した。その逆に、他人が害されることには驚くほど無関心を貫いた。

それは、右の毛岸英に対する態度で分かる。岸英がソビエトに留学し、実質的な人質となっていた折にも、そのことに関心を寄せなかった。それは、同じくソビエトに人質を取られていた蒋介石の息子（蒋経国）に対する態度と比較すればよく分かる。蒋は、経国のことが気になって気になってたまらなかった。だからこそ、その解放に尽力し、その弱みを見せたからこそ、ソビエトの要求を飲まざるを得なかった。

対する毛に、それはない。この愛情の乏しさは、人への信頼の無さを示している。

この家庭内の在り方と人への信頼の無さは、スターリンにも端的に表れている。娘のスヴェトラーナによると、スターリンは妻ナージャにその非情さを批判され、ついにはピストル自殺をされており、これがいっそう彼の非情さを増幅したという。また、スヴェトラーナもこれを契機にスターリンと疎遠になり、ついにはアメリカへ亡命するに至っている。これからも、指導者個人の心の内が、いかに社会への態度と連動しているかがよく分かる。とりわけ、独裁者の場合はそうである。

ちなみに、この毛の非情さは、蒋と比較することでより明確に理解できる。蒋は情の人であった。少しでも親近感を持った者は、最後までかばっている。そのため、スパイと思しき者にも情けをかけ、自軍に多大な損害を与えた場合もたびたびあった。

対する毛のスパイ対策は完璧だった。前述の整風運動でも見られるように、すべての人物に嫌疑をかけ調査対象にしているため、一人一人の経歴が徹底して調べられ、少しでも疑いがある者は関係者もろとも闘批集会（人民裁判）に駆り出された。これではスパイの活躍する余地はない。

　両者の違いは非常に大きく、内戦にも多大な影響を及ぼした。そして、毛の徹底した人間不信が蒋の情を上回り、内戦に勝利してゆく。

毛沢東とは何者か（三）――人間不信と権力闘争

　では毛の人間関係は、具体的にどのように理解すればいいのだろう。

再度言うが、毛には信頼できる人間が誰一人いなかった。親とも妻とも友人ともつながりを持てなかった毛に、政治的盟友ができるはずがなかった。

　毛が唯一安心できたのは、徹底したイエスマンだけであったが、それでも忠実で落ち度がなかった羅瑞卿を粛清している。腹心だった林彪が羅を切るように要求し、それを呑んだからである。

　この例を見ていると、忠実なイエスマンさえ安心はできなかった。ましてや、自分の頭で考え、その判断で動く者には徹底した疑念を持つ。その傍には常に通報者を配置し、その言動をチェックする。国内の会議においても、外国要人との会話においても、毛の眼が光っていた。その言動をいざ粛清という場合に備えて担保しておく。

　一方、必要とあれば、そうした者でも徹底して利用し、時には盟友として持ち上げる。そして、賞味期限が切れると同時に、粛清の対象としてリストアップする。

この状態を心理学用語で「フレネミー」と呼んでいる。彼は典型的なフレネミー症候群に罹患していた。

だから毛は、自分を激しく批判し左遷させた者たちを許さなかった。その代表格が一九三〇年代半ばまで党中央を牛耳っていたソビエト留学組（通称ボルシェビキ組）で、何かと言うとコミンテルンの権威をかさに、何度も毛に煮え湯を飲ませた。とりわけ、蒋介石の包囲下にあった江西ソビエト区で開かれた寧都会議で毛は徹底して批判された。後の毛が、路線論争の言葉を借り彼らを一人残らず粛清したのは、この時のトラウマに依っている。中でも、延安時代にコミンテルンから派遣された王明や江西ソビエト区に派遣されてきた博古、さらには毛から軍事指揮権を取り上げたオットー・ブラウンには強い怨念を募らせている。

この事は、フルシチョフの次の言葉からもよく分かる。

> 私が会ったとき、毛沢東は、中日戦争のあいだにスターリンが果たした役割について歯に衣着せず語った。彼は、スターリンから蒋介石に宛てた手紙と毛沢東に宛てた手紙を引用して、コミンテルンが中国共産党に対するあらゆる破壊活動を行ったと言い、そのことでスターリンを非難した。この点では毛沢東が正しかった。「コミンテルンはいったい何をわれわれに助言してくれましたか、蒋介石と連絡を取り、日本に対してわれわれの力を結集するため、彼といさかいを起こさないようにせよということでした」。彼は、この助言にとくに批判的だった。私はこの助言は本当にコミンテルンが行ったものだと思う。

（福島正光訳『フルシチョフ、封印された証言』草思社）

この毛の怨念が開花するのが延安整風運動である。

長征を果たし延安に辿り着いた毛は、ここで自らの反対者を一挙に始末しようと試みた。その標的になったのが、俗に「二十八人のボルシェビキ」と呼ばれたソビエト留学組であった。その総括をまとめたものが、共産党第六期七中全会の「若干の歴史問題に関する決議」（一九四五）で、その内容は「毛沢東の正しい政治路線と誤った政治路線の過程（路線闘争）を総括したもの」であるが、その中で完膚なきまでに否定されたのがボルシェビキ組の路線であった。

毛はこの路線論争を重視した。その際の思想や言動も重視した。歴史に強い関心を持つ毛は、中国古典に造詣が深く、かつ自らも詩文の才を持つ文人だった。中国の伝統では、詩文の才は為政者に不可欠なものとされているが、毛もその伝統をひく中でその才に磨きをかけていた。したがって、通常なら秘書に書かせる文章も、毛は自ら筆をとって記していた。

そんな毛も外国語は苦手だった。だから、ボルシェビキ組との付き合いも深くもなければ、親近感もまるでなかった。そもそも、彼らの態度が気に入らなかった。彼らがコミンテルンから派遣された顧問団と流暢なロシア語で話すのも、ソビエトでの留学体験をひけらかすのも、本場のマルクス・レーニン主義を振り回すのも不愉快でたまらなかった。そのような場に居合わせると、自分が田舎者扱いされるような気がしてならないのだ。

実際、毛は外国語が大の苦手で、初めて外国に出かけたのも政権を取ってからのことである。スターリンは、そうした毛を馬鹿にして「田舎バター」と呼んでおり、毛がソビエトを訪れた際も、二ヵ月もの間会見せず毛を無視する態度を取り続けた。

そんなスターリンの派遣したボルシェビキ組やコミンテルン（の派遣員）が、路線論争の場において毛を追い詰めて来るのである。それがどれほど癪に障ったかは言うまでもない。

先程述べた知識人嫌いと結びついた典型的な例である。それは時を経ても薄まらず、後々の復讐劇につながってゆく。その最後のボルシェビキ組と戦いが王明との対立だった。王明は、長くコミンテルンの中共代表であった人物で、この時は国民党との共闘を強く求めるコミンテルンの命を受けモスクワからやってきた。これは、兵力温存を決め込んでいた毛にとり最大のライバルともいうべき存在だった。事実、王は滞在していた武漢から延安にいる毛に対し、抗日戦線への積極的参加を求めてゆく。毛路線最大のピンチである。

王明

が、王明の勢いもここまでだった。長らく中国を留守にしていた彼にとり、党内の人脈が極めて少なく、最後はコミンテルン議長ディミトロフの「毛を指導者とする」との裁定で、ソビエトに送り返されることになる。

ここにようやく、毛はボルシェビキ組との競合に勝利した。

では、この整風運動はどのように展開されていったのか。

ターゲットとされた党員は、いきなり批判にさらされて、その政治生命を絶たれてゆく。整風運動は、毛が最初に立て籠った井崗山ですでに見られ、その後江西ソビエト区を経て延安の解放区で完成された。後に我々が眼にする文化大革命の右派攻撃、すなわち紅衛兵や造反派による闘批集会はその延長線上に位置している。

この場合、井崗山と瑞金（江西ソビエト区）の状況を見てみることは重要である。この成功体験が大きな影響を及ぼすからだ。

まず毛は、自らの反対派に「ＡＢ（アンティ・ボルシェビズム）集団」とのレッテルを張り付けて虐殺を開始した。また、それに抗議する者たち（富田事変等）を徹底して弾圧した。毛が行った整風運動は、この成功体験を基にした反復強迫である。

反復強迫とは、最初に行った自己の行為を正当化し、それを何度も繰り返す行為を言う。この場合で言えば、反対派に対する大量粛清の繰り返しである。この反復強迫を止めるには、自らの過去の行為を反省し、その正当化を止める必要があるのだが、毛はそれを一切やらず、すべてを正当化していった。これでは反復強迫は止まらない。事実、こうした全人民を動員した粛清劇（整風運動）は後の文化大革命まで延々と続いてゆく。

これをソビエトと比べると、その特徴が浮き彫りにされてくる。ソビエトでも人民裁判に見られるような見せしめはあったものの、粛清するターゲットは秘密裏に処分されることが多かった。

それは、ある日突然行われる。深夜、秘密警察が容疑者の家を密かに訪れ、ドアをノックすることから開始される。そして、彼らをどこへともなく連れ去って処分してゆく。

だから、ソ連邦の民衆は、ことのほか深夜のノックにおののいた。彼らは眠れぬ夜を、日々過ごすことになってゆく。

だが、毛は、ターゲットこそ秘密裏に調査し、その弱点を探っていたが、いざ粛清の場になると、そのようなこそこそやる手段は取らなかった。

スターリンの粛清を間近で見聞きし、全土の収容所列島化に異常な関心を持っていた毛が、なぜ同様の処置（秘密裏の逮捕・拘束）を取らなかったかは疑問であるが、自ら下す粛清に後ろめたさを感じなかったからであろう。

まず、標的となった党員は、自らの行ってきた全ての行為を「反省筆記」と呼ばれるノートに書き連ね、それを基に批判集会が催される。これは辛い。外面的行為だけでなく、その内面にまで踏み込まれるからである。しかも、党活動では、自己の行為はそれに関わった他の党員にもその責任が及んでゆく。それを逐一追及されれば、まず持ち堪えられない。最後は自我を押し潰され、党（毛）への全面降伏（絶対服従）の結末を迎えてゆく。

だが、整風運動はそれだけに留まらなかった。敵側が送り込んだスパイや、党中央に反対する異端分子をあぶりだす「搶救運動」が加わったからである。これは、ソビエト共産党の粛清を知悉した後帰国した康生が主宰し、自白強要を伴った苛烈な自己批判運動として展開された。この搶救運動にかけられれば、まず助からない。その結果、実際のスパイ摘発にもつながったが、やってもいない過失を自白し、粛清にかけられる冤罪が続出した。

この整風運動の結果も含めた個人の履歴書が作成された。それが「檔案」である。そこには、諸個人を政治評価する一切の記述が書き込まれ、党の人事部がそれを管理し、党員全てを統制する基本文書とされてゆく。

それは、政権を取った一九四九年には都市住民にも適用され、二部作成された上、所属単位と公安部に送付され、共産党支配の最重要の要とされた。

これが実現できた背景には、内戦と対日戦が長期に渡ったことにより、戦争への人民総動員が実施され、民衆一人一人にまで及ぶ支配が確立したことに依っていた。

延安時代は、やがて中国全土に及ぶ全人民の管理と支配と粛清の原型が出来上がった時代であった。

毛沢東の戦争戦略――持久戦論と遊撃戦論

毛は戦略の天才だと言われている。確かに、その著書を読んでみると、それが分かる。

毛の主著『持久戦論』を開くと、概略、次のような趣旨が述べられている。

彼はまず、彼我の力関係に言及する。

「日本は軍事的経済的に非常な力を持っている。したがって、我が方は日本に対して速戦速勝はなしえない」

だが、と毛は付け加える。

「日本の国土はきわめて小さく人口も少なく資源に乏しい。したがって、日本がいかに優れた軍事力を持っていても、その寡兵故に広大な中国で我が大兵力に勝利することはできえない。具体的には、その兵力をもって大都市や幹線道を支配することは可能だが、長期戦に耐えることはできないであろう」

そして、自軍の勝利を呼び込むためには次のような戦略が必要だと結論する。

一、敵の戦略的進攻と自軍の戦略的防御
二、彼我における戦略的対峙、すなわち敵の戦略的退却と自軍の反攻準備
三、自軍の戦略的反攻と敵の戦略的退却そして殲滅

この戦略的構想（持久戦論）の下、具体的な戦術を以下のように言及する。

「敵と正面戦で戦うのではなく、後方で遊撃戦を展開し、その兵站を寸断し、消耗戦を継続すれば、敵はそれに耐えきれず撤退を余儀なくされる」

毛は、この戦略をベースにし、一方で速戦速勝論を抑え込み、他方で敗北主義を切り捨てた。と同時に、日本軍の矛先を国民党軍に向けるよう誘導し、後々起こる国共内戦のため自軍の温存にこれ努めた。だから、日中戦争のただ中でも、その大半は国民党対策に力を注ぎ、日本軍との戦いは極力避け続けている。前述した通りである。

毛は、これをもって対日本対国民党への戦略とし、来る内戦に向けて備えていた。

胡適の「日本切腹、中国介錯論」

ただし、この持久戦論は、それほどユニークなものではない。というのも、同時代の知識人や政治家はそれを当然の事と認識し、さらに詳しく言及している者もいたからだ。国民党政府の駐米大使であった胡適もその一人で、中国の対日戦略を次のように展開している。

中国は絶大な決心をしなければならない。この絶大な犠牲の限界を考えるにあたり、次の三つを覚悟しなければならない。

第一に、中国沿岸の港湾や長江の下流域がすべて占領される。そのためには、敵国は海軍を大動員しなければならない。

第二に、河北、山東、チャハル、綏遠、山西、河南といった諸省は陥落し、占領される。そのためには、敵国は陸軍を大動員しなければならない。

第三に、長江が封鎖され、財政が崩壊し、天津、上海も占領される。そのためには、日本は欧米と直接に衝突しなければならない。

我々はこのような困難な状況下におかれても、一切顧みないで苦戦を堅持していれば、二、三年以内に次の結果は期待できるだろう（中略）

満洲に駐在した日本軍が西方や南方に移動しなければならなくなり、ソ連はつけ込む機会が来たと判断する。

世界中の人が中国に同情する。英米および香港、フィリピンが切迫した脅威を感じ、極東における居留民と利益を守ろうとし、英米は軍艦を派遣せざるをえなくなる。太平洋の海戦がそれによって迫ってくる。

（『世界化する戦争と中国の「国際的解決」戦略』、石田憲編『膨張する帝国拡散する帝国』所収
東京大学出版会）

胡はこのような彼我の力関係（日中関係）を分析し、次のように結論する。

> 以上のような状況に至ってからはじめて太平洋での世界戦争の実現を促進できる。したがって、我々は、三、四年の間は他国参戦なしの単独の苦戦を覚悟しなければならない。日本の武士は切腹を自殺の方法とするが、その実行には介錯人が必要である。今日、日本は全民族切腹の道を歩いている。上記の戦略は「日本切腹、中国介錯」というこの八字にまとめられよう。（前掲書）

これを見ると、胡の戦略論は毛のそれより踏み込んで、さらに具体的に展開している。そして日本は、胡の予言した通り、中国の奥深く引きずり込まれ、英米との決戦に突入し、全民族切腹（一億総玉砕）の道を歩んでゆくことになる。

四つ巴の国際関係

ここで、日中を取り巻く関係諸国の状況について見てみたい。

まず中国は、上海クーデターの後国共が分裂し、再度の合作はあったものの、互いに衝突し合っていた。この中に、満洲国を建国した日本が割り込んで来たのである。

当時の弱小勢力であった毛にとり、この三すくみ状態に持ち込めば、とりあえず良しとしていた。

むろん、この三すくみの背後には、諸外国の思惑が働いている。具体的には、日米ソの三国である。そのそれぞれを分析すると、ほぼ次のようになる。

まず共産党だが、その政治課題は中国に侵攻している日本を叩くことでは全くなかった。ひたすら国民党を圧倒し、政権奪取を目指すことが党の至上目的だった。

共産党は口先では、日本に対する救国戦線の重要性を説いていたが、その実日本軍への攻撃は極力手控え、その勢力を温存し、来る国民党との決戦に備えていた。

そのため、日本軍との戦いは全て国民党軍に受け持たせ、なかんずくその情報を日本外務省の情報機関（岩井機関）を通じて売り渡し、共産党軍（第八路軍）との停戦さえ申し出ている。

これは、共産党の恥部であるため戦後固く秘匿され、それに関わった共産党の諜報員は粛清の憂き目に遭っている。それが今、ようやく表に出始めている。

一方の国民党も、国内の安定を最優先と見なしていたため、共産党の平定を第一に考えていた。これを「攘外先案内」という。したがって、日中の関係では、満洲国建国を黙認し、日中戦争下においても、たびたび和平工作を試みている。

一方蒋は、この間ドイツとのつながりを深化させ、自軍の強化に当たっていた。その成果は上海事変で如何なく発揮され、日本軍を大いに悩ます。また、瑞金の紅軍包囲に当たっては、ドイツの軍事顧問フォン・ゼークトの進言に従って戦いを進めている。

ところがここに、蒋にとり驚天動地のことが起こる。ドイツ（ヒトラー政権）が日本と防共協定を結んだのだ（一九三六）。これに危機感を覚えた蒋は、ソビエトに接近し、中ソ不可侵条約を結び、そのソビエトも独ソ不可侵条約を締結し、これに不安を覚えた毛が日本との停戦協定を持ちかけることになる。毛による日本への働きかけは、以上の国際情勢に依っていた。

さらに、中国国内の激動は続いてゆく。

一九四〇年のことである。太平洋戦争の前年に当たるこの年、汪兆銘が日本軍の支援の下、新政権を樹立する。その政治目的は日本との和平であり、日本はここに中国初の親日政権を誕生させた。

だが毛は、当時これを歓迎し、汪政権が親日であることを全く問わず、共産党との共闘を持ちかける。毛の戦略は終始一貫、国民党の打倒にのみ集中していた。

毛は、日本を徹底して利用できることに大きなうま味を感じていた。そのことがあったからだろう、戦後になっても、首相や天皇の靖国参拝にも何の異議をはさむことなく、南京事件も語らなかった。

そもそも毛自身が国共内戦時に大量虐殺をなしている。長春包囲（長春死城）がそれである。

当時、長春に在り、人民解放軍の包囲に遭った遠藤誉は、その著書『毛沢東——日本軍と共謀した男』（新潮新書）でこう述べている。

> 長春市が丸ごと八路軍（人民解放軍の前身）に包囲されたのである。食料封鎖だ。食料を近郊に頼り、都市化していた長春は、たちまち飢えにさらされる。最初のうちは物々交換により、いくばくかの食べものを手に入れることもできた。しかし、長春市の食料そのものが底をつき、餓死者が増え始める。特にその当時の長春の冬は零下三十八度を記録したこともあり、十月ともなれば零下にいきなり突入する。暖を取る薪もなく、多くの日本人が引き揚げて荒ら屋になった家

屋を壊して燃料とする者が多くみられた。さもなくば凍死するしかない。やがて腹違いの兄の子供が餓死し、つぎに兄が餓死した（中略）中共軍は都市を包囲することによって「点」を死守する国民党を孤立させ、消耗させる作戦に出ていたのだ。そして毛沢東はこの時「長春を死城たらしめよ！」と指示している。

何のことはない。毛自身が大量虐殺を行っていたのである。その数ざっと三十万。しかも、同国民の、一般人に対してのものである。これでは南京事件に物を言えるはずはない。

この南京事件の犠牲者は年と共に増え続け、今では三十万にも上っている。当時南京にいたであろう二十万を遥かに超える数字である。

その南京を首都にしたのが汪兆銘政権である。彼らにとって不幸なことは、政権樹立一年後に日米戦争が起こったことだ。これにより、汪政権は必然的に米英と疎遠になり、日本との和平によって国内を安定させる当初の意図が失われた。戦後、汪とその政権に関わった漢人は皆「漢奸」と指弾され、処刑に付されることになる。

その裁判の席上、汪は自らを漢奸とする検事に対し、「我々が日本に付いたことが漢奸なら、お前らは米英に付いた漢奸ではないか」と激しく反駁している。

米ソの中国介入と共産党の対米政策

さて、中国本土は三勢力（汪政権を入れると四勢力）が入り乱れる中にあって、共産党の背後にあるソビエトが陰に陽に介入してくる。

「ソビエトの最優先課題はただ一つ。日本をして、その兵力をソビエトに向けさせないこと」である。

これは、ヨーロッパでも同様で、ドイツに対する政策はソビエトから眼をそらさせ、英仏にその兵力を向けさせることであった。だからこそ、日本とは中立条約を締結し、ドイツとも不可侵条約を結んだのだ。逆に言えば、日独両国が東西からソビエトを挟撃する状況が最大の悪夢であった。

その悪夢を払うため、日本軍を中国に張り付かせ、中国共産党を支援しつつ、国民党との国共合作が必要だった。ソビエトは、中国のあらゆる勢力を自国の安全のために利用していた。

だから、ソビエトの態度には、両党（国民党・共産党）とも非常に懐疑的であったのだ。

蒋は共産主義に非常な嫌悪を持っており、毛もまたソビエトに強い懐疑を抱いていた。こちらの方は、先程述べた瑞金（江西ソビエト区）での体験に依っていた。コミンテルンによる毛への批判と左遷である。以後、毛はソビエト（コミンテルン）に対し、徹底した面従腹背の態度を取る。先に述べた通りである。

一方の日本では、北進論と南進論がせめぎ合っていた。もし日本が北進論を採用して北に向かえば、ソビエト最大の脅威となる。またそれは、日本が国民党との和平を推進することになり、共産党にとっても致命的な痛手となる。

ところが、日本は南進論を採用した。となれば、米英との直接対決が待っている。事実、歴史はそのように展開し、太平洋戦争が勃発する。

それを聞いた毛は、小躍りして喜んだ。スターリンも蒋介石も狂喜した。ただ、毛にとり、米英が蒋を大々的に支援し出したことには懸念があった。そのため、アメリカを自らに引き寄せるため、さまざまな手練手管を使っている。

その一つが、アメリカのジャーナリスト（エドガー・スノーら）を使っての宣伝工作である。一九三七年、延安の解放区に招かれたスノーは、毛以下共産党の要人とのインタビューを基に『中国の赤い星』を執筆し、これが西側世界に大きな影響力を持つに至る。

スノーは、毛を卓越した改革者として、きわめて好意的に書いている。それは当然、腐敗堕落していた国民党との比較となり、共産党の評価を上げることにつながった。その結果、トルーマン政権は国民党と共産党の連合政府の創設を対中政策の基本とし、アメリカ軍最高司令官ジョージ・マーシャルを延安に派遣し、その報告をもって国民党を見限ることになってゆく。まだある。マーシャルは、単に連合政府の設立を迫るだけでなく、軍事援助を餌にして軍の統一までも要請する。そしてそれが国民党の拒否にあうや、借款を棚上げし、軍事物資の提供を停止する制裁に打って出た。そのダメ押しが戦後のトルーマンの宣言である（一九五〇）。「例え台湾有事が起こっても、われわれは支援をしない」と。

かくして、アメリカは共産党の宣伝にうまうまと乗せられて、共産党へ絶大な奉仕をすることになってしまった。その具体的な結果がアチソンラインの設定である。

アメリカはその防衛ラインから韓国と台湾を外したのだ。

その後の経過は、周知の通りだ。アメリカの介入がないと踏んだ金日成は、韓国侵攻を決断し、朝鮮戦争が開始される。これ即ち、トルーマン民主党政権の親共産党政策の結果である。その過ちは、ケネディー大統領の発言（我々の中国政策は間違っていた）まで、正式に認められることはなかった。

こうした親中政策は、民間レベルではその後も長く継続し、スノーに至っては大躍進政策による大飢饉さえ認めなかった。これは日本でも同様で、進歩的知識人は諸手を上げて大躍進政策を絶賛していた。共産党の対外工作は、非常な成果を上げていたのだ。

この間のアメリカは、紆余曲折はあったものの中国への政治経済進出を一貫して求めていた。それは、一九〇〇年のジョン・ヘイの門戸開放宣言以来、終始変わらぬ対中政策の要であった。門戸開放とは耳障りのいい言葉だが、要するに中国の利権争奪戦に出遅れたアメリカが「中国市場に列強と対等な立場で割り込ませろ」ということだ。

その思いはその後も長く続いてゆき、満洲利権への介入（鉄道王ハリマンの満洲鉄道共同経営等）を要求し、それが拒絶されるや、反日の立場にシフトし直し、最終的には日米戦にまで及んでゆく。中国市場での日米の確執が太平洋戦争の引き金を引いたのだ（アメリカの対日最後通告は中国からの完全撤退であった）。

中国は、日米ソの思惑が入り乱れ、それとつながる中国の諸勢力がしのぎを削る抗争の場となっていた。

日本の敗戦、撤退、そして占領体制

日本の敗戦後に話を移す。

まず、満洲はソビエト赤軍の席巻するところとなった。その時逃げ遅れた日本移民が大量に発生し、非常な苦難に見舞われた。われわれはそれを置き去りにされた日本人孤児によって知っている。この時、ソビエトには北海道の北半分を占領する意図があり、日本のポツダム宣言受諾後も侵攻を止めることなく、サハリンを南下し、千島列島に上陸してきた。

ただ、日本にとって幸いしたのが、この時北海道を統括する第五軍管区司令官（並びに北部軍管区司令官）の樋口季一郎中将が自衛権の発動を命じ、千島列島最北端の占守島の戦いで赤軍の侵攻を食い止めたことであった。それがなければ北海道占領はなされていたと思われる。その赤軍の侵攻危機が再燃したのが朝鮮戦争時であった。米軍の資料によると、ソビエトは赤軍本体の北海道上陸に当たっては、シベリア抑留の旧日本軍部隊を引き連れて侵攻する可能性があったという（柴山太『日本再軍備への道』ミネルヴァ書房）。当時の日本は警察予備隊が生まれたての時代であり、自衛能力はゼロ。加えて在日米軍は韓半島に出払っており、日本共産党の後方攪乱や武装闘争も起きていた。この時赤軍の侵攻に見舞われれば、北海道の防衛は難しく、国内の革命危機とも相まって進退を窮していたと思われる。こうした中、日本の防衛を期するとなると、韓半島の米軍を日本に振り向けなければならないが、今度は韓半島ががら空きになり、韓国は北朝鮮人民軍の席巻するところとなる。

当時の東アジアは、北朝鮮（金日成）による韓国侵攻、中国（毛沢東）による台湾危機、さらにはソビエトの北海道への侵攻危機が重複し、まさに動乱の時代であった。

　このことから分かることは、韓国や台湾がなぜ独裁制を長期にわたって敷かなければならなかったかということだ。それはその隣国に強力な軍事独裁国家が存在し、自国の併合を目指していたからに他ならない。その結果、韓国はＫＣＩＡが全権を掌握する警察国家となり、台湾は世界最長の戒厳令国家になってゆく。

　では、北朝鮮の侵攻が成った場合はどうなったか。その時は、日本も最前線に立たされて独裁化していったと思われる。すなわち、ＧＨＱの支配が続き（主権回復が遥かに遅れ）、対馬・壱岐両島は沖縄の例に見られる全島要塞化が進行したと思われる。

　ちなみに、この状況を日本史上で求めれば、七世紀の日本がそうであった。あの時、百済救援に向かった日本軍は唐・新羅連合軍に大敗し、その侵攻に備えるべく各地に城塞を建設し、大津に遷都し、それまでの豪族連合を中央集権に改変している。あるいは、元寇の折、北九州一帯を石塁で防衛し、御家人を総動員した非常時を例示してもいいであろう。地政学的条件は、政治形態を決定的に左右するのだ。

　が、事態は幸い、ソビエトが二正面作戦を展開するだけの力を持たず、またスターリンがアメリカとの直接対決を避ける方針であったため、日本と台湾は事なきを得たが、大変な危機であったことは否めない。

　そのような中、敗戦直後の日本にあって喫緊の課題であったのが、大陸からの日本人軍民の帰還であった。

まずポツダム宣言では、日本軍の降伏先は国民党政府になっていた。だから、日本人捕虜やその武器は国民党軍の管轄下に入るはずであった。事実、岡村寧次大将（中国派遣軍司令官）は、指揮下にある日本軍に国民党に降伏し、武器を引き渡すよう命じていた。また蒋もそれを受け入れ、中国在住日本人の早期帰国のため最大の便宜を図る。その時の有名な言葉が残っている。

> われわれは、「不念旧悪（旧悪を念ぜず）」および「与人為善（人と善をなす＝善意をもって対する）」が、わが民族の至高至貴の伝統的徳性であることを知らなくてはならない。われわれはこれまでも、一貫して、敵は日本軍閥であり、日本の人民を敵とはしないと声明してきた。
>
> （『蒋介石秘録（上）』産経新聞社）

これは、蒋の「以徳報怨」として終戦日に発表されたものである。「怨みに報いるに徳を以って報いる」との意味である。事実、蒋は日本人の本国移送にこれ以上ない協力の姿勢を見せた。

当時、中国本土には軍民併せて二百十三万もの日本人が存在していた。「それを全員帰還させるには五年の歳月がかかる」とさえ言われていた。しかも、時は終戦の混乱期で、国共内戦が始まっている。この時の日本人移送がどれほど大変であったかは言うまでもない。蒋の片腕であった何応欽将軍は、その一件をこう述べている。

> 歴史の長い目で見れば、日本人と中国人とは切っても切れない兄弟の間柄にある。兄弟喧嘩し

ても、またすぐ手をとり合うという仲での「戦争」であった。われわれとしては、ケンカが終わったあと、日本の青年を一刻も早く内地へ送りかえし、日本の復興に役立てたかった。戦い敗れて取り残された人びとの境遇に同情したからだけではない。日本兵の復員のためには、中華民国が所有していた船舶の八割（三十万トン）があてられ、列車もまた七割から八割が提供された。このため、国内の緊急輸送が影響を受けたことはたしかである。（前掲書）

蒋も「敵軍捕虜を一年後には百万にのぼる捕虜を本国に送還した例は、世界史上ないであろう」と述べている。

むろん、蒋は国民党の指導者で、最高司令官でもある。単なる善意でこれをやったわけではない。そもそも当時の中国には、日本軍（約百三十万）が存在し、潜在的戦闘能力を誇っていた。降伏を討議する御前会議の席上、阿南陸相が「われわれには、まだ中国に無傷の兵百万がいる」と強弁し徹底抗戦を主張したのはこのことがあったからだ。

通常、降伏時の軍隊は消耗しきって無抵抗であるのが普通だが、この場合は勝利した国民党軍より強いかもしれないのだ。下手に対処すれば、牙を剥いて抵抗してくる可能性もある。事実、その軍事力を当て込んだ軍閥が日本軍を取り込んで、勢力を伸ばそうとした例もある（山西軍閥）。

そのため、日本軍の扱いはきわめて慎重にしなければならなかった。日本軍の早期送還には、その計算も入っていたはずである。これで、後顧の憂いは確実に一つ減る。

しかし、この送還は高くついた。共産党との競合に遅れを取ったからである。

日中戦争の前線で戦い続けた蒋軍は、それでなくとも疲弊していた。共産党との競合で出遅れたダメージがどれほどのものかは想像にかたくない。

これをソビエトや中国共産党と比較してみればいい。

ソビエトは日本軍の武装解除後、その兵員の全てをソビエト・中央アジア・モンゴルへと移送して抑留した。その数約六十万。その一割が抑留先で死んでいる。

中国共産党は、ソビエト赤軍の侵攻を追うように満洲に進出し、武装解除された日本軍の武器弾薬を接収し、使えそうな技術者や兵員を確保した上、自軍強化に役立てた。中国空軍が実質的に立ち上がるのは、この時の日本軍捕虜の指導に依る。国民党と共産党の日本への扱いには、これだけの差があった。

この国民党の措置に感激したのが右の岡村寧次である。さらに、蒋が「国体（天皇の統治する支配秩序）には手を付けぬ」と公表していたことにも深い感銘を得るに至る。日本がポツダム宣言を受け入れる唯一の条件（国体護持）を、蒋が認めたからである。

これについては、アメリカも天皇自身には手をつけなかった。ただし、天皇の属性（政治的大権等）は徹底して剥奪した。天皇が大元帥の立場を持つ武装天皇制を剥奪し、諸々の政治的大権を剥奪し、天皇の与える日本人への倫理道徳（教育勅語等）を剥奪し、天孫降臨に代表される天皇の神話を剥奪し、総じてその身に帯びる神性を容赦なく剥ぎ取って、剥き出しの人間天皇のみ存在するよう強要した。三島由紀夫が「などてすめろぎは人間《ひと》となりたまいし」と嘆いた人間天皇が強いられたのだ。天皇を生かすには、ここまでしないと、国内外の世論を収められないと思ったからだ。

そうした措置を取った上、アメリカは形式的な国体護持を保守することで日本の支配を遂行してゆく。むろん、そこには天皇の安全を楯に取った懐柔や脅しも含まれている。GHQ民生局のトップ・ホイットニーは、自らが急造した日本国憲法を示しながら、こう述べている。「これを認めるなら天皇は安全だ」と。この発言には「これを言われれば、日本側は折れるはずだ」との読みがあり、事実そのようになってゆく。

ただし、アメリカが占領国として行わなかったこともある。その一つが皇太子のアメリカ移住だ。通常、相手国を占領した場合、王の世子（皇太子）を自国において教育し（次代の君主になった折の用意）、あるいは自国女性と結婚させ徹底した同化政策を採っている。それは東アジアの場合の常識であり、日本も占領下の大韓民国や満洲国には婚姻政策を仕掛けている。が、アメリカはそれはやらず、皇太子にアメリカ人女性の家庭教師を付けただけで満足した。また、ソビエトがやったような衛星国の首相をモスクワに呼びつけ、そのまま拘束するまねもしなかった。さらには、日本の国体を最も危うくする天皇陵の発掘もやらなかった。もしやっていれば、天皇の正統性（万世一系）が崩れる危険が大いにあったが、それには手を付けなかった。それがなぜかは分からないが、支配の維持には天皇の人間宣言だけで十分だとしたのであろう。

その一方、戦前日本がどうしてもできなかった小作制の廃止・婦人参政権・財閥解体等を実現している。これが日本を混乱させる。占領軍が自由と民主主義を与えることで、強烈な戸惑いが生じたからだ。占領軍が強圧的であるならば、それに反発する自我を作ればいいのだが、自由を与えたとなると、どのように対処すればいいのか分からなくなる。そのため、かの日本共産党でさえ、占領軍を解放軍規定するまでになってしまった。
が、もとより、占領軍が無条件にそうした施策を取ったわけではない。占領に対する反発を無力化し、復讐の怨念を失くすためのものであった。事実、右の例に見られる通り、戦前日本の政体には容赦なくメスを入れ、東京裁判（極東国際軍事裁判）では事後法をもって日本を裁き、かつ倫理道徳的な負の刻印を押してゆく。そのダメ押しが「ウォー・ギルト・インフォメーション・プログラム」で、これにより戦争遂行の罪悪感を徹底して浸透させる挙に及ぶ。そしてその都度、日本がそれを忘却しようとした折にはほのめかし、反抗しようとした時は恫喝をかけてくる。

アメリカのこうした敗戦国への道徳的追及は南北戦争に始まると言われているが（それまでの戦争では敗者への過剰な賠償金や領土割譲は存在したが道徳的追及はなかった）、このピューリタン的追及が日本を単なる政治的敗者ではなく、道徳的敗者へと追いやってゆく。これを有形無形に真似たのが中国や韓国で、その代表例が靖国参拝問題や教科書問題で、これに憲法改正への批判も加わり、日本への内政干渉が常態化していった。これは中韓両国、特に中国に言えることだが、中国は日本の直接占領者ではなかったものの、戦勝国であると任じ、また多大な戦争被害も受けたことから、戦後日本の内政に関与してしかるべきとの強い思いがあったのであろう。

だがそれは、反共体制を敷くアメリカに阻まれて手を出すことができなかった。とりわけ、中国は共産党が政権を取り、アメリカと敵対してしまったため、戦後日本の体制に関与する機会を得られず、革命の扇動（日本共産党の武装闘争等）を行うほか術がなかった。

かくして、アメリカは、ほぼ単独で天皇を通じた精神支配と日米安保を通した軍事支配を遂行し、かつ日本（とりわけ沖縄）を東西冷戦の東アジアの最前線に位置付けながら共産圏への封じ込め政策を進めてゆく。むろん、この場合、日本の主権が制限を受けていたことは言うまでもない。主権制限論はかつてのソビエトがその衛星国に課していた頸木であるが、あれ程あからさまではないものの同じ主権制限が課せられていたことになる。ただ、日本が占める政治的重要性を鑑み、その従属を条件に経済的発展は黙認され、それが昂じて「安保ただ乗り論」が取り沙汰されることになるのだが。

以上、敗戦以後の日本の状況を米ソ中の動向と合わせてスケッチしてみた。

アメリカのこうした対応は、戦後日本が政治的精神的従属下に置かれることの契機となった。戦後日本の体制（憲法下の民主政や象徴天皇制）は、こうした条件下において初めて生かされることになる。

蒋介石の要請——旧日本陸軍の将官、台湾へ渡る

敗戦後の日中関係に戻る。先の蒋の発言（国体許容発言）は、ほんの感想を述べたものであったろう。だが、その発言が日本側の将官を感動させた。岡村は、その恩義に報いるべく、蒋の要請に基づいて富田直亮を長とする旧陸軍参謀団を台湾に派遣した。これが、いわゆる「白団」である。

それは、一九四九年九月、東京のごく小さな旅館の一室で始まった。蒋から派遣された国民党使節団（曹士澂少将や陳昭凱大佐ら）が日本の旧陸軍将校（岡村寧次大将や小笠原清中佐ら）と会合し、顧問団の結成が決定した。顧問団のトップには陸士三二期生の富田直亮（元陸軍中将）が就任した。

なぜ、この時期に顧問団が結成されたかは明らかである。当時の国民党は、いわゆる三大戦役（遼

藩、准海、平津の諸戦役）で敗北し、中国全土で押しまくられていた。また、アメリカも国民党への支援を控え、蒋は苦境に立っていた。その形成挽回の切り札に日本人将校団を呼び寄せたのだ。

むろん、仇敵を迎えることには異論があった。つい数年前まで矛を交えていた敵国の将校団だ。彼らを顧問に迎えることに反発があったのは当然のことである。

だが、背に腹は代えられない。また、日本人の方がアメリカ人より遥かに中国事情に通じており、その戦法も物量中心のアメリカのものよりも国民党軍の実情に合っていた。実際、白団の招聘は功を奏した。白団は蒋の期待に応え、その任務を果たしてゆく。

まずは、将校クラスの軍人を徹底して訓練し、近代軍に変貌させた。その数、およそ二万人。白団から見た国民党軍は、あらゆる点で前近代的体質を抱えたままの軍であった。作戦能力も索敵機能も何もかもが不足していた。それを一から改造していったのだ。また、白団は、参謀クラスの人間にも旧日本陸軍の作戦・用兵術を伝授した。富田に至っては、最終的には軍師となり、蒋の存在を支えている。

これがどのようなものであったかは、次の孫立人（国民党軍の将軍）の供述で明らかである。孫は、アメリカでの軍事研究所の経験と旧日本陸軍の教育を比較しながらこう語る。

> アメリカ式の教育は、すべて型通りのことしか教えない。これに対して、白団の教育は高度できめ細かい戦術・戦略を徹底的に教えてくれました。その方法論にしてもアメリカが選択的なのに対して、こちらが知恵をしぼって考えないと勉強が進みません。私の同期で参謀大学をでた友

人も「こんなすごい教育は初めてだ。これこそが戦術だ」といっていました。
台湾は、アメリカや旧ソ連のように大国の軍隊ではありません。弱勢な軍隊がそうした軍隊に対抗するには「戦術」を重視しなければならないのは当然です。
そのかわり日本式の教育だから厳しかったですよ。少なくとも一週間に一度は、かならず徹夜になるような戦術作業の宿題がありますね。それに、こちらの態度が良くないとものすごい勢いで怒鳴られます。白教官が一番厳しかった印象がある。

（中村裕悦『白団』扶桑書房出版）

もう一つ、白団が国民党軍に注入したことがある。それは、武士道を通じた軍人の精神だった。当時の国民党軍は寄せ集めの軍であり、また伝統的な中国の軍人観、すなわち「軍人とはならず者」との見方が常識だった。それを根本的に改めて、国防を担う名誉ある軍人観に置き換えたのだ。それを蒋は、白団の最も大きな功績だと称賛している。

白団は、その後アメリカ軍事顧問団が台湾に派遣されると、秘密裏に場所を移動し日陰の存在になってゆくが、その滞在は一九八〇年まで続いてゆく。台湾国防部は、白団を高く評価し「その功績は消えることはないであろう」と述べている。

一方、白団とは別ルートで、台湾にやってきた旧帝国陸軍の将がいた。根本博である。根本は、終戦当時、内蒙司令官に就任していた。

周知の通り、ソビエト赤軍は満洲に侵攻し、破竹の勢いで満洲全土を席巻し、内蒙の首都・張家口にも迫っていた。

内蒙には日本軍将兵と四万の在留日本人が居住していた。この軍民を保護し、無事撤退させる必要が生じていた。

だが、赤軍の武装解除に応じずに抵抗を続ければ、ポツダム宣言違反となり戦犯にされてしまう。この切羽詰まった状況で、根本は抵抗を選択した。赤軍が信じられなかったからである。根本が信頼していたのは、敵将であったものの、それまで繋がりがあった傅作儀（国民党綏遠省長）や蒋介石であった。だから、彼ら以外に降伏する気はさらさらなかった。

事実、根本は、自らが招集した参謀会議で次のように言っている。

> 「ソ連は、私を戦犯にするとのことだが、私が戦死したら、もはや戦犯にしようとしても不可能ではないか。もし、諸君の中に（戦闘継続に対して）躊躇するものがあらば、私自身丸一陣地に赴き、ソ連軍軍使を追い返そう。もし、不可能ならば、私自身が戦車に体当たりして死ぬだけのことだ（後略）」
>
> （門田隆将『この命義に捧ぐ』角川文庫）

これを聞いた参謀たちは、全員が総立ちになったという。

「司令官の決心はよく分かりました」
「承知いたしました！」
「司令官は、司令部に留まって頂きます」
中には、涙しながら、そう叫ぶ参謀もいた。駐蒙軍の方針は決定した。（前掲書）

かくして、戦闘は継続し、赤軍の猛攻を止めた駐蒙軍は、張家口から北京への撤退を完了した。それを出迎えた松永少将は「感極まり、ただ涙があふれ出て、感謝と慰労の言葉さえ述べることができなかった」（前掲書）とされている。

根本は、この撤退に当たり、蒋介石が採ってくれた労に感激し、もし台湾に貢献できることがあれば、一命を賭して恩を返すと心に誓う。

それが密航をして、台湾に駆け付ける行為となる。

その根本の軍事顧問として活躍したのが金門島の戦いである。この戦いに当たり、根本は隣接する厦門を視察し、当地を放棄するよう要請した。

これは、おそらく根本しか言い出せなかった提言ではなかったか。厦門は重要な商業都市で、そこを放棄するなど、国民党軍の将軍からは言えなかったからである。

だが、その提言は、まことに当を得たものだった。そもそも、大量の人口を抱えた厦門は自給できず、持久戦には不向きであった。そこで、厦門の放棄と金門島での迎撃を求めたわけだが、これが決定的な戦略上の岐路となった。

戦いが始まった。中国全土を席巻し、その勢いのまま押し寄せて来た解放軍（二万余）は、使用していたジャンク群（上陸船）を焼き払われ、上陸後の戦いでも包囲殲滅されてしまう。敗走に敗走を重ねていた国民党軍は、ここで初めて解放軍の進撃を止めた。

かくして、台湾占領を目論む共産党の戦争目的は無に帰した。金門島の戦いは、台湾が実質的な独立を勝ち取る第一歩となったのだ。

加えて根本がもう一つ感謝されていることがある。それは、解放軍が逃げ込んだ古寧頭村（北山集落）の村民を護るため、村内での掃討戦を回避し、北路への退路を設けて村から追い出し、そこを叩く作戦を実施したことである。そのため村民に犠牲は出ず、解放軍のすみやかな降伏がもたらされた。村民はそれを記憶し、根本を戦神として祭っている。

その後の台湾

その後の台湾を述べてみる。

まず、国共内戦に敗れた蒋は、台湾に撤退した一九四八年、戒厳令を布告する。この戒厳令は実に四十年にも及ぶ世界最長のものとなり、その間蒋は台湾に君臨し、神格化されるまでになってゆく。

思えば、台湾は数十にものぼる先住民（高山族）と、そこへ押し寄せる移民や棄民、そしてめまぐるしく変わる支配者の国であった。具体的には、先住民の上に中国から来た移民が覆いかぶさり、オランダ（東インド会社）が来台し、鄭成功がそれに代わり、その鄭氏を討った清が支配し、日本が対清戦勝をもって統治を始め、最後に蒋が敗残兵を引き連れて上陸してきた。

この内、日本と最も関係が深いのが日清戦争後における台湾の経営だが、もう一つ忘れられないのが鄭成功との関係である。鄭は倭寇（海商）である父・鄭之龍とその日本人妻・田川マツとの間に生まれるが、父が清に処刑され、その後を追って母も自害したことから、清に復仇の思いを持ち「反清復明」をスローガンに台湾を拠点に清と戦う。これが台湾初の独立国家で、清に対抗すべく徳川幕府に支援を要請したこともある。幕府はその要請を断るが、鄭氏は清の制圧を受けるまでなおも三代にわたり抵抗を継続し、近松門左衛門はこれを人形浄瑠璃「国姓爺合戦」として取り上げている。その歴史は繰り返され、現在の台湾も中国の激しい圧力を受けながら日本との関係を取り結び、その援助を得ようとしている。日台の関係は、このような歴史を重ねながら今にまで至っている。

そして、戦後の国民党による台湾上陸。

それはすぐさま、地元民（本省人）との衝突を勃発させ、遂には力ずくの弾圧と虐殺事件（二・二八事件）が引き起こされた。そしてその後は、目を覆うばかりの抑圧と人権蹂躙が繰り返され、それが常態化していった。その結果、「アメリカは日本に原爆を落としたが、台湾には蒋介石を落とした」とまで揶揄されることになる。

一方、人民中国に対しては、その成立を承認せず、少なくとも一九六〇年まで大陸反攻を唱え続け、台湾海峡を挟む幾度もの衝突を繰り返した。その時、反攻作戦の立案を指南したのが前述の白団で、とりわけ大躍進政策が失敗し中国が大混乱に陥った折は色めき立ったと言われている。

ただ、それでも大勢を覆すには至らない。人民中国を承認した国は増え続け、これに抗して台湾は「漢賊不両立」の原則を適用し、国交を断ってゆく。

だが、しょせん、両国の力の差は歴然となり、ついには一九七一年の国連総会で「国府追放・北京政府招請」のアルバニア案が可決され（二七五八決議）、国連脱退を決行する。日本とアメリカが国連に留まるよう求めるが、ここでも「漢賊不両立」を楯に取り、一切翻意しなかった。

その件につき、蒋は次のように記している。

> われわれの復国の基礎は二つある。すなわち、国連によって保障される国際法上の地位をよりどころとすることと、内政において、台湾を復興する基地とすることである。この二つの基礎は、ともに非常に重要だが、基本は台湾にある。もし、両者を兼ねそなえることができなければ、私は、国連を放棄してでも、台湾を確保する。これは、わが政府の最後にいたったとき、やむをえずとる唯一の政策である。
>
> （『蒋介石秘録（下）』産経新聞社）

が、この脱退は、やむを得ない措置とは言いながら、台湾孤立の原点になってしまった。その翌年、アメリカのキッシンジャーの忍者外交による米中蜜月に焦った日本は、中国が提出した条件を丸のみし国交回復の挙に至る。すなわち、「中華人民共和国を、中国を代表する唯一の政府とすること。台湾省が中華人民共和国の一部であることを認めること。台湾との間で結ばれた日華平和条約を破棄すること」である。

むろん、台湾はこれに激しく反発し、日華平和条約の破棄を通告した。この一連の外交関係断絶（国連の脱退と日本との外交関係断絶）が嚆矢となり、その孤立がいっそう際立つことになる。一方のアメリカは台湾関係法を制定し、「台湾への武器供与を含む自衛能力を確保すること」を条件に米中国交回復に踏み切り、北京を唯一の中国の代表として認知した。以後、台湾と外交関係を持つ国々は人民中国の切り崩しに遭って激減し、今や十数ヵ国に至っている。

ただし、朗報もある。長らく待ち望んだ民主化が実現したのだ。李登輝（元台湾総統）が始めた民主化は紆余曲折を経ながらも進展し、民進党の陳水扁が国民党候補を破ったことで政権交代も実現し、台湾の自由化が定着してゆく。

その折の中国の焦りは大きかった。総統選挙の実施に合わせて大々的な軍事的威嚇を行った。台湾島の主要港湾都市沖合にミサイルを放ったのだ（第三次台湾危機）。

が、これは却って、アメリカによる反撃に遭遇する。アメリカは空母打撃群（ニミッツ・インディペンデンスの二空母打撃群）の派遣により一蹴され、台湾初の民主選挙は滞りなく実施された。

「これで、向こう十年間、中国は台湾に手が出せない」――その時の李登輝の言葉である。

むろん、それでも中国は諦めない。独立に向けた動きを牽制するため、「反国家分裂法」を制定し（二〇〇五）、独立宣言があった場合の侵攻を明文化し、政治・経済・外交に及ぶ三光作戦（台湾孤立政策）を採っている。また、右の選挙時の反省から、米空母打撃群を近寄らせないため空母キラー（対艦ミサイル）の開発に尽力してゆく。

その後、台湾は国民党と民進党の競合が続いてゆくが、決定的だったのは中国による香港への介入だった。国安法で香港の民主派を抑え込んだ中国は、イギリスと取り交わした五十年の香港自治を反故にして、中国の直轄領に組み込んだ。

その折の弾圧を目の当たりにした台湾の衝撃は大きかった。中国の提唱する「一国二制度」がどのような結果を生むかを直接知った民衆は圧倒的得票をもって蔡英文総統の再選を選択した。台湾の国民は、自らの未来を自らの決断で選択したのだ。と同時に、トランプ政権から続くアメリカの台湾支持がそれを背後から後押ししている。トランプは、大統領就任直後に蔡英文総統との電話会談を実現し、「台湾旅行法」を制定して米高官を送り込み、「国防授権法」で軍事交流を明文化し、台湾海峡へのミサイル駆逐艦派遣を繰り返した。

そして、二〇二二年の八月。中国は、アメリカ・ペロス下院議長の台湾訪問に反発し、台湾本島を六ヵ所にわたって包囲する軍事演習を強行した。演習は、従来の台湾海峡中間線越え、中国本土（三ヵ所）から発射された弾道ミサイルは台湾島上空を通過し、かつ日本本土のＥＥＺ（排他的経済水域）内にも落下している。その延長線上に与那国島等先島諸島があることから、日本への明確な牽制ともなっていた。

では、中国側が実際に侵攻した場合はどうなるか。

その時は、自動的に台湾独立が宣言されよう。と同時に、侵攻阻止に向かうアメリカは必然的にその独立を承認し、日本や西側諸国もそれに次ぐことになるであろう。中国はその侵攻を内政問題（属州の平定）とするであろうが、もうこの時台湾は明確な交戦国となり国家間戦争の段階に突入する。

もともとアメリカの台湾政策は「三つの米中コミュニケ」「台湾関係法」「六つの保証」を前提にな

されていた。この場合の要点は、台湾が「『一つの中国である』との中国の主張は了解したが、それを受け入れたわけではない」ということである。したがって「アメリカは武器輸出も人的交流も実施し、中国の武力侵攻に備えての安全保障も担っている」ということだ。

そして日本。日本の台湾政策は、安部元総理の言葉通り「台湾有事が日本有事」との前提が基本となろう。そもそも、台湾が落とされて困るのはアメリカではなく日本である。アメリカは台湾を失っても損失は限られるが、日本はシーレーンを失えば決定的な危機を迎える。となれば、台湾のセキュリティーにはアメリカ以上にその関与が必要なのだ。

台湾は今、日本にとり文字通りの運命共同体となりつつある。

第二章のまとめ

一、中国共産党は、ロシア革命の成立、マルクス主義思想の広がり、コミンテルンからの政治工作等をもって一九二一年に誕生した。

二、人民解放軍は、「国民党からの解放」を建軍の基本とした内戦用の軍であり、共産党の私兵である。また、長征の途上で都市蜂起路線を止め農村根拠地論を採ったことで「農民革命軍」に変貌してゆく。

三、解放軍は「農村が都市を包囲する」との戦略を採り、戦術的には遊撃戦論を採用し、その組織的性格はゲマインデ（閉鎖共同体）が色濃く残る軍閥連合の様相を呈していた。

四、中国は、伝統的に中央への地方の反乱を阻止するため、中央から派遣される官僚には「回避制」や「不久任制」を適用し、江沢民時代には中央と地方の官僚を転任させ合う「輪調互換制」や地方と地方の官僚同士の互換制も採用するに至っている。

五、毛の思想的原点たる暴力至上主義は、農民暴動から受けた衝撃が原型になり、それが「銃口から政権が生まれる」との共産党の基本テーゼとなってゆく。また毛の内面は、父親との葛藤から始まる肉親への愛情の無さ、連続する結婚生活の破綻、知識人への劣等感等による複合コンプレックスを形成し、後に見られる過剰な策謀や粛清（整風運動の多用）にもこうしたコンプレックスの痕跡が垣間見える。

六、毛の戦略は、極力日本軍との戦いを避け、来るべき国民党との内戦に備えるものであった。そのため毛は、国民党の後ろ盾たるアメリカへの懐柔に尽力し、ソビエト赤軍の多大な援助とも相まって内戦に勝利する。

七、国民党の対外戦は日本軍の撤退をもって終わりを告げるが、その後の内戦敗北で台湾に逃れ、人民中国が国連の議席を得るや、「漢賊不両立」を宣言し、国連から脱退してゆく。そのため、国際社会からの孤立が進み、人民中国の切り崩しとも相まって孤立化を深めるが、国内民主化には成功し、総選挙による政権交代も実現して独立国家としての歩みを続けている。

第三章　毛の戦争、毛の内乱

中国の国の形（一）――中国は連邦制を採らなかった

一九四九年中華人民共和国が誕生した。中国はここに、ようやく統一国家の樹立を見たのだ。

その結果、変則ではあるものの、国民国家の樹立が達成された。共産党には、マルクス・レーニン主義に基づく革命論（インターナショナリズム）が存在するため通常の国民国家とはかなり異なり、かつ未だ混乱の冷めやらぬ多民族国家であったため、均一の国民は未形成のままであったが、一応それが実現したのだ。

だが、その統一は苦難の幕開けでもあった。

まず問題であったのは、中国の人口と面積が比較にならない程大きいため、国民国家の適正規模を遥かに超えていたことである。

これは、他の国民国家と比較すれば即座に分かる。国民国家はヨーロッパ産のものであるが（英仏等）、あのレベルの人口・面積が適正なのだ。むろん、日本も同様で、地理的条件（島国）にも助けられ、国民国家になりやすかった。

それを示す最適の指標が通婚だ。均一の国民が形成されたか否かは通婚率を見れば分かる。日本で言えば、地理的にも階級的にも民族的にも、ほぼ問題なく通婚が可能であった。互いが互いを同一の国民と認識できるからである。ところが、中国たるやそれがきわめて難しいのだ。あまりに巨大で広い版図、あまりに多様な民族・文化、これに目もくらむ階級格差が追加される。となれば、異なる地域・異なる民族・異なる階級間の通婚率は決して上がらず、国民の形成は至難となる。中国はこの問題を未だ解決しておらず、国の形はかつての帝国のままである。にもかかわらず、国民国家（均一の国民化）をしゃにむに創ろうと試みて同化政策を遂行する。この矛盾が端的に見られるのが少数民族問題で、チベット蜂起、ウイグル人ジェノサイド、内モンゴル・バイリンガル教育問題を引き起こし、中国の政治的ガンとなっている。

　これに、歴史問題が追加される。歴代中華帝国は異民族支配が長く続いていたために、漢人政権の異民族への政治姿勢（排外主義）や支配領域の扱いが問題となってきた。

　清末から辛亥革命にかけて、この問題が必然的に俎上にのぼった。そのため、立憲派と革命派では、国の最も基本たる領土認識がひどく異なったものとなった。

　まず、立憲派の巨頭・康有為は中華民族主義を唱え、清朝内の諸民族は中華民族の一部を成し、したがってその版図は従来通り清朝全土に及ぶとした。一方の革命派は滅満興漢に固執したため、長城内だけを国土とする大漢民族主義を取っていた。孫文が革命支援と引き換えに満洲の日本譲渡に躊躇がなかった理由はここにある。

　だが、その後革命派はその方針を一転させる。いざ、革命が実現し、はたと清朝版図を見渡すと、少数民族（モンゴル、チベット、ウイグル地区）が漢土をぐるりと囲んでいる。ここが独立してしまうと国力は半減し、そのそれぞれを支援する列強の力がダイレクトに及んでくる。事実、ロシアと大英帝国はグレート・ゲームの最中《さなか》にあり、前者はモンゴルと新疆に触手を伸ばし、後者はチベットを勢力下に置いていた。両国とも、グレート・ゲームを勝ち切るため少数民族の囲い込みに必死だった。となれば、革命派も「少数民族が独立を果たした場合はきわめて危険だ」との思いから、それまでの大漢民族主義を放棄して、中華民族主義に寝返った。

この主張が国際的に通ったのが、アメリカが呼びかけて実現したワシントン会議（九ヶ国条約）である。ワシントン会議と言えば、日本ではすぐさま米英日の主力艦隊の割合を五・五・三と規定した海軍軍縮協定や、太平洋の現状維持や日英同盟の破棄を記した四ヶ国条約が言及されるが、その傍で「中国の主権尊重や門戸開放が盛り込まれた九ヶ国条約が結ばれていた」のである。

この主権尊重の文言が右の中華民族主義の主張と連動していた。すなわち、中国が少数民族地域の版図を受け継ぐことを意味したからだ。この時、中華民族主義の領土主張（清朝版図の受け継ぎ）は国際的な認知を受けた。以後、中華民国から人民共和国に至るまで、この立場を引き継いでいる。

ちなみに、これを理論的に完成させたのが蒋介石である。

まず蒋は「漢人と諸民族は互いに競合しながらも、中華民族を形成してきた」と主張する。次いで「もろもろの諸民族を中華民族の宗族や支族と位置付けて、一つの統一国家に収斂されるべき」と結論し、これをもって中華民族主義の完成形としたのである。

この宗族や支族という言葉がキーワードで、その意図するところは「少数民族を民族として扱わない」ということだ。民族は、宗族や支族の上にある中華民族ただ一つであり、その結果「モンゴル人は中華民族モンゴル族」に、「チベット人は中華民族チベット族」に、「ウイグル人も中華民族ウイグル族」になってしまった。

かくして、族である少数民族は民族自決の資格がなく、したがってその集住地も中華帝国に属することになる。ここが同じ社会主義圏でもソビエトと大きく違う。周知の通り、スターリンも民族自決を唱えるナショナリストを徹底して弾圧し、時には民族丸ごと移住させる苛烈な政策を実施したが、スターリン憲法では民族単位（民族共和国）のソ連邦からの離脱を認めていた。近年に見るバルト三国や中央アジア諸国の独立は、この事が法的根拠となっている。ところが、連邦制を採っていない中国にはそれがないのだ。

かくして、中華民族主義は中華民国に、次いで人民中国が引き継ぐことになってゆく。と同時に、人民中国は版図内諸民族の識別調査に乗り出して、五十六の諸民族（五十五の少数民族と漢民族）が存在するとの認識を示してくる。これを「民族識別政策」という。

他方、これと並行して行われたのが「民族区域自治制度」である。

現在、人民中国では五自治区、三十自治州、百二十自治県が存在する形になっているが、問題は次の箇所だ。すなわち、主要民族の民族自治区に他民族が混在することに眼を付けた中国政府は、その力を削ぐために、当該の自治区内に他民族の自治州・自治県を意図的に作り上げた。具体的には、A民族自治区B民族自治州C民族自治県との状況を現出し、統一した政治単位になることを極力阻止した。チベットを例に採れば、チベットから切り離された甘粛・青海・四川・雲南の各省に十のチベット自治州が置かれ、二つのチベット自治県が存在する。したがって、民族自治区域制とは、漢族の大海原に少数民族の島々が入り組みながら点在するモザイク状になっている。

これでは団結して立ち上がるのは難しい。ここまでくれば、共産党の民族政策がいかに巧妙かつ狡猾に作られているかが分かろうというものである。

共産党は、この「民族識別政策」と「民族区域自治制度」を最も優れたものと自賛するが、それは漢族から見た見解でしかない。今に見る中華人民共和国とは架空の民族概念（中華民族）の下に置かれた「疑似多民族国家」なのである。

要するに、少数民族の諸地域とは体のいい国内植民地となっている。世界史では、帝国主義列強によるアジア・アフリカの植民地が常に問題とされてきたが、植民地はソビエト帝国や中華帝国にも歴として存在し、それが少数民族地域だった。

中国の「国の形」は、国内植民地を従えた社会帝国主義国家と位置付けられる。

さて、ここで一つの疑問がわいてくる。

それは「なぜ中央集権型の疑似国民国家にこだわったのか、なぜ連邦制を採ることをしなかったのか」との疑問である。

それには統一至上主義を善とする史的伝統もあるであろうが、それよりも現中国には「近代中国が、国民国家ができないばかりに半植民地にされたというトラウマ（精神的外傷）が強く働いていた」と思われる。

周知の通り、近代中国は、いち早く国民国家を形成した西欧諸国や日本に侵略され、虫食いのように領土を取られ、いいようにあしらわれた。その記憶がこびりつき、脳裏から離れないのだ。

したがって、二度とそのような事がないように、国民国家にならなければならなかった。それが中央集権的統一国家になろうとした理由であろう。

だが、話はそれで収まらない。というのも、国民国家を目指すあまり、その負の部分を引き継いでしまったからだ。

一般に、国民国家は均一で強固な連帯意識で結ばれる国民を創るため、過剰なナショナリズムを必要とする。それが、中国に見られるような「百年の屈辱」を受けた場合は、激しい憤怒を引き連れる。その結果、中国は自らが受けた侵略（の苦痛や屈辱）を、今度は他者に振り向けることになる。建国後、真っ先に行われたチベットへの侵略はそれを端的に示している。ニーチェの言う「怪物と闘う時は、自らが怪物にならぬよう注意しろ」との文言は、そのまま中国に当てはまる。

中国史を見てみると、むしろ分裂していた時の方が文化的に成熟し（六朝時代）、地方の経済的自立が起こり（江南の開発）、思想的な独創性も見られるのだが（春秋戦国時代の諸子百家）、しゃにむに中央集権国家を目指す共産党に、そうした歴史を振り返る余裕はなかった。

中国はまさに怪物になったのだ。

最後に、「なぜ彼らが共産主義を選んだか」との問いを見てみる。

これははなはだ難しい問いであるが、次のエマニュエル・ドット（フランスの歴史人口学者）の説明が最も参考になるであろう。

まずドットは、家族構成とイデオロギーの相関関係に着目し、綿密な調査をもとに「共産主義の常態たる『権威主義的全体主義』と『平等主義』が、共産世界にすべて見られる外婚制共同体家族によっている」との見解を提示した。つまり「同家族の特徴たる親子関係が権威主義で、兄弟関係が平等であることから、同様の価値をもった共産主義が受容されたのではないか」というのである。

これは他の共産主義国家、ロシアやベトナムにも、北朝鮮にも当てはまることから、この家族構成と共産主義がきわめて強い親和性を持つことが了解できる。ちなみに、日本は「親子関係が権威主義で、兄弟関係が不平等である直系家族であること」から共産主義の受容には無理があったことになる。

この仮説はいささか決定論的なきらいがあるが、「中国が共産主義国家になったのには、それなりの社会的理由があった」とする一つの有力な説明になるであろう。

今一つは、中国になぜ民主主義が根付かないかとの疑問である。

アメリカ等先進国は、鄧小平の始めた改革開放によりいずれ民主主義が根付くものと考えた。そのため、改革開放を促すべく経済援助・技術開発援助を惜しげもなく与え続けた。だが、無駄であった。それどころか、共産党の急速な台頭は今や非常な脅威になっている。

では、なぜ根付かないのか。

それにも様々な理由があろうが、その一つに中国の思想の中に近代的社会規範が育つ要素が無かったことだ。社会倫理としては儒教があるではないかとの意見もあろうが、あれは政治的には為政者への、社会的には血縁集団の倫理規範で、それを超えた一般規範にはなっていない。しかも、民主主義は儒教倫理と真正面から背反していた。為政者を縛る民主主義は、為政者（君子）への教えを説く儒教倫理と背反し、何よりも内面の自由から来る面従腹背の論理（これは民主政治の基礎となる秘密投票権の基本である）が儒教の説く社会規範（内面と外面の一致）とバッティングしていたからである。さらに、国を治める法家の論理も、民衆を護る法意識では全くなく、為政者がいかに民衆支配を貫徹させるかを問題としたものだった。いわゆる法治ではなく人治を主とした統治術なのである。

となれば、儒教も法教（法家）も民主主義とはまるで無縁な存在だった。これが、中国思想史から推測できる民主主義の根付かなかった第一の理由である。

もう一つ理由がある。それは「易姓革命で生まれた覇権国家は常に君主独裁制を採らざるをえなかった」とするテーゼである。とりわけ、皇帝至上主義が常態となる宋代以降はそうである。その結果、力ずくで政権を奪った者は、必ず一つの主義・思想を強制する。明朝以後は朱子学である。朱子学は支配秩序の正当性をことのほか重視した。そのため、中華の優位を強調し、夷狄の存在を極端に蔑視する。となれば、西欧産の近代思想（自由と民主主義）はとうてい受け入れられるものではない。

かくして、先進国のパンダ・ハガーの淡い期待（中国の民主主義受容）は消え去って、中国狩りに奔走するドラゴン・スレイヤーが登場せざるをえなかった。

中国の国の形（二）——統一中国への懸念

以上、清朝の崩壊を引き継いだ新中国が、どのような国の形を築いたかを述べてみた。

なぜそれが必要かと言えば、帝国（この場合は人民中国）が誕生する時、それ以前の政権がどのようなものであり、どのように終息したかを記さなければ、新政権の在り方も語れないからである。

その過程で起こる混乱がどれほど大変なものだったかは、同時代のオスマン朝の崩壊時を見れば即座に分かろう。

あの時、オスマン朝は、内憂外患の果てに消滅し、その過程で起きた混乱は眼を覆うばかりのものであった。それは、バルカン半島がヨーロッパの火薬庫となって第一次大戦を引き起こし、今なおパレスチナ問題が中東のガンとなっている事からも理解できよう。

その際の状況を当時のオスマン外相アーリ・パシャは次のように述べている。

> イタリアには、同じ言葉を話して同じ宗教を信仰する民族が一つだけ住んでいる。それでも統一するには、あれだけの苦しみを味わっている。さしあたり達成したことと言えば、アナーキーと無秩序にすぎない。オスマン帝国のなかで、もし多種多彩な民族が自由に思いを遂げようとすれば、何がおこるか考えて見給え。どうにか事態を落ち着かせるだけでも、一世紀ほどもかかり、しかも流血を必要とするだろう。
>
> （山内昌行『民族と国家』岩波書店）

清朝の崩壊時も同じであった。少数民族は独立を志向し、軍閥は跋扈し、そこへ外部勢力が介入する収拾のつかない状態になっていた。

その間約半世紀。当地は、アーリ・パシャの言う通り、アナーキーが延々と続いていった。したがって、毛沢東が天安門で中華人民共和国樹立を宣言した時、「ようやく平和な時代の到来だ」と民衆が心を震わせたのは当然のことであった。

が、この時彼らは、その後に来る恐怖と圧政の到来にまだ気付いていなかった。すなわち、その国家統一が一層の重荷を伴いのしかかって来ることに無知であった。

それは、混乱期に見られるある種の自由や解放感が全て断たれ、強烈な独裁と眼を覆うばかりの災厄が出現する耐えがたい重荷であった。

もともとこの地は、天下は一つにまとまらねばならぬとする強迫観念を持っている。したがって、しゃにむに統一に向かうわけだが、その統一が必然的に独裁制に陥って大変な抑圧が到来する。

だが、その現実を見ることに、それほどの時間はかからなかった。共産党支配下の日常がいかに大変なものであるかを思い知ることになる。

では、それにつき以下において記してみる。

戦争と内乱と

この新政権は、当初から戦争と内乱の連続だった。主なものを拾ってみても、朝鮮戦争（一九五〇～五三）、第一次台湾海峡戦争（一九五四）、第二次台湾海峡戦争（一九五八）、対インド戦争（一九六二）、十年にも渡る内乱期（文化大革命）等が挙げられる。しかも、この戦争と内乱の犠牲者は、それ以前の軍閥時代より遥かに多く、かつ平和時にも粛清に次ぐ粛清が行われている。

これをどう考えるか。

実は、犠牲者は多くとも、これらすべての戦争は、全面戦争を回避した限定戦争としてあった。それは毛の実施してきた戦争指導からも伺えよう。

毛は、内戦下の戦争指導で常に遊撃戦を戦ってきた。それは、政治宣伝と武装闘争を結合させ、民衆を自らの側に引き寄せて、政治的勝利を得るための戦略だった。

その戦略が右の戦争でも如何なく発揮された。したがって、毛が全面戦争をほのめかせても、それは威嚇（ブラフ）でしかなく、政治的勝利を得るための方便だった。

その観点から見てみると、毛の戦争観がより鮮明になってくる。

毛の辞書に、帝国日本に見られるような冒険主義（国運を賭けた日露戦争や日米戦争等の全面戦争）はどこにもない。つまり、のるかそるかの戦いは極力避け、敵が弱い場合にのみ攻勢をかける戦争観を持っている。

だから、勝利が予想できない戦争は決してやらず、力が拮抗している場合も決してやらない。その場合は、外交と謀略を駆使しながら時を待つ。その時用いるのが世論戦、心理戦、法律戦の三戦である。この三戦を前提に、この間の戦争を国政とリンクした形で述べてみたい。

初めに結論じみたことを言うと、毛の戦争観は通常の概念と以下の点で違っていた。

通常の戦争では「外に眼を向けさせることにより国内矛盾を隠蔽する場合が多い」とされる。国内矛盾を棚上げし、世論の統一を果たせるからだ。

だが、毛の場合は「戦争を行うことで、国内の改革を自らの意のままに誘導しようとすること」が多かった（鄧小平の場合も同じ）。少なくとも、それを同時並行的に行っている。

それを検証するため、以下の実例で調べてみよう。

一、対外戦争——朝鮮戦争（一九五〇～五三）
　国内事情——三反・五反運動
　対外関係——ソビエトの東北地方（旧満洲）への侵攻阻止と軍事援助の要請

二、対外戦争——第一次台湾海峡戦争（一九五四）
　国内事情——毛による独裁体制の確立
　対外関係——対米戦を事由としたソビエトへの軍事援助要請（核開発への援助要請）

三、対外戦争——第二次台湾海峡戦争（一九五八）
　国内事情——三面紅旗路線（大躍進政策等）
　対外関係——ソビエトへの軍事援助要請（核開発援助の要請）

四、対外戦争——対インド戦争（一九六二）
　国内事情——毛沢東の大躍進政策の失敗とそれによる左遷
　対外関係——インドとの友好関係を持つソビエトへの牽制、インドと敵対関係にあるパキスタンへの支援

五、内乱——文化大革命（一九六六～七六）

国内事情――実権派からの権力奪取
対外関係――ベトナム支援、ソビエトとの対立とアメリカへの接近

六、対外戦争――中越戦争（一九八二）
国内事情――解放軍に未だ巣くっていた林彪系の軍内反対勢力をベトナムに追いやり、鄧小平が軍権を掌握。
対外関係――ベトナムと友好関係にあるソビエトへの牽制。

その他、中国の戦いは計一七回に及ぶが、そのどれもが小規模限定戦であり、その都度国内事情と密接に関わり合う。

以上のことから分かることは、戦時中にもかかわらず、国内で大規模な改革（大躍進政策等）が行われ、粛清の嵐（三反・五反運動や文化大革命）が吹きすさんでいたことである。

繰り返すが、通常の政治常識では、戦争が勃発すると、国内の結束が強まり、内紛が一時的に止まるとするテーゼがある。

だが、違うのだ。戦争の勃発と連動して急進的な改革が行われ、しかもそれが対外関係の激変を生んでいる。これが毛時代の特徴だった。

では、その国内外がリンクした三つの戦争（及び内乱）を、さらに詳しく見てゆきたい。

朝鮮戦争（一）――毛沢東は対米戦に踏み切った

これは、韓半島で起きた限定戦争ではあったものの、新中国で経験した最初で最大の戦争だった。その間、戦況は急激なアップダウンを繰り返し、戦乱は三度にわたって半島全域を行き来した。その主たる要因は、当初の南北朝鮮の戦いに、米中が介入し、そのどちらもが勝ち切れなかったことによる。

この場合、中国の介入には幾つかの理由があった。

まず、中国が北朝鮮を支援しなかった場合を想定してみる。この時は、北朝鮮という緩衝地帯を失い、強大なアメリカと直接向き合うことになる。これは大変な事態となる。

しかもこの時、ソビエトは出兵を拒否しており、共産党内部でも介入に慎重な意見が多かった。無理もない。初戦の快進撃は国連軍の仁川上陸で反撃され、かつ期待していた韓国内での共産主義者の蜂起がまるで起こらず、撤退を重ねてゆくことになる。一時は釜山まで侵攻し、韓国をして山口県に亡命政権を作ることさえ検討させていた事態が、鴨緑江（中朝国境）まで押し返されてしまっていたのだ。

それでも毛は、ソビエトの武器供与と航空支援を取り付けると、党内の反対意見を押し切って、解放軍投入に踏み切った。何はともあれ、北朝鮮を支えなければ自国が危ないと思ったからだ。

だが、問題はそれだけではない。次に挙げられるのがソビエトとの関係だった。

ソビエトは、もともと国民党政府と中ソ友好条約を結び、その国家承認と引き換えに満洲の鉄道網と大連港の三十年間共同管理、さらには旅順港の海軍基地化で合意していた。その条約を前提に、毛沢東・スターリン間で今一度秘密協定が締結され、中国東北部（旧満洲）と新疆ウイグル自治区でのソビエトの経済特権が認められた。そのため、中国の原材料輸出は大幅に減少し、国益を大きく損ねることになる。また中国は、派遣されたソ連人に治外法権さえ認めていた。

これでは、帝国主義列強の植民地政策と変わりはない。

実は、スターリンの理想とする対中政策がここに反映されている。中国を自らのコントロール下に置く従属国にすることだ。

それは、かつて新疆省に君臨していた盛世才の統治時代（軍閥時代）を見れば分かる。スターリンは盛世才を傀儡化し、思いのままに支配していた。これが、スターリンの描く理想形なのである。その理想形を、東北地区と新疆省の特権取得を契機にしながら実現しようとしたのである。

したがって、もしソビエト赤軍が本格的に介入すれば、その経路に当たる東北地区はソビエトの勢力範囲にされかねない。事実、この地に勢力を張っていた高崗（第四野戦軍の政治委員）は、スターリンやソビエト要人と密接なつながりを持っており、赤軍が進出すればスターリンの傀儡となり、かつての盛世才と同様の存在になりかねない。毛にとり、これは何としても阻止しなければならない課題だった。

中国は、この戦いに百二十万の解放軍を投入し、四十万あまりの戦死者を出しているが、もしそれが無ければ、米軍阻止を名目にソビエト赤軍が介入し東北地区は赤軍の大規模駐屯地となる可能性が生じていた。

ここまで来れば、人民解放軍の大量投入もうなずけよう。

ちなみに、高崗は、スターリンの死後、毛による追及を受け自殺している。ソビエトの後ろ盾を無くした瞬間、その立場を失ったものと思われる。

一方毛は、人民解放軍が対米戦を戦ったことを挙げ、スターリンに多大な軍事援助を求めている。「われわれは、これだけの犠牲を払って奮闘している。それ故、最新の武器援助を願いたい」と。

では、中国は、この戦いで何を学んだのであろう。

それは、初戦の勝利と、後半の敗戦の双方から学んだと思われる。

初戦は、米韓軍の兵站が伸びきっていた隙を付き、毛の戦争論そのままに敵を包囲殲滅し、人的優位を背景に夜襲と集団戦で勝利していた。だが、それがいったん食い止められるや質的劣勢は覆い難く、とりわけ米軍の空襲に悩まされ、地下要塞で息を潜めるしか術がなかった。

それを最も危惧したのが解放軍の指揮を取っていた彭徳懐で、解放軍の近代化と、それを裏付ける産業社会の育成が不可欠であると考えた。これが「解放軍の現代化、正規化」と呼ばれるものだ。

しかしこれは、毛の唱える人民戦争論とバッティングしてしまう。毛によれば、軍は政治宣伝の伝達者であり、人民と密接につながる形で、宣伝し工作し戦闘する存在だった。先に書いた「われわれは剣とペンで勝利した」との言葉がそれに当たる。毛はそのペンの部分（思想・宣伝）が彭徳懐の改革で骨抜きにされるのを危惧したのだ。

毛は、思想や宣伝を抜きにしたプラグマティズムを決して認めず、それを唱える者たちを許さなかった。それはやがて、彭徳懐失脚の道へとつながってゆく。

朝鮮戦争（二）――毛沢東は対外戦を内政改革に利用した

一方、毛にとり、この戦争は決定的な敗戦にならなければそれで良かった。毛が真に望んでいたことは、国内の目障りを取り除くことであった。

実は、こちらの方が主であり、戦争は従であった。

その方針の一つとして行われたのが、内戦で降伏した国民党軍の前線への投入だった。これをもって、いずれは処理しなければならなかった問題が一つ減った。

この降伏兵の投入は大陸の軍事的伝統（借刀殺人）となっており、日本と関係するところでは蒙古来襲の折の南宋兵がそれに当たる。

一般に、敗戦国の降伏兵には反抗の気運がある。したがって、その気運をどこかで処理する必要が生じて来る。朝鮮戦争の場合、それが対米戦への投入だった。「勝てば良し、負けて犠牲者が出たとしても、手を汚さずに処分できる」と。

また降伏兵は、常に監視をされ続け、戦場でも撤退を許されなかった。少しでもそうした素振りを見せようものなら、背後に控える督戦隊（自軍の撤退を阻止する監視部隊）が銃弾を浴びせて来る。だから、米軍に投降した旧国民党軍の将兵は中国に帰還することを断固拒否し、台湾行を希望した。

では、その間、中国国内はどうなっていたのであろう。

毛は、「三反・五反運動」を展開し、大々的な粛清を強行した。具体的には、「三反」の反汚職・反浪費・反官僚主義と、「五反」の反贈収賄・反脱税・反原料のごまかし・（国家資産への）反横領・（国家経済情報への）反漏洩を根拠にし、黒五類（地主や富農等の右派分子）と称される反革命分子を次々粛清していった。

この結果、社会主義を進める上で、いずれはやるべき資本家や地主の始末ができた。国共内戦時には、微笑をもって民族資本家に接していた毛の姿はもはやなかった。加えて、農村部の掌握にも力を注いだ。地主からの土地没収を行ってその支持を得ると共に、そこに勢力を張っていた土豪劣紳やアウトローの摘発を行った。この飴と鞭に農民は驚愕し、毛への感謝と恐怖を覚えた。

その一方、朝鮮戦争末期（一九五三）には第一次五ヵ年計画を発表し、近代化のための食料徴発が行われた。

これは、スターリン治下でも見られたことで、農民から搾り取った農産物を輸出に回し、それで得た資金をもって近代化が推進された。その結果、ソビエトは急速な近代化（重工業化）を達成したが、穀倉地たるウクライナでは大規模な飢餓が発生し、何百万もの農民が餓死してしまった（ホロドモール）。毛はそれと同じことをやったのだ。

当時の中国はその九割を農民が占めていた。

では、そこから搾り取ればいいではないか――毛はそう思い、そう実行した。

むろん、それに対する抵抗も予想され、事実、窮状を訴える無数の陳情が寄せられた。だが、毛はそれを「人民との戦争」と呼び、「遠慮なく遂行せよ」と命じている。

毛は、朝鮮戦争の最中においても苛烈な国内政策を遂行し、併せてソビエトからの軍事援助を要請し続けていたのである。

台湾海峡戦争

周知の通り、国共内戦は共産党の勝利となり、国民党は五十万の将兵を率い台湾へと撤退した。その結果、国共内戦は、台湾を巡る争いになってゆくが、その時起きたのが第一次台湾海峡戦争である（一九五四）。

この戦争は何波にもわたって繰り返され、その都度金門島への砲撃が行われるが、スターリンの台湾解放の許可が下りなかったこともあり解放の芽は全くなく、いわゆるブラフに過ぎなかった。本来なら台湾解放を進めたかったに違いないが、右の通りスターリンの許可が出ず、また朝鮮派兵に足を取られ、台湾に手が回らなかった。この場合、スターリンが台湾解放より朝鮮解放を優先したのは、未だ日本本土の解放（北海道解放への未練等）を視野に入れていたからでもあろう。また、台湾の蒋介石政権は、長くソビエトとの交流があり、中ソ友好同盟条約を結んでいた。そのため、台湾解放は優先順位が低かったものと思われる。さらに、スターリン個人の思惑が関わってくる。彼はおそらく毛を信用していなかったのではないか（毛もまた同じ）。そもそも、中国は大国だ。それが力をつけてくるならば、あなどりがたいライバルとなる。その時毛は、決して御しやすい相手とはならないであろう。スターリンにとり、毛が朝鮮を席巻し、台湾を解放し、東アジア共産圏の盟主になるのは避けたかったに違いない。

そこで毛は、本来の台湾解放を諦めて、アメリカへの挑発にスタンスを変えてゆく。すなわち、朝鮮戦争の熱気が冷めやらぬ中、アメリカが強硬な姿勢を示してくることを見込んでのソビエトへの軍事援助要請である。

案の定、アメリカは大々的に台湾防衛に乗り出してきた。毛はそれを待っていたようである。すぐさま、ソビエト（当時はフルシチョフ第一書記）に注進し「アメリカの核攻撃を阻止するためにも、中国は核を持たなければならない」と力説した。

当初、フルシチョフはそれを拒否し、中国はソビエトの核の傘で防衛するとの見解を示したが、毛はさらに砲撃を強化し、アメリカが核使用をちらつかせると、中国に原爆製造の技術援助を約束させる。

これからも分かる通り、戦争は従で、国内問題（中国の核開発達成）が主であった。もう一つ、この時期の国内問題で挙げなければならないのが「百花斉放・百家争鳴」である（一九五六）。マルクス・レーニン主義以外の諸思想（百家）を自由に唱えていいとする言論自由化運動（斉放）である。時は、フルシチョフのスターリン批判に端を発した共産主義運動の岐路に当たり、危機を覚えた毛沢東が一部自由な発言を許可したのだ。

この百家斉放は当初、極めて不可解に見られていた。それまでの政策が、共産党イデオロギーへの無条件の従属であったからだ。事実、これに反して失脚した知識人は多くいた。ところが、それを変更し、自由に発言していいというのだ。

共産党は、それを助長するように、次のように発言していた。「皆が皆、同じ意見を持つことなどありえない。常に絶対的に正しい意見も持ちえない。したがって正しい結論も出しえない（だから、自由に意見を述べるように）」と。

そのため、初めは戸惑っていた知識人も、しばらくして心の底に秘めていた思いの丈をぶちまけた。それは次第に激しさを増し、共産党の体制批判にまで及んでゆく。

驚愕だった。まさかここまで批判が及ぶとは毛は思っていなかった。批判が共産党に及んだのをきっかけに、有無を言わさぬ弾圧に踏み切った。そして、言うことに事欠いてこう述べた「（百家争鳴は）蛇を穴から追い出す策略であった」と。

「反右派闘争」の開始である。穴から追い出された知識人は徹底した批判を浴び、卑屈極まる自己批判を迫られる。「頭を垂れて全身全霊で謝罪する」と。

これは辛い。自らの思いと真逆な主張が満天下に晒されてゆくのだから。最大の屈辱であったろう。そして、自己批判が不十分だと見なされた者たちはすべからく労働改造所に送られた。

結局、右派と認定された者は五十数万人にも及び、彼らはこれ以後完全に口を閉ざし沈黙を守ってゆく。この反右派闘争も海外の動き（スターリン批判）と連動した国内への還流と言えるであろう。

続いて、一九五八年の第二次台湾海峡戦争について見てみよう。

これは、さらに国内政治とリンクしている。戦争を利用し、人民公社を推進しようとする意図があったためだ。

中国研究家の鳥居民は「このことこそ、台湾海峡戦争の真の目的であった」と論じている。これは毛の戦争、ひいては中国共産党の戦争観を最も解明するヒントとなる。

> （一九五八年）四月に河南省の一県ではじまった人民公社の建設は、八月末までに全国農家の三十パーセントを組織化し、ついで九月上旬に十八パーセント、中旬に十七パーセント、下旬に三十三パーセント、と着実に増大させ、総計九十九パーセントを公社に組み入れていた。これこそまさしく毛の一ヵ月余の砲撃戦の直接の目的だった。この狙いは事後にかれによって仄めかされはしたが、北京が正式に認めたことはない。
>
> （鳥居民『毛沢東五つの戦争』草思社文庫）

この見方、すなわち外の戦争（あるいは確執）を利用して、内の改革や粛清に利用する戦略は、共産党の常套手段と見るべきである。

中国の政治は、常にこのように動く要素を持っている。

毛沢東の失政

その人民公社の建設である。

これは「三面紅旗政策」と呼ばれる政策の一環で、「『総路線、大躍進、人民公社』を指し、より多く、より早く、より良く社会主義経済建設を進めるため始まった政治路線」である（一九五八～六一）。

実は、この前年、毛沢東らの代表団はモスクワの世界共産党会議に出席し、アメリカとの平和共存を唱えるソビエト共産党（フルシチョフ第一書記）と対立していた。

それは前述のソビエト共産党第二十回大会でのフルシチョフのスターリン批判から始まった。フルシチョフはスターリンの圧政をことごとくやり玉に挙げた。スターリンの粗暴さやレーニンとの確執、眼を覆うばかりの大粛清、それによる独ソ戦での大損害と戦争指導の誤り、この間の個人崇拝の弊害等々を、である。そして、それまでの反帝国主義一辺倒の戦闘的社会主義を改め、平和時の競合を唱えてゆく。

これに驚愕したのが毛である。毛はこれに激しく反発し、従来の戦闘的革命路線の継続を主張する。その時毛は有名な啖呵を切っている。「アメリカ帝国主義は張子の虎だ」と。また、その翌年にはこうも言っている。「世界人口の半分が消失しても、残りの半分が生き残り、社会主義を目指せば、帝国主義は世界から一掃できる」と。

どちらも、毛の戦争観が如実に出ている。思えば、中国の戦争は常に凄まじい犠牲を出している。いったん反乱が勃発すれば、軽く千万単位の犠牲が出、時には人口の半数以上が犠牲になった例もある（黄巾の乱）。毛のこの発言は、こうした中国史に則ってのものであろう。そしてその勢いの赴くまま、自力更生を唱え、大躍進に打って出た。

ところが、これが大変な失敗につながった。その後明らかにされた問題点を挙げて見ると、農業部門では「一、合理密植と呼ばれた稲の密植、二、表土流出を招いた農地深耕、三、作物への過剰保護のため行われた四悪駆除（スズメ、ネズミ、昆虫、ハエの過剰撲滅）等」が指摘される。

次いで、鉄鋼増産のため土法高炉と呼ばれる前近代的製鉄炉に農機具までが投入され、農作業に当てられるべき時間が無くなり、さらには過剰な森林伐採をもって環境破壊が進行し、生産活動が麻痺状態に陥った。しかも、それを隠蔽し、大増産の虚偽報告が上げられたため、現状把握が遅れに遅れた。

そこへ天災の到来である。たちまち全土に飢餓が襲った。

以上が、中国を襲った人災・天災の概略だが、これに決定的なダメ押しが追加された。人民公社の弊害である。

人民公社は農業の集団化から始まって、工業・軍事（民兵組織）にまで至るあらゆる組織を包括した小宇宙となったもので、毛はこれを社会主義の理想と捉えた。そのため、全土人民公社化が進められ、大躍進政策の開始期には、ほぼ百パーセント近い農民が人民公社に囲い込まれることになる。

だが、これが飢饉を決定的に助長させた。

人民公社がゲマインデ（閉鎖共同体）になっていたからである。

これは、社会学者の小室直樹の指摘であるが、人民公社がゲマインデになっていたため、公社間の交流（とりわけ経済的取引）が遮断され、それが飢餓を助長したというのである。すなわち、当時の公社はそのそれぞれが閉鎖的小宇宙を成していたため公社同士は異国だった。したがって、異国に住む異邦人が飢えようが何しようが関係なくなってしまっていた。

これは日本でも起こったことで、江戸時代の藩同士は互いに他国であったため、いかに食料備蓄に余裕があっても、それを他藩に回すことはほとんどなかった。そのため、飢えに苦しむ藩の傍で、たらふく食っている隣藩があるという皮肉な現象が起きている。

それと同様の現象が中国で起こったのだ。しかも、中国の場合には、江戸時代の藩と違い、同じ国の同じ人民のことである。本来なら、助け合わなければならないはずだが、ゲマインデの法則（二重規範）のおもむくまま、裕福な公社は自らの食糧確保を優先し、飢餓に苦しむ他の公社に援助の手を差し伸べなかった。

怖しい事が起こった。

飢饉に襲われた公社員は、必要な食糧援助のないままに公社内に閉じ込められて窒息した。公社を捨てて流民となった者たちも、公社からの食糧給付を断たれたため、野垂れ死にするしか他なかった。その犠牲者には諸説あるが、最大四千五百万と言われている。

かくして、毛の描いたユートピアは見るも無残に崩壊した。と同時に、それは毛への批判となって現れた。その口火を切った彭徳懐は廬山会議で失脚するが、批判はなおも継続し、トップの座を劉少奇や鄧小平ら現実主義者に明け渡さざるをえなかった。その結果が、調整政策と呼ばれる急進社会主義の緩和であり、一部市場経済の復活を認め、自由な作物生産や農業税の引き下げが実施された。

だがこれは、毛の認めるところではなかった。しばらくは、鳴りを潜めていた毛であったが、急進社会主義政策の復活と権力奪取を密かに目論見、反撃の機会をうかがっていた。

そして、まさにこのことが後の文化大革命へとつながってゆく。

中印戦争、そしてチベット蜂起

中印戦争は、一九六二年に起きている。

この年、解放軍は、用意周到、いきなりインド軍に奇襲をかけた。

もともと、中印国境に紛争を抱えていたインドである。解放軍の動向には注視すべきはずであったが、それを決定的に怠っていた。そのため、何ら成すことなく押しまくられ、インドの主張する国境線の彼方まで追い払われた。

この年、世界はキューバ危機に眼を奪われ、中印国境紛争などほとんど見向きもされなかったが、インドにとってはこれ以上ない衝撃だった。

実は、この紛争は、ロシアの南下を警戒する大英帝国のチベット政策が元凶だった。大英帝国は、ヤングハズバンド隊によるラサ遠征を敢行し、清朝の宗主権を無視する形でラサ条約を締結した（一九〇四）。

これに慌てたのが清である。一九一〇年、遠征軍をラサに送りダライ・ラマ十三世はインドへと亡命する。

ところが翌年、辛亥革命が勃発し、チベットに進駐していた清軍は追い払われ、ダライ・ラマ十三世が帰国して、チベットは実質的な独立を見ることになる。

それは第二次大戦直後まで続いてゆくが、インドの独立が分岐となった。緩衝地帯としてのチベットの役割が終わったと見た英国軍が撤退し、人民解放軍が入れ替わるように侵攻してきた。以後、チベットは中国領に編入されるが、インドと直接隣接したため領土問題（国境問題）が起こってきたのだ。かつて英領インドとチベット間で結ばれたマクマホン・ラインが不当だとして、中国が抗議してきたからである。その具体的な形となって現れたのが中印戦争であった。

実は当時、インドから見た中国は、志を同じくする第三世界の雄であり、バンドン会議（一九五四）以来の盟友となっていた。ところが、その盟友から裏切られ、いいところなく敗れ去った。

だが、今少し掘り下げると、中国はインドの宿敵パキスタンと良好な関係を維持しており、またインドがソビエトと深い関係を持っていたことも、目障りな存在になっていた。

ここに、チベット問題が絡んでくる。

そもそも、チベットは文化的には圧倒的にインドの影響が強かった。

それは、チベット仏教を見れば即座に分かる。チベットは、仏教初伝の段階からインドの影響を受け続け、中国仏教とはまったく違ったプロセスをたどってきた。チベットは、終始一貫インド文化圏に属していた。

それがあろうことか、共産主義を国是とする中国が武力侵攻を行ってチベットを占領下に置いてしまった。

これは、インドにとって座視できない問題だった。

それを単なる国家間の争いと見てはならない。インド民衆もまた、中国のチベット占領に強い義憤を覚えていたからである。

ここではそれを明らかにするため、チベット蜂起とダライ・ラマ亡命を例に挙げ、以下において記してみたい。

それは、中印戦争の三年前に遡る（一九五九）。この年、中国の圧政に耐えかねたチベット民衆が立ち上がった。「チベット蜂起」である。

　彼らは解放委員会を立ち上げて中国からの独立を宣言した。

「われわれは（中国によって押し付けられた）一七条協定を認めない。独立だ！」と。

　この瞬間、両者の関係は破局を迎え、ダライ・ラマは夜陰に紛れてラサを離れた。

　解放軍の砲撃が始まった。解放軍はダライ・ラマが潜んでいると思われるノルブリンカ離宮に向けて砲撃を開始し、ダライ・ラマを護ろうとする民衆との間で戦闘が始まった。

　民衆の抵抗は執拗だった。押し寄せる装甲車両を繰り返し撃退した。車両は火だるまになりながら後退した。負けるのは分かっていた。が、一時でも長く持ち堪えることでダライ・ラマを逃がそうと試みた。

　が、それもやがては鎮圧される。解放軍は市内全域を掃討し、敵と見なした者たちは有無を言わさず引き出され射殺された。蜂起は膨大な犠牲を出して終息した。


　ダライ・ラマは、追いすがる解放軍を振り切って逃避行を続けていた。

　大変な難行だった。住み慣れたはずの大地であったが、いざ行軍してみると、予想を超えて厳しかった。高いパスは軽く四千メートルを超え、人も馬も息絶え絶えになりながら越えて行った。最後は、ダライ・ラマ自身、赤痢にかかり、担ぎ上げられながら運ばれた。

　ブータンをかすめる形でインドへ向かうとふんだ解放軍は、ブータン国境に大々的に展開した。護衛隊も必死だった。「何としても、ダライ・ラマをインドへ逃がす！」――その一念で動いていた。

かくして、ダライ・ラマは逃げおおせた。

出迎えたインド国境警備隊は最大の礼をもってこれを迎えた。ネルー首相の電文も届いていた。

> わたしと我が同僚はあなたを歓迎し、インドへ無事到着されたことをお喜び申し上げます。
> （山際素男『ダライ・ラマ自伝』文春文庫）

民衆もダライ・ラマを歓迎した。

入国したダライ・ラマは、もみくちゃにされながら車中の人となっていた。鉄道の沿線には、熱狂した群衆が詰めかけ、花吹雪と歓呼の声が辺りにこだまし、主要な駅では、あまりの人に列車が立ち往生してしまい、ダライ・ラマのスピーチがなされるまで発車することができなかった。政府も民衆も、ダライ・ラマに非常なシンパシーを寄せていたのだ。これ以後、インドは大量のチベット難民を自国に受け入れ、亡命政府（在ダラムサラ）の樹立を認めている。

むろん、このような状態である。中印関係がこじれたことは言うまでもない。

中印戦争は、チベット蜂起の冷めやらぬ三年後に起きている。

現在インド亡命を果たしたチベット人の子や孫は十五万人に達している。その中にはスペシャル・フロンティア・フォース（ＳＦＦ）に属しているチベット兵が三千五百名ほど存在する。彼らの前身は中印戦争後に創設された山岳特殊部隊から成っており、七一年のバングラデシュ独立戦争ではパキスタン軍の背後に降下して退路を断つ作戦に従事し、カシミール紛争ではパキスタン軍やイスラム原理主義組織との戦い（カルギル戦争）に参戦した戦歴を持っている。とりわけ後者は、四〜五千メートルの高地での戦闘で、互いの捕虜を一切取らない壮絶なものであった。

そのSFFが念願の中国人民解放軍と相まみえることになった（二〇二〇）。おそらく、否が応でも士気が上がっていたことだろう。ちなみに、SFFは最高指揮を取るインド人司令官以外全員チベット人で編成され、その軍旗も雪山獅子旗（チベット国旗）が使用され、その所属もインド内閣官房管轄下で、インド軍には属していない。インド政府の亡命政府への配慮であろう。チベットは今なお独立を求めて戦っている。

文化大革命（一）——毛沢東、奪権闘争を開始す

ここから、毛の最後の戦い、文化大革命時代に入る。これは一九六六年に始まり、七六年に終わる十年間続いた内乱である。

通常、共産党の政変は宮廷革命（クーデター）で決着する。その場合、民衆は蚊帳の外で、ある日突然指導者の交代が発表される。

だが、文革は全く違った。人民の根こそぎ動員が行われ、あろうことか、共産党の党組織、しかも党中央（毛の反対派）への攻撃に駆り出された。また、前時代の旧文化は全面的に否定され、それも常軌を逸していた。

かくして、前代未聞のことが起こった。毛に使嗾された若者（紅衛兵）は、現代の孫悟空となって

荒れ狂い、反革命と見なした者らを容赦なく攻撃し、破四旧（旧思想・旧文化・旧風俗・旧習慣）打倒を唱えながら全ての文化を壊しまくった。

造反有理・革命無罪――紅衛兵は自らの行為を、このスローガンをもって合理化し、既成の秩序をことごとく破壊した。

では、なぜ毛は、このような手段を取ったのか。それは、宮廷革命では権力が奪えなかったからである。

当時の毛は、大躍進政策の失政でトップの座から降ろされていた。かろうじて、党中央軍事委員会主席の座は保っていたが、劉少奇・鄧小平をトップとする党中央には逆らえなかった。彼らを排除し、実権を掌握するには、宮廷革命を超えた政治革命が必要だった。それが毛の起こした文革の主たる要因である。

かくして、毛は自らのカリスマを利用し、個人崇拝を確立した後奪権闘争を開始した。

この間約十年間。壮絶な内乱だった。それを要約してまとめると、次のような過程をたどる。

一、文革の開始は、姚文元の書いた「『海瑞罷官』批判」とされる説も有力だが、公式には一九六六年五月の政治局拡大会議か、その三ヵ月後の中国共産党第八期中央委員会第十一回全体会議が始まりだとされている。その席上、プロレタリア文化大革命の開始が決定され、劉少奇・鄧小平への批判が始まったからである。いずれにせよ、この年、共産党史上最大の内乱が勃発したことになる。

二、さて毛の文革計画で目立つのは、紅衛兵を通じて開始されたことである。具体的には、精華大学付属中学から始まって瞬く間に拡大する中（一九六六〜六八）、文革の主力となる文革小組が全権を掌握してゆく。むろん、これに対する反対派の巻き返しも起こっていた。その代表が二月逆流と呼ばれる元老たちの反撃や、文革小組のメンバー（王力ら）を逮捕した武漢闘争等がそれに当たる（一九六七）。

三、毛は当初、この運動を積極的に支持するが、加熱した運動は毛の手にも負えなくなり、運動の停止を求めるべく、上山下郷運動により千六百万もの青少年を農村・辺境地区へ追いやった（一九六八）。

四、この文革の混乱を鎮めようと試みたのが共産党九全大会で、唯一組織的に残っていた解放軍が主導権を握り、その頂点にあった林彪が毛の後継者として指名される（一九六九）。

五、その林彪の強大化に脅威を覚えた毛が林の排除に動き出し、またソビエトとの衝突に備えるためアメリカに急接近を図ってゆく。対する林は「五七一工程」と呼ばれる毛打倒のクーデターを試みるが失敗し、ソビエトへの亡命途上、モンゴル草原で墜落死する（一九七一）。

六、自らが後継者に推した林がクーデターを起こしたことで権威の失墜を見た毛は、それまで進めてきた文革の調整に舵を切り、それを託された周恩来は、失脚していた旧幹部の名誉回復や現場復帰を進めてゆく。

七、文革推進に固執する毛は、この動きに懸念を強め、批林批孔運動を起こして周を締め付け、その動きを牽制するため失脚していた鄧小平を再度登用、実務を取り仕切らせることにした。

八、その周の死を悼む民衆が第一次天安門事件を起こし、それを巡って四人組と衝突した鄧小平が退けられ、その直後に毛が亡くなる事態となる（一九七六）。

九、その一ヵ月後、毛の後継に指名された華国鋒が紅青ら四人組を逮捕して事態の収拾を図ってゆく。

十、その華国鋒も、鄧小平に引退を迫られ、ここに文革は息の根を止められることになる（一九七八）。

以上が、ごく簡単な文革の経緯であるが、これを見ても分かる通り、毛の意向に引きずり回された十年だった。これほど長く、これほど大規模で、これほど一人の独裁者の意向が犠牲を出した政治運動は例を見ない。

この場合、文革は党内の宮廷革命でなかったため、全人民が巻き込まれ、その一人一人が大変な災いを受けることになる。階級闘争の性である。ひとたび、階級闘争が全面に打ち出されれば、中立を装うことは決してできない。中立は反革命に加担したと見なされるからである。ましてや、ブルジョアや修正主義者をかばうことなど絶対できない。もしやれば、自らも同じ立場に立たされる。

もともと、この国の体制は、階級の分類にことのほか執着する体制だった。それが文革でも如実に表れ、先に述べた黒五類に走資派や実権派が加えられ（黒七類）、徹底した標的にされてゆく。いったん黒五類や七類に分類されると、凄まじい批判に遭い、かつ執拗な心理的改造（洗脳）にさらされて、人民の権利を剥奪される。これが国民国家の国民と全く違う。

国民国家の国民は、例え反政府・反国家思想を持っていても国法に触れない限り拘束されず、かつ逮捕後や下獄後でも国民であることに変わりはない。だが、反革命の烙印を押された人民は、人民たる権利を失って、社会的立場を無くしてしまう。

まだある。毛は闘争に当たり、「この地区の修正主義者は約二割、反革命は約一割」と批判対象の割合を決めていた。こうなると、それがノルマになってしまい、無理やり数合わせをやろうとする。いや、時には過剰忖度が働いて、ノルマ以上の犠牲者が出てしまった。これは、独裁制を敷く全体主義国家に共通した現象で、ソビエトの場合でも、スターリンが示した粛清名簿以上の犠牲が生まれ、現場からは更に粛清ノルマを増やしてほしいとの要望まで出されている。中国も同じであり、そのため身内や友人・知人をも密告する状況が相次いだ。

一般に、同じ闘争でも敵味方がはっきりしている場合は耐えやすい。が、その闘争がほんの身近な隣人に、いや家庭内に持ち込まれた場合はこの限りではない。それは耐えがたい苦痛を人に与える。文革の災厄はそこにあった。しかもそれは、旧秩序の全面崩壊を伴うため、ごく普通の一般人にはとうてい耐えられるものではなかった。

そもそも、何も分からぬ青二才（紅衛兵らの造反派）が、大の大人をあたりかまわず吊し上げ、それも革命に参加した建国の英雄にまで「やれ反革命だ」「やれ修正主義だ」と責め立てるのである。さらにそれは、社会主義国家では例を見ない党組織への攻撃を伴ったため国内秩序は無に帰して完全なアナーキーになってしまった。これが、とてつもない災いをもたらした。その傷跡は、今に至るまで続いている。

文化大革命（二）——逆ユートピアの終焉

文革の広がりは、毛にとっても予想外だったようである。毛は、文革の期限をほぼ一年と見ていたようだが、その拡大は予想を遥かに超えていた。

ただ毛は、この運動にある種の理想を描いていたことは間違いない。

もともと、毛は近代の都市文明に懐疑の眼を向けていた。だから、その悪弊を是正したユートピアを夢見ていたと思われる。だが、毛の行った反近代に基づく諸政策はことごとく失敗し「貧困と粛清のディストピア（逆ユートピア）」を招いてゆく。そのディストピアを咎めた者（実権派）を倒すため、全人民を巻き込んだ文革が行われた。

だが、ここで疑問が起こる。なぜ、このディストピアにそれほど多くの造反派が参加したのかという疑問である。それは毛の扇動だけでは説明できない。

中国学者の岡本隆司は、それについてこう述べている。

> 「紅衛兵」を供給する下層の人々からすれば、上層はあくまで外者であり、敵対者なのであった。つまり中国はなお、二元社会だった。そうした二元社会を一元化すべく、下層が上層を撃滅するのが、毛沢東のいう「階級闘争」なのであり、その課題は彼にとって、おそらく反右派闘争、いな国共内戦のころから変わっていない。「実権派」の「修正主義」的政策は、二元構造を温存、助長し、毛沢東の念願するその一元化を遠ざけかねない危機だった。かれが再び、あえて「革命」

を発動したゆえんである。

（岡本隆司『中国の論理』中公新書）

要するに、毛はこう考えていた。すなわち、現在は真の社会主義社会へ至る過渡期なのだ。そのためブルジョア階級は未だ残り、その残滓は社会に蔓延したままである。したがって、階級闘争はぜひとも継続しなければならず、それを実現するものが文化大革命であるのだ、と。

と同時に、その毛思想を解放軍の中で浸透させていた人物がいた。林彪である。彼は毛思想を解放軍の正式な政治思想として採用し、その基本的言行をまとめ上げた。後に紅衛兵がかざしていた毛語録は、この時用意されたものである。そして、毛の行く先々に常に寄り添い、毛思想を楯にしてのし上がったのが、毛の妻・紅青ら四人組の存在だった。

そして毛も、その勢いに便乗し、壁新聞（大字報）に「司令部を砲撃せよ」との声明を発表し、以後天安門広場に集まった紅衛兵を謁見した。それは八度にも及び、全国の若者を使嗾してゆく。

だが、そうした文革の進展は毛の予想を遥かに超えた擾乱を呈してゆく。その混乱は、中央から末端に至る党組織の崩壊を引き起こし、日常の隅々にまでその影響が及んでゆく。たまらず、造反派の幹部らは毛への忠誠を提唱し（四つの忠）、混乱を鎮めようと試みるが、いったん火のついた革命運動は容易に収まることはなかった。そのため毛は、それまで使嗾していた紅衛兵らを下放という名目で地方へ追いやり、都市在住の知識人も、再教育の名目で「五・七幹部学校」と称する労働改造所に送り込んだ。

この混乱を収めたのが解放軍・革命幹部・革命大衆を代表する革命委員会であったが、実質解放軍が主導権を握ってゆく。この頃、まともに治安維持を担える組織は解放軍しか残っていなかったからである。

それは、革命委員会指導部（省レベル）の大半が軍人で、共産党九全大会でも中央委員の過半数が軍人（その半数近くが、林彪が司令員だった第四野戦軍系の軍人）だったことからもよく分かる。林彪が「毛主席の親密な戦友（後継者）」として認知されたのは、このことに依っている。

その林の論文に『人民戦争の勝利万歳』がある。そこでは、中国革命の戦略たる「農村が都市を包囲する」が世界的に当てはめられ、第三世界が先進国を包囲・殲滅する構想が公式化されている。林はこれをもって、毛の人民戦争論、ひいては毛の思想的擁護を行ったのだ。

だが、その蜜月も、林の立場がナンバーツーになった時終わりを迎えた。

一般に、ナンバーワンにある者は、常にナンバーツーになった者に警戒の目を向ける。そして、不可避的に両者の間で権力闘争が開始される。かくして林は、毛との対決に踏み込まざるをえなかった。

もともと、両者の間には世界観や戦略論に相違があった。ソビエトに対する距離も違った。林はソビエトに近く、毛は限りなく遠かった。アメリカに対するスタンスも違っていた。反米を基本とし、ベトナム戦争でも一貫して北を支援していた林に対し、対ソ戦を不可避と見、アメリカに接近した毛との距離は予想以上に遠かった。

林彪

その結果行われたのが、毛による林彪批判だ。毛はこれを北京から離れた南方で行った。その内容を意図的に流すことで、林への警告としたのである。

この時、林の反乱への決意が固まった。

林は、毛の冷酷で峻厳な粛清劇を熟知している。いったん毛の批判に遭えば、その毒牙から逃れることは難しい。ならば、こちらから仕掛けるまでだ——林はそう思い、そう実行しようと試みた。

その場合、三つのプランがあったという。

一、毛の搭乗列車を上空から爆撃し、列車もろとも爆殺すること。これは林の息子・林立果を中心に立案された。

二、林の第四野戦軍系の人脈を使い、広州に落ち延びて、そこを拠点に対峙すること。これは林自身の立案で、自らがかつて指揮した子飼いの軍に依拠することで毛に対峙しようと考えた。

三、かつての王明と同様に、ソビエトへの亡命を果たすこと。これは、林の妻・葉群が強く主張したもので、クーデターの望みを断たれた林は、これを選択せざるをえなかった。

結局、一と二がかなわず、三を選ぶことになるのだが、その結果がモンゴル草原での墜落死となる。

かくして、毛の始めた奪権闘争は、自らが後継者に指名した劉少奇と林彪の粛清をもって終息した。と同時に、その直後の毛の死で、虎の威を借りていた四人組も失脚し、文革の夢を託された華国鋒も鄧小平により引退に追い込まれ、十年の長きにわたった文革は終わりを告げた。十九世紀の太平天国

（五千万の犠牲）と二十世紀の文革（一億人の被害）は近代中国の双璧となる内乱で、これに大躍進時代の餓死者数千万を加えると、天文学的数字となる。

　さすがの共産党も、この後始末（総括）をせずにはいられなかった。共産党は第十一期三全中で文革の中核理論たる「継続革命論」を否定し（一九七八）、その三年後に開かれた「歴史会議」で文革の全否定を採択することになる。

　毛の描いた逆ユートピアは、一億人に上る犠牲を払って終息した。

　最後に、この文革が世界に与えた影響を少々述べて終わりとしたい。

　今では信じられないかもしれないが、文革の世界に与えた影響は絶大なものがあった。フランスの五月革命では、かのサルトルまでがマオイストのビラ配りに参加し、アメリカではブラック・パンサー（黒豹党）が人民解放軍の三大規律八項注意を基にした党内規律を作成し武装闘争に走っている。そして日本は、東大全共闘（ML派）が、東京大学の正門に「東大解体・造反有理」の標語を記し、毛沢東の肖像画を掲げるまでになっていた。それを知った北京放送は驚喜してこれを報じた。「日本の英雄的学生は、毛主席の肖像画を東京大学の正門に高く掲げ、日本革命の道しるべを日本人民に指し示した。毛主席万歳の声は戦う愛国的学生と日本人民から彷彿として沸き上がり、軍国主義の復活をたくらむ反動的日本政府に痛烈な打撃を与えた」と。

劉少奇

だがそれも、キッシンジャーの中国訪問で全てがご破算になってしまった。

その折の衝撃は、スターリン批判の時と同じく、これ以上ない驚愕と失望をもたらした。世界における文革はここで実質的に終わりを告げた。

ソビエトとの確執（二）――対ソ全面戦争の危機

国内の文革と並行して行われたのがアメリカへの接近と、ソビエトとの衝突だった。あれほど口を酸っぱくアメリカを批判していた毛が一転、アメリカに擦り寄ったのだ。しかも、文革のただ中でのことである。

毛は、自らの意志を、かのエドガー・スノーを通じてアメリカに伝えていた。「（朝鮮戦争時のように）ベトナムを支援するためアメリカとは戦わない」と。

アメリカはこのサインを受け止めて、キッシンジャーを派遣し中国と手を結ぶ。

これには世界中が唖然とした。中国を支持していたマオイスト（毛派共産主義者）は、この瞬間自らの大義を失い、天を仰いだ。

逆に言えば、アメリカに擦り寄らざるをえないまで、毛はソビエトを怖れていた。

当時の軍事常識によれば、ソビエトの戦車部隊はほぼ十日で北京に到達しうるとされていた。ために毛は、その予測される進撃路に防壁を造ることを命令し、それに備えた。付け焼刃で造られた防壁は無用の長物と見られていたが、それでもそうせざるをえないところに、ソビエトへの恐怖が見て取れる。
もともと、中ソ両国の関係は疑心暗鬼の関係だった。毛はコミンテルンに不信を抱き、ソビエトも毛を信用していなかった。ソビエトの主観によれば、中国の要求する膨大な軍事経済援助を受け入れているにもかかわらず、ソビエトからのわずかな要求さえ無視する態度を取ることが多かった。それについてフルシチョフは言う。

（アメリカ軍が発射した新型の不発ミサイルを送ってほしいとのわずかな要求にもそれを拒否し）中国は返事をよこさなかった。しばらくしてから催促したが、それでも返事がなかった。われわれは驚いた。そんなことがあってもいいものか。われわれは、わが国の軍事機密も設計図も技術計画もサンプルもすべて中国に与えていただけでなく、中国軍にわが国の兵器を提供していたのだ。

（福島正光訳『フルシチョフ、封印された証言』草思社）

フルシチョフの憤慨が今にも聞こえてきそうである。
実は、こうした両国の関係は、中国の建国以来一貫したものであった。それが徐々に表に現れ、六〇年代半ばから中ソ論争の形となり、ここに来て、それが実際の衝突となったのだ。その発端となったのが、ウスリー川の中州ダマンスキー島（珍宝島）をめぐる攻防だった。時は一九六九年三月二日。この日の明け方、人民解放軍一個大隊六百名は、ウスリー河畔に到着すると、灌木の茂みに身を潜め、臨戦態勢を取っていた。

この報告を受けたストレリニコフ小隊長率いるソビエト国境警備隊五十名は現場におもむき、解放軍の退去を求めた。

その時のことである。先鋒の解放軍兵士が小グループに分かれて散開し、後続の兵二百名ともども、いきなり発砲を開始した。

完全に虚を突かれた赤軍兵士に身を護る術はなかった。ストレリニコフ小隊長以下赤軍兵士は棒立ちのままなぎ倒され、生き残った者たちもひたすら逃げざるをえなかった。

完全な奇襲であり、使用武器も小銃・機関銃から始まって迫撃砲まで準備された用意周到なものであった。

むろん、赤軍は激怒し、ソビエト世論も沸騰した。

そして三月十五日。今度は赤軍の反撃が始まった。数十台の戦車部隊が装甲車両と歩兵を伴い、ダマンスキー島に進撃してきた。解放軍はただちにこれに応戦し、同島を一時的に奪還する。

だが、解放軍の反撃もここまでだった。ウスリー川東岸に備えられた赤軍の重砲が一斉に火を噴き、解放軍の前衛と後方の後続部隊に降り注がれた。ソビエト赤軍の常套戦術「全縦深同時制圧」が機能し始めたのである。これは、敵軍の最前線・中間陣地及び後方陣地までを一気に制圧するもので、赤軍のナポレオンと呼ばれたミハイル・トハチェフスキーの考案したものである。

今度は解放軍が逃げ惑う番であった。

解放軍は一千名近くの死傷者を出し、ほうほうの体で退却した。と同時に、この一連の戦闘で、前線に配備されていたチベット兵は集団で逃亡し、国境の彼方へ姿を消した。以後、解放軍は少数民族出身兵を集団で前線に置くことを停止した。

ソビエトとの確執（二）――アメリカへの接近

その戦闘が飛び火したのが新疆ウイグル自治区である。

同年六月。今度は新疆省パルルク山西方で、銃撃戦が発生した。その後ほぼ二ヵ月間両軍は相まみえるが、双方の主張が食い違うため詳細はつまびらかでない。

だが、赤軍が解放軍を圧倒したことは確かである。赤軍の機甲部隊がその機動力を十二分に発揮し、解放軍を殲滅したのだ。

陳毅外相（一九六七年当時）が述べていた「今や中ソ両国は外交関係断絶の可能性さえある。もし断絶すれば、新疆ウイグル自治区と内蒙古自治区はソ連修正主義に抗戦する最前線になるだろう」との発言が現実のものとなったのだ。

そのダメ押しがソビエトによる中国核施設への破壊計画である。ソビエト共産党（ブレジネフ書記長）は中国への核攻撃を俎上にのせ、その際のアメリカの対応を打診した。ソビエト共産党機関紙『プラウダ』も中国の核攻撃を示唆する記事を掲載した。事実「背景説明を求められた中央情報局（CIA）のリチャード・ヘルムズ長官は、ソビエトはこの事を他の共産主義国の指導者にも打診していたようだと明らかにした」（ヘンリー・キッシンジャー『中国（上）』岩波書店）。ソビエトがこの事態を深刻に捉えていたことは間違いない。

ソビエトはコスイギン首相を中国に派遣し、周恩来との会談が行われた。

> 周恩来は北部国境の係争地点から相互撤退と、緊張緩和のための方策を盛り込んだ了解覚書の草案を作った。その草案はコスイギンがモスクワに戻る際に共同署名されるはずであったが、そうはならなかった。緊張は十月にクライマックスに達し、毛沢東は中国の最高首脳部に北京からの疎開を命じ、林彪国防相は軍を『第一級戦闘準備』の警戒態勢に置いた。（前掲書）

次いで、毛以下共産党指導部は、ソビエトとの戦争が不可避であると判断し、総力を挙げて戦争準備に取り掛かった。

食料備蓄を手始めに、工業地帯の工場群、とりわけ軍事工場を大々的に内陸部に移転させ、大都市の地下壕を網の目状に張り巡らせ、二千万もの都市住民を地方に疎開させてゆく。

前述にもしたように、赤軍の先鋒はほぼ十日で北京に到達する。

共産党指導部はこの状況に震え上がった。文革中、内モンゴル自治区であれほど多くのモンゴル人迫害が起こったのも偶然ではない。当地は赤軍の侵入路に当たっており、その際にはモンゴル人の離反が予想されていたからだ。

一九七二年における毛のアメリカ接近は、こうした情勢の所産である。

かくして人民中国は、同じ社会主義国のソビエトと戦うため、帝国主義国家アメリカと手を結んでゆく。キッシンジャーの秘密外交と、それに続くニクソン（米大統領）の訪中は、このようにして実現した。ちなみに、キッシンジャーは米中の雪解けが日本に与える影響を懸念した中国側に、次のように釈明したと言われている。「日米安保は日本を抑え込むビンの蓋だ」と。また、ニクソンは、中国との交渉で提示した五原則の中で「米国は、台湾に対する日本のいかなる動きも阻止すること」（前掲書）を挙げている。一方の中国は、当時激しさを増すベトナム戦争に対し、「人民解放軍を送ることはない」と明言し、「中国は覇権を求めることは決してない」と繰り返し表明した。

アメリカは日本を抑えソビエトを牽制し、中国はベトナムを切り捨て覇権への欲求（革命の輸出）を一時凍結したのである。

だが、そのアメリカは、侮っていた日本に、今度は煮え湯を飲まされることになる。突然の米中接近に危機を覚えた日本政府（田中角栄首相・大平正芳外相）が北京に乗り込み、日中国交回復をなしたからだ。

ヘンリー・キッシンジャー

キッシンジャーはそれを聞き「いったい誰に断り、こうした勝手な真似をしたのか」と激怒したという。中ソ対立から始まった米中日の関係は思いもかけぬ事態へと変遷し、社会主義国家間にも凄まじい対立をもたらした。

それはアメリカのサイゴンからの撤退から始まった（一九七五年四月十五日）。その三日後、ベトナム・カンボジアの国境線で、クメール・ルージュ（カンボジア共産党）がベトナム人村落を襲撃し大虐殺を行った。

その四年後今度はベトナムがカンボジアに侵攻し、そのベトナムを討つため人民解放軍がベトナムに侵攻し、その中国を牽制するためソビエト赤軍が中ソ国境線で大演習を行った。これみな、アメリカ（帝国主義）が撤退した後のことである。「社会主義国家間には戦争はない」とされた神話は見事にここに潰え去った。カンボジアがいかにベトナムを怖れていたのか、ベトナムがいかに中国を嫌悪していたのか、中国がいかにソビエトに怯えていたのかが、この間の衝突で明らかになった。民族主義は社会主義より遥かに強力であったのだ。

第三章のまとめ

一、近代中国のナショナリズムは、立憲派の康有為に端を発する「中華民族主義」と、満洲族排撃を目指す革命派の「大漢民族主義」の競合から始まるが、政権を担うことになった革命派は長城外も含む清朝全土を版図とする中華民族主義にその立場を変えてゆく。

二、この中華民族主義を完成させたのが蒋介石で、その結果主として辺境に集住する少数民族は、中華民族の下位制度たる「族」の立場、即ち中華民族モンゴル族、中華民族チベット族、中華民族ウイグル族等々の立場に据え置かれ、その後の民族識別政策や民族区域自治制とも相まって、民族自決の要求を拒否されたまま現在に至っている。

三、毛沢東の戦争観は、優勢を確保するまで正面戦を極力回避し、遊撃戦を展開しながら、外交や謀略（世論戦・心理戦・法律戦）と組み合わせつつ戦ってゆくものだった。毛の著作である『持久戦論』はそれを端的に示している。

四、中国の対外戦はこれまで十七回ほどあるが、そのいずれもが局地限定戦であり、かつそれを改革・粛清等の国内問題（権力闘争・人民公社運動・核開発等）とリンクしたものとなっている。

五、毛沢東の国家建設運動はことごとく失敗し、その修正を果たすため劉少奇・鄧小平ら実権派が国家運営に当たってゆくが、それを非とする毛沢東は権力奪取と急進社会主義社会の実現を求めて文化大革命を開始する。だがそれは、紅衛兵や造反派による無政府状態を招来し、林彪のクーデター未遂や四人組の専横等を招いた末に失敗し、以後鄧小平の改革開放政策に引き継がれてゆく。

六、一九六〇年代から始まったソビエトとの確執は、武力衝突にまで発展し、核戦争一歩手前までエスカレートしたことで、建国以来最大の危機を迎える。この事態に際し、毛は反米反帝国主義の看板を下ろしてアメリカに接近し、ソビエトへの対抗を試みる。

第四章　改革開放――人民中国第二革命

周恩来の死――第一次天安門事件

周恩来が死んだ。一九七六年のことである。

その年は朱徳も死んだ。次いで毛沢東も死んだ。したがって、中国建国の中心を担ってきた指導者三人が死んだことになる。

こうした指導者が死んだ場合、国家は大きな節目を迎える。とりわけ、一党独裁の国はそうである。案の定、周恩来が死んだ時、天安門事件が起こった。党への不満が、周の死を悼む形で噴出したからである。それは、直接的には周への圧迫を強めていた四人組への非難だったが、間接的にはその背後にある毛への抗議であった。毛はあれだけ長く連れ添った周の葬儀にも出席をしなかった。

この天安門事件と呼ばれるものは二度あり、そのいずれもが指導者の死を悼むことから起こっている。最初が右の周恩来、二度目が胡耀邦の場合である（一九八九）。

周の場合、その死を悼む民衆が続々と天安門に集まった。そして、党中央の意向に逆らい、花輪をたむけ、それを阻止する警備陣と乱闘し、公共施設を破壊・放火するまでになっている。

これは、共産党の厳重な取り締まりを考えれば、にわかに信じられないことである。したがって、四人組支配に対する実権派の反撃であったとの見方もあるが、真相は分からない。おそらくは、民衆の動向と党内の権力闘争が重なったものと思われる。

実は、それ以前から非常な党内闘争が起きていた。引き続き文革を進めようとする「四人組」と「周恩来、鄧小平をトップとする実務派」の暗闘である。

当時の周は膀胱ガンを患って余命いくばくもない状態だった。その周が自らの後継に指名したのが鄧であり、彼らを頂点とする実務派が四人組と死闘を演じていたのである。と同時に、毛もまた急激な心身の衰弱に陥っており、その後継指名が待ったなしの状態となっていた。その毛が選んだのが華国鋒であった。

毛には、後継者として指名した劉少奇、林彪、王洪文を次々と粛清してきた歴史があり、華の指名も絶対ではなかったが、毛の最後が近づいていたこともあり、今度の指名は変わることがないように思われた。華に言わせると、毛は「君がやってくれれば安心だ」と述べたという。華はこれを毛の遺訓とみなし、自らの党主席就任の根拠とした。

ちなみに、この華指名の直前に、鄧小平が失脚していた。天安門事件の黒幕とされ、毛による粛清にあったからだ。

当時の鄧は、文革中の失脚から復帰を成し、闘病中の周に代わって実務を取り仕切る立場にあったが、四人組と熾烈な闘争を展開していた。

鄧の持ち味は、その度胸と歯に衣着せぬ言動だった。誰もが恐れる四人組にも容赦はなかった。その言動は、あの傲慢な紅青にさえ悲鳴をあげさせるものだった。

だが、その鄧も毛の権威には逆らえない。鄧は左遷が決まった時、すべての抵抗を止めて退く。毛には従うしかないことを知っていたのだ。そして、周への弔辞を涙ながらに読み上げて、その姿を消してゆく。

「(周総理は)八・一南昌蜂起(一九二七年八月一日の建軍記念日)を指導し西安事件(一九三六年十二月)の平和解決を実現して、抗日民族統一戦線の結成と発展をうながし」「無敵の人民軍隊を建設、発展させ、プロレタリア文化大革命と批林批孔運動の勝利をかちとるうえで不滅の貢献をし、不朽の功績をたてた」「全党、全軍、全国人民が敬愛する、学ぶべき模範である」との弔辞を満面に涙しつつ読み上げると、会場には、嗚咽が広がった。

(中邦仁『天安門事件』文藝春秋社)

この結果、毛による最後の指示だけが残された。後継者としての華国鋒の指名と、鄧小平の失脚である。

以後、鄧は広州に身を潜め、再起を図ることになる。そして毛は、その後継指名を置き土産にこの世を去った(一九七六年九月九日、八十二歳)。

四人組の最後

毛の死を待っていたかのように、権力闘争が勃発した。

その初っ端が、四人組と華国鋒の争いだった。華の指名は毛の政治的遺言であったものの、その毛はもういない。

たちまち、両者の間で政争が始まった。鄧の追い出しは果たしたものの、毛の死により四人組の切れるカードは数少ない。

ここで、四人組と華国鋒側の勢力比を見てみよう。

ペン（マスコミ）の力——これは四人組が優勢だった。文革を通じ、人民日報以下マスコミを牛耳ってきた四人組は、ペンの力で自らの優位を確保しようと試みる。

軍に対する支配力——華国鋒側が優位だった。軍の長老は四人組、とりわけ紅青を嫌い、四人組に付いた軍はほとんどなかった。

政治力——毛の後継指名を受けていた華国鋒側が優位だった。とりわけ、毛の死を聞いた鄧小平が上京し、華の支援のため動いたのが大きかった。

結果は、ペンより剣（軍）の方が決め手となった。

この国では、鉄砲が政権を作るのだ。ペンはペンで重要だが、あくまで鉄砲の補助に過ぎない。それは四人組も十分に知っており、その支持を得るため一応の手は打っていた。だが、その願いはかなわなかった。その詳細を前掲の『天安門』に依ってみると、次のようになる。

まず、軍の重鎮、とりわけ葉剣英（元帥）は終始華国鋒を支え続けた。

次に、汪東興率いる八三四一部隊は、毛沢東直属の護衛隊（一万五千）であり、汪自身も文革派であったため四人組の期待は大きかった。が、これも四人組になびかなかった。北京近郊に駐留する第三十八軍は、かつて林彪が司令員を務めた第四野戦軍系で、文革推進派も多かったため、これを北京に呼び寄せようと試みたが、軍長（政治委員）の反対で軍は結局動かなかった。毛沢東の甥に当たる毛遠新も、瀋陽の戦車部隊を呼び寄せようと試みたが、瀋陽の部隊は党軍事委員会の許可がないため山海関で止められた。結局、どの部隊も四人組と行動を共にしなかった。

対する華国鋒側は、瀋陽の部隊を治安維持の名目で市内に展開していった。

これでは、ほとんど勝負にならない。この国では、軍の支持が無い事は致命的な結果を生む。そのダメ押しが、唯一頼みの中央警備隊八三四一部隊の離反であった。毛の死後、ほぼ一ヵ月を迎えようとした十月六日の深夜、八三四一部隊が行動を開始した。間髪を入れず、汪洪文、張春橋、姚文元、紅青を逮捕し、次いで彼らに連なる関係者を芋づる式に捕らえていった。毛遠新にも容赦はなかった。遠新は飛行場で射殺され、四人組の拠点たる上海も軍によって制圧された。ここに、文革左派を担っていたほぼ全員が姿を消した。紅青を国家主席に推そうとした目論見は露と消えた。四人組は、その後裁判にかけられて重刑に処せられる。本来なら毛沢東も含めて五人組であり、その頭目たる毛が真っ先にやり玉に挙げられるべきだったが、その毛は死んでおり、かつ建国の祖を裁く事はできないため、毛主席の指示に従ったとの四人組の主張は退けられ、彼らだけが処断された。

だが、これはまだほんの序幕に過ぎなかった。

最後に鄧小平が勝ち残った——文革の終焉

次いで第二幕が始まった。

今度は、勝ち残った華国鋒と鄧小平の争いだった。この争いには、毛に関わる理論的問題も絡んでいた。

華国鋒は、文革路線を忠実に引き継ごうとしていた。華は、特段の功績やキャリアを持たない。そのため、権力維持の正当性は一にかかって毛路線の継承だった。

だから華は、毛の一字一句、すなわちありとあらゆる言動を忠実に継承するとの立場を取った。この立場を「二つのすべて」派と呼んでいる。

一方、毛思想は「政治的有効性は実践を通じて初めて理解されるものであり、そうした精神に則り今後の政権を運営すべき」とする考えも有力だった。これを「実事求是」派と呼ぶ。この派が鄧小平の復権を謀り、彼を担いで対抗する。

この二派が、互いに毛思想を楯に取り、激しく争うことになる。かくして、党は二つに割れた。

が、勝ったのは実事求是派であった。

この場合も、軍の力が大きかった。四人組での戦いでは華を支持した葉剣英も、次第にシフトを鄧に移し、華を引退に追いやった。

そもそも、鄧の軍歴は、華など及びもつかないものだった。第二野戦

鄧小平

軍の政治委員を務めていた鄧は、建国の英雄・劉伯承（第二野戦軍司令員）とコンビを組み、長征を乗り切り、国共内戦時にも長江渡河を遂行し、その他諸々の軍功を挙げている。

政歴もまた比較にならない。三度の失脚にもかかわらず、政界復帰を果たしたその実力は並大抵のものではない。

かくして、鄧は復帰後の権力闘争を乗り切って、表舞台に再登場する。それは、第二革命と呼ばれるほど新たな時代の幕開けだった。

中国は、表向きの毛路線とは裏腹に、毛が批判攻撃していた修正主義を遥かに超えた資本主義を採用してゆくことになる。

共産党独裁下の資本主義（改革開放）

鄧は、政治と経済の関係で、真逆の立場を取っていた。政治は一党独裁、経済は改革開放との立場である。加えて、鄧には今一つ片づけなければならないことがあった。文革の総括である。それを鄧は「建国以来の党の歴史問題に関する決議」（一九八一）で決着を図った。すばり、毛思想の形だけの温存と文革の否定である。

それは、鄧の次の政策からもよく分かる。

彼は、まず「四つの原則」を主張した。「社会主義、プロレタリア独裁、共産党の指導、マルクス・レーニン主義・毛沢東思想を国是とする思想」である。

文革を否定するとともに、右の原則をかざしながら知識人の言論（自由と民主化）は取り締まった。その一方、一九七八年の三中全会で「改革開放」を党是とし、経済自由化だけは促進した。この二つを両輪として推し進めたのが鄧政治の基本であった。だから、鄧のもとには、保守派と改革派の双方が配置されることになる。

この場合、まずは改革開放が優先されたため、改革派が優遇された。胡耀邦（党中央政治局常務委員、党中央書記処総書記）や趙紫陽（国務院総理）らがそれに当たる。彼らは改革開放を進めるかたわら、政治的自由化にも着手する。中でも胡は、自由化に積極的で、チベットを訪れた際には、その政策が余りに苛烈な事に衝撃を受け、政治犯の釈放やチベット語での教育再開を命じている。趙紫陽もまた、自由化に理解を示し、天安門事件では遅ればせながら学生のもとに馳せ参じ、彼らへの支持を表明している。

だが、鄧は、その片足を保守派にも置いていた。それが陳雲や李先念らの起用である。とりわけ陳は保守派の雄として、改革開放に批判の眼を向け、ましてや政治的自由化には真っ向から反対していた。そのため、常に保守派と改革派が相争い、鄧はその微妙なバランスを取りながら政権を運営していた。鄧の政治が紆余曲折を辿るのはこのことがあるからだ。

では、鄧の真の目的は何であったか。何が本当にやりたかったのか。

それは「改革開放による経済の活性化」である。西側諸国を洋奴と呼び、自力更生の名で国を閉じていた状態を、経済に限りその扉を開け、国力を上げようとしたのである。また、それを遅滞なく実施すべく先の四つの原則が必要だった。

では、その改革開放から見てみよう。

まずは、農村の改革だが、ここでの問題は毛の残した負の遺産、すなわち人民公社の存在だった。これが手かせ足かせとなり、農民の困窮をもたらしていた。その改善のきっかけが一九七八年に訪れた。

> 小崗村（安徽省鳳陽県）は当時、二十世帯百十五人の小村、全村で人民公社の末端単位である生産隊を構成していた。七八年、村は大旱魃で壊滅的な打撃を受けた。食料は底をつき、いずれ餓死者が出かねない窮地に陥った。七八年十二月、生産隊の幹部三人が相談、重要な方針を決める。全世帯の代表二十人がひそかに集まり、ある誓約書に血判を押していった。
> 「私たち幹部は投獄、死刑もいとわない。（その場合）人民公社の社員のみんなは私たちの子供を十八歳まで育てることを保証する」
> 幹部三人が決めた方針とは、世帯別の生産請負制の実施だった。生産隊の農地を各世帯に分け、生産も分配も世帯に責任を負わせる方式で、農民の労働意欲を高め増産しようというものだった。
> （伊藤正『鄧小平秘録（下）』産経出版社）

むろん、これには、激しい反発が巻き起こった。華国鋒指導部はただちに「生産を請け負うなとの禁止令」を通達した。

が、請負制は歴史的豊作をもたらし、鄧が称賛したことで容認され、人民公社の全廃につながってゆく（一九八二）。

その点を今少し詳述すると、文革期に党組織が壊滅し、党の締め付けがなくなったこともあり、農村部では闇市場が形成され、実質的な請負制ができていた。そのため、集団化は形骸化の域に達し、中央の権力支配が弱体化されていた。右の小崗村の実例はそのダメ押しで、地方分権化の象徴（放権譲利）であったのだ。

かくして改革開放は、農村で花開いたのである。

香港に追い付け――経済特区、設立される

一方、都市での開放はどうであったか。

それが有名な経済特区の設立である。一九八〇年から始まった特区には、深圳・珠海・汕頭・厦門が指定され、八八年には海南省全域が特区となり、上海などが経済技術開発区になっている。

このアイデアを出したのが習仲勲、現共産党総書記・習近平の実父である。

彼は、香港への密出国が絶えぬ状況を鑑みて、中国領に香港と匹敵する豊かさをもたらす必要があるとした。何しおう、当時の所得格差は百倍にも達していた。

習がそうした事実を改善すべく経済特区の設置を提起し、鄧の承認を取り付けて実施する。対外開放の祖と言われる由縁である。

その内実は、輸出入の際の関税免除、所得税の三年据え置き、企業の経営自主権の確立、外資に対

する税制優遇等があり、深圳に隣接する香港・厦門を対岸とする台湾資本が競って進出することになる。その成長は急速で、ほんの寒村だった深圳が香港を凌ぐハイテク都市となってゆく。

だが、特区と言えば聞こえはいいが、これは中国社会のただ中に資本主義地域を立地することになる。当然、激しい反発が巻き起こった。ある副首相など、これを批判し次のように述べている。

> どうしてもやるというなら、広東省の周りに七千キロの鉄条網を張りめぐらせ、隣接省に資本主義が侵入するのを防がねばならない。（前掲書）

鄧は、こうした場合、提案者にその実施をゆだね、直接手を下さない。

これは鄧の常套手段で、腹の内では賛成なのだが、実際に成果が上がるまで待ってみて、その成果を見せつけるのがやり口なのだ。農村の請負制度でもそうであった。一年半の期間を経て、豊作になったのを確認し、やおら反対派を黙らせる。その結果を「どうだ」と言って見せつけるのだ。

では、反対派はどのような反応を示したか。

鄧の最大のライバルだった陳雲は、有形無形に抵抗してゆく。陳がぎりぎり妥協できたのが社会主義計画経済の範囲内での黙認だった。これを「鳥籠経済論」という。

第二次天安門事件の虐殺

この鄧の持つ矛盾が端的に表れたのが第二次天安門事件である。前述の「四つの原則」と「改革開放」の衝突である。

この二つは、鄧の持つカリスマで微妙なバランスを保っており、四つの原則で保守派をなびかせ、改革開放でリベラルを引き寄せる結果となっていた。そのバランスが崩れたのだ。

それは、胡耀邦の死を契機に発生した。その哀悼の中心になったのが学生で、それに合流したのが知識人や労働者だった。胡は、学生・知識人に非常な人気を博していた。改革開放を単なる経済問題に限定せず、政治的自由にも拡大しようとしたからだ。

ところが、これが鄧の神経を逆なでした。鄧の言う改革とは、官僚体制の持つ旧弊を改革するという意味で、政治的自由を意味するものではなかったからだ。この溝が時と共に拡大し、ついには胡の失脚となって現れる。胡は失意の中でその二年後に憤死する。

民衆はそれを悼んだ。そして、胡追悼を名目に街頭に繰り出した。デモ・集会が禁じられていることの国にあって、こうした追悼の集まりは政治的意味を持つ。第一次天安門事件を引き起こした周恩来の死もそうであった。あの時周を悼む民衆は、追悼集会を開くことで党への抗議を示したのだ。

これに危機を覚えた党中央（毛沢東）は、それを力ずくで弾圧し、この時鄧は三度目の失脚を見ることになる。今回はその立場が逆になり、鄧が毛に代わって弾圧の側に回る。

改革開放は、必然的に政治的解放、すなわち自由化を求めてゆく。学生側の要求は煩瑣であるが、要するに「腐敗の一掃」「民主主義の伸長」「人治に代わる法治の徹底」「行政の監視と政府の透明性」等の実現である。

そもそも、経済だけを自由化して、政治の自由化を抑えるなど形容矛盾に他ならない。事実、当時は経済特区を果たした地区に、政治特区を加えてはどうかという提案がなされていた。選挙制の導入や言論の自由を試す実験場にしようというのだ。

だがこれは、四つの原則に抵触するため、鄧（並びに党中央）には認められないものだった。こうした自由を認めれば、精神汚染が進行し、ついには和平演変に繋がるというのである。この危機感はソビエトの自由化（グラスノスチやペレストロイカ）の促進で否が応でも高まった。

そのため、自由化を求める学生運動を早急に収束させようとの動きに出るが、これが一向に収まらない。

そこで、学生との会談を設ける案が浮上して、いったん収拾されるかに見えた。しかし、この妥協案が流れたことで、不満を募らせた学生らが再び立ち上がることになる。

この段階になると、もはや当初のお祭り騒ぎは鳴りを潜め、緊張感が漂い始める。また、進展する政治運動の常として指導部がめまぐるしく交代し、地方学生の流入とも相まって、運動のエスカレートを生んでいた。

こうした場合、早急に手をうたなければ、次の瞬間、運動はさらに激化する。

この場合もそうであった。今度は、なまなかな収拾案では収まらなかった。

その時、党は致命的なミスを犯す。人民日報が鄧の発言を掲載し、学生らの運動を「反社会主義、反共産党」と書き立てたのだ。これが通称「四・二六（四月二十六日）」と称されるものである。

実は、学生らの主張は、何も体制変革を求めていたのでは決してない。確かに、自由化や民主化を求めていたが、それとて限度を超えるものではなかった。また、その要求には「共産党の持つ腐敗堕落の解消」や「綱紀粛正」が入っており、それさえ党が確約すれば、問題のかなりの部分は解決できた。ところが、党（保守派）は民主化だけを取り上げて、その背後に体制変革の影を見た。四・二六の記事とは、以上のような状況下で掲載された。

これが学生の怒りに火を注ぎ、収まりかけた運動を復活させ、最後の切り札が切られてゆく。ハンガー・ストライキが打たれてゆくのだ。そしてこの時、お祭り騒ぎだった運動は一変した。

学生側は、白夢（天安門防衛指揮部副総指揮）によって起草された「ハンストの書」を、指揮部総指揮となっていた柴玲が読み上げた。

これが学生らの心を打ち、八百名余りものハンスト者が出現した。その時の危機感が次の文面からも伺える。

さらば、父母よ！　どうぞお許しください。子供は忠と孝を両立させることはできない。
さらば、人民よ！　このようなやむをえない方法で忠に報いることを許してほしい。
われわれが命をかけて書いた誓いの言葉は、かならずや共和国の空を晴れ上がらすであろう！
北京大学ハンスト団全学生。
（譚璐美「『天安門の夢』十年の夢」新潮社）

だが、これは危険な賭けであった。党による介入の口実になるからだ。劉暁波ら知識人は、これを何とか止めようと試みるが、その声も罵声の中でかき消された。

この時鄧は、もはや平和裏の終息を困難とし、解放軍の投入に傾いた。

趙紫陽（党総書記）は、人民日報の記事撤回（最後は修正）を鄧に求めて食い下がるが、保守派（李鵬や薄一波ら）に囲まれていた鄧は、それを頑として受け入れず、戒厳令の布告と弾圧を決定した。

その折の状況は、次のようになっていたという。

> これ以降、政治局常務委員会の会議は、本来の招集者である総書記の不在のまま開催され、議論や決定は李鵬（国務院総理）ら現職の委員よりも、むしろ陳雲、李先念、王震、彭真、楊尚昆らの長老たち、そして「舵を掌握」する権限を持つ鄧小平によってなされ、戒厳令布告や趙紫陽解任が進められていくことになる。十九日未明、広場を訪れた趙紫陽は、「来るのが遅かった」と涙声でわびたが、その悲壮な姿を最後に、二度と公の場に姿を見せることはなかった。二十日、北京に戒厳令が布かれ、市街地各所に人民解放軍のトラック、装甲車、兵士が出現、一方、戒厳部隊の市中心部への進駐を防ぐべく、市内各所にバスなどでバリケードが築かれた。同じ日、長老たちは再度鄧小平宅で会議を開き、席上、鄧小平は当時上海市の党書記だった江沢民を新たな総書記に推挙した。江は四月の段階で、胡耀邦の功績を報道しようとした上海の『世界経済導報』に記事の差し止めを命じ、同誌に停刊処分を下すなど、早くから「旗幟を鮮明」にしていた辣腕家である。

（石川禎浩『中国共産党、その百年』筑摩選書）

解放軍の中には、人民に銃を向けることにためらう幹部も存在したが、最後は鎮圧に動いてゆく。

この場合、天安門広場での虐殺はなかったが、そこに至る市街地では軍とデモ隊が衝突を繰り広げた。

> 建物のあいだや、車道を区分している緑地帯の低木に身を隠していた市民や学生は「ファシスト！」「人殺し！」「悪党！」などの言葉の弾幕を張り、部隊に石塊を投げつづけた。兵士たちは数台のトロリーバスとその他の障害物を片付けると、再び銃口を群衆に向けた。石塊を身に受けて自制心を失った一部の兵士は、「ファシスト！」と叫んだり石塊やレンガ片を投げたりする者には、見境なく乱射し始めた。少なくとも百人の市民と学生が路上の血の海に倒れ、その大部分は仲間たちの手で近くの復興病院にかつぎ込まれた。
>
> （『天安門文書』国家安全部重要情報）

この時の犠牲者は最大数千人に及ぶというが、正確には分かっていない。

結局、共産党治下では、軍は党の私兵でしかない――このことがこれほど明らかにされたものはない。また、軍投入が法規ではなく、個人（鄧）の決断によってなされたことで、国の統治が法治でなく人治で動くことも示された。

かくして、学生らは蹴散らされ、民主化運動は窒息した。一九八九年六月四日のことである。以後、中国では、この話題が公式の席上で述べられることはなくなった。事件は、共産党の恥部となり、今にまで至っている。

最後に、なぜ民主化・自由化を達成できなかったかについて考えてみる。

その一つは、中国が西欧と接触する中、近代化の概念は把握できても、その背後にある民主主義を吸収することができなかったことによる。

民主主義の原点は「良心の自由（内面の自由）」から出発する。つまり、その内面で「何をどう思おうと自由である」ということだ。例え、悪魔（共産主義社会では反革命思想）を信奉したとしても、である。だから、西欧では良心の自由を「悪魔の自由」とも呼んでいる。

この内面の自由は絶対で、それが外化したものが「言論の自由」となり、それが外化したものが「集会・結社の自由」となる。

ところが、これを全く理解しようとしないのが共産党で、人の内面に強引に踏み込んで、その思想を強制する。となれば、その外化である言論の自由や集会・結社の自由が認められるはずはない。それが認められない限り、自由選挙（秘密選挙）の実施など夢また夢のものとなる。自由選挙は内面の自由（悪魔の自由）が保障され、悪魔（反革命諸党派や諸個人）への秘密投票権が保障されなければ作動しないからである。

この内面の自由が共産党には脅威に映る。もしそのような自由が保障されれば、悪魔（反革命）が跋扈し、体制の変革が生ずるのではないかと危惧するからだ。

共産党がほんのわずかな自由化も認めないのは、このことがあるからだ。しかも、特徴的であることは、学生・知識人が要求する自由化のみならず、共産党内部からの自由化も拒否されていることだ。八大元老の一人である習仲勲（先ほど挙げた経済特区の提唱者）が唱えた「異論保護法（言論の自由化）」も、討議に付されることもなく葬り去られた。習はこれを最後に公式の舞台から姿を消す。

こうした民主化拒否はその後も続き、二〇〇八年に劉暁波が起草し発表した「〇八憲章」への弾圧の折にも再現された。〇八憲章は、法治主義や主権在民をうたった立憲主義を基本とするが、劉はこれがもとで拘束され、懲役十一年の判決を受け、獄中死を遂げてゆく。

もう一つ、中国の民主化がなされない理由がある。それは巨大な大陸国家の持つ性《さが》が要因になっている。中国には常に万里の長城や巨大運河、さらには黄河の治水等々の大事業の実施が迫られる。となれば、強大な権力（独裁体制）と、その手足となって実施する巨大官僚組織と、それを通じた全人民の動員が必須となる。こうなれば、民主主義の入る余地などほとんどない。

では、「同じ巨大国家たるインドがなぜ民主化され、中国にできないのか」との疑問が起きるが、それについては次章で改めて再考する。

次いで挙げられるのがソビエトとの比較である。

この一九八九年は、ちょうどゴルバチョフが出てソビエトの改革を実施している最中《さなか》であった。彼の行った改革は「情報公開のグラスノスチ」や「政治改革のペレストロイカ」、それに「新思考外交」がこれに加わる。総じて、それらが民主主義改革へとつながっていた。

これに対して鄧小平の改革は、経済改革（経済自由化）に限定され、他の政治社会改革は「四つの原則」を楯に取り、一切認めようとしなかった。

その結果、共産党支配層が、自己の権益を手中にしたまま、横滑り的に資本主義の利権を得、私腹を肥やすことになってしまった。

これがソビエトと全く異なる。党幹部にとり、資本主義の採用は自らの地位を脅かされず私腹を肥やす機会となり、それを批判する民主主義など断じて認めるわけにはいかなかった。

鄧小平の南巡講話

天安門事件で学生らを蹴散らした結果、保守派の力が強くなる。彼らは主要ポストを独占し、政治経済的締め付けを強化すべく動いてゆく。

当時の保守派には、強い危機感が存在していた。ゴルバチョフの改革以来、ソビエトは自由化を促進し、それに反対するヤナーエフら保守派による八月クーデター（一九九一）も失敗したことでエリツィンら改革派が台頭し、共産党の活動が禁止された。あのソビエトが崩壊したのだ。

この動きは「和平演変（民主化による平和裏の体制変革）」と呼ばれ、最も警戒すべきものとされた。その結果、階級闘争論が蒸し返され「ブルジョアジーとプロレタリアートの体制矛盾が継続している」との声が上がってくる。改革を進める鄧への左からの批判である。

その批判を理論的に代表したのが先の「鳥籠経済論」である。それを唱えた陳雲は、改革開放をあくまで計画経済の枠内に閉じ込めて、その実現を阻止しようと考えた。

陳は律儀なマルキストで、経済知識も豊富にあり、かつては毛の大躍進政策にも反対する革新官僚であった。したがって、誰しも一目置いていた党の古参で、鄧としても陳を無視することはできなかった。その陳が急激な改革に強く異を唱えていた。鄧も四つの原則を採用し、民主化を弾圧した手前、その意向を無視するわけにはいかなかった。

このため、経済自由化はしばしの間頓挫する。加えて、天安門事件を非難する国際社会が経済制裁を実施したため、経済の沈滞は眼を覆うばかりとなった。

改革開放は、ソビエトとの対立から生じていた自力更生（実質的な鎖国）を覆し、西側諸国を通じた経済成長（経済開国）を促すものであったのだが、それがいったん途絶えてしまった。おそらくこれがさらに続けば、鄧は失脚の憂き目にあったろう。鄧はこれに頭を抱え、かつ西側に「中国が潰れて見ろ、数億人の中国人が国外に流出することになる」と恫喝をかけるまでになっていたが、如何ともしがたかった。

ところがこの時、経済制裁を率先して解除した国があった。他ならぬ日本である。

この頃から鄧の反撃が始まった。鄧は言う。「（西側の）市場経済にも計画的要素はあり、社会主義計画経済にも市場的要素がある。諸君の中には、市場経済の背後に資本主義の亡霊が潜んでいると考える者がいるが、そうした考えにとらわれていては機を逸する。遠慮なく、かつ大胆に開放を行え」と。

そして、日本が制裁を破ったことで中国経済は息を吹き返すことになる。かの南巡講話は、こうした時期に行われた。一九九二年、江沢民総書記の時代である。

鄧は、この年、家族旅行の名目で、ひそかに南方への旅に出る。かつての毛が、林彪を打倒するため、南からメッセージを発信したのと同じ戦略を採ったのだ。

鄧はそこで広東省、深圳経済特区を見て回り、その効果のほどを確認する。

この成果をもとに改革開放を強烈にアピールした。

「発展しているのは見ての通りだ。深圳の発展は、改革開放に基づいてなされた結果である」と。

それは、ともすれば保守派になびく江沢民政権への牽制ともなっていた。

なぜそれが分かるかと言えば、この南方視察に解放軍のトップである楊尚昆と劉華清を伴っていたからだ。楊尚昆は弟の楊白氷と共に軍を牛耳り、劉華清は海軍司令員であったことから、解放軍の支持を得ていることが明確に見て取れる。

こうなれば、北京を留守にしていても、下手な動きは絶対できない。軍権は党権より強いからだ。

かくして、鄧の思惑通り、南方視察はつつがなく終了した。そして、これで勝負は決まった。

陳雲の次の言葉がそれを端的に示している。

「過去には効果があった政策も、もはや通用しなくなっている」

この時が、鄧の院政の最も強力な時期だったろう。江沢民が改革開放に走ったのは言うまでもない。

その結果、中国の全ての富が上海に流れ込み、その富を背景に上海閥が力を増し、鄧の死をもって中南海に乗り込んで政権の中枢を担ってゆく。そしてそれは、栄華を誇った鄧一族の消滅をも意味していた。

中国は、毛沢東から劉少奇・鄧小平へ、文革をもって林彪や四人組に、さらには華国鋒から鄧小平に、そして江沢民の上海閥へと目まぐるしく変わってゆく。

先富論の行き着く果て

毛によるアメリカへの接近が驚愕の出来事なら、鄧による資本主義導入は驚天動地の出来事だった。ニクソンを私室に招いて歓談する毛の写真は世界中を驚愕させたが、「南巡講話」で資本主義を肯定した鄧の「先富論（先富起来）」もそれに劣らず世界を驚かせた。

前者は、世界の共産主義者、とりわけマオイストへの裏切りであり、後者は共産主義そのものへの裏切りだった。となれば、国内外の中国革命を信じて殉死した者たちはどうなるのか。

唖然とするより他なかった。毛と鄧は、まさに裏切りのバラードを奏でていたのだ。

では、その結果はどうなったか。まずすべてが変わった。道を行き交う自転車の群れが、自動車のラッシュに変わった。けたたましいクラクションと交通渋滞、空に付き出すビルの群れ、そして灰色の人民服は洋装に身を包んだおびただしい人の群れへと変わっていった。

と同時に、それは凄まじい「アキュート・アノミー」を呼び込んだ。アキュート・アノミーとは、それまでの正誤判断の基準が根本的に失われ、社会的無規範状態になることを指して言う。

それはそうであろう。それまで、口を開けば帝国主義打倒（とりわけ米帝打倒）を叫び、わずかな右傾化（修正主義）でさえ罵倒していた毛の人民中国である。

それが一夜でひっくり返ってしまったのだ。根本規範が無くなるのも無理はない。

この結果、中国共産党は、毛時代の熱狂的支持に支えられた合意独裁から、利益誘導と恐怖によって支配する開発独裁に変わってゆく。それが急激な自我の空洞化を引き起こす。

人の自我は、何らかの価値をもって支えられている。それ故、支えを失った人の自我は、ゴロリと転がり横転する。

したがって、人にはそれを支える思想的支柱が要るのだが、それが基本的価値観や根本規範なのである。人民中国で言えば、毛沢東思想がそれに当たる。

それが一挙に無くなったものだから、自我はたちまち崩壊の危機に瀕した。

だが、それを放っておくことは決してできない。生きてゆく限り、自我は何らかの存在に支えられる必要があるからだ。

では、何をもって支えるのか。

最も手っ取り早いのが富である。すなわち、金だ。

だから、人は金もうけに邁進する。それを皮肉った小話がある。「昔は『人民に奉仕する』が方針だったが、今は『人民元に奉仕する』となっている」と。先に述べた通りである。

鄧小平以降の中国が強烈な金儲け主義に走るのはこのことがあるからだ。人々は、金をもって自我の支えにしたのである。とりわけ、江沢民の時代からは、金銭至上主義の時代に入る。

その結果、二通りの現象が起こってきた。

まずは、経済犯罪の急増である。とりわけ、贈収賄は増加の一途を辿ってゆく。

当然だろう。金儲けが唯一の指標で、それを自我の支えにする限り、不正な金銭のやり取りが起こるのは必然である。それは、アキュート・アノミーが激しければ激しいほど増加する。中でも目立つのが共産党員（とりわけ高級幹部）の金銭欲だ。

彼らは収賄から始まって、海外への資金逃避、公金横領に至るまで、その地位を利用してありとあらゆる国富の私物化をはかってゆく。

この状況が常態化すればどうなるか。

民衆は支配者を嫌悪して軽蔑する。

が、軽蔑され馬鹿にされた支配者ほど扱いにくいものはない。彼らとて、人民に奉仕する精神はどこかに持っていたはずなのだが、それが認められず馬鹿にされると、今度は自らの地位を利用して蓄財し、それを見ている民衆もまた「右に倣え」とばかりに蓄財する。かくして、国中が金の亡者に成り下がる。

ただし、である。そのことにより経済は上昇する。時には、オーバーヒートと言えるほどに上昇する。

これまた当然のことであろう。何せ、全員が金の亡者になっているのだ。経済成長は当然の事であった。ただし、この急成長は、猛烈な格差拡大につながってゆくのだが。

現在、共産党幹部は百数十万ほどいるとされる。ところが、その百数十万が中国全土の財の大半（七割）を占めるという。富（所得や資産）の不平等格差を示すジニ係数が圧倒的に高いのだ。これは〇～一の間で示される指標で、一に近づくほど格差が広がり、中国の場合は最低でも〇・四を超え、これはかなりの格差になる。ところがこれには灰色収入や黒色収入が入っていないため、係数はさらに高い指数となる。対する圧倒的多数を占める農民は、富の一割余りのおこぼれしか得られていない。目くるめくような格差である。これが中国の現状なのだ。

人々は宗教にのめりこんだ

だが、さすがに金のみでは精神の飢えを満たせない。

そこで出て来るのが、宗教への傾斜である。それも単なる傾斜ではない。破壊カルトと呼べるようなものにさえ群がるように人が集まる。

それは、ソビエトの先例でも証明できよう。

ソビエト崩壊後のロシアには、新旧さまざまな宗教群が雨後の竹の子のごとく林立した。かのオウム教団までが進出し、ロシア人の精神世界に食い込んだ。

それと同様の現象が中国でも起こってきたのだ。具体的には、中国伝統の気功から始まって、怪しげな占術、シャーマニズム、新興カルトまでが林立している。

その典型が「法輪功」と「地下キリスト教（家庭教会）」である。どちらも、中国の屋台骨を揺るがすほどに急増し、党員の信者さえ多く抱えることになる。両者とも、正式な信者数は未定だが、億にも迫る信者を持ち、これは共産党の党員数（九千万）にも匹敵する。

だから、激しく弾圧された。アキュート・アノミーによる宗教の林立とそれへの弾圧が連動して起こったのだ。

法輪功に至っては「法の遡及」をもって裁かれた。法の遡及は「新たに制定された事後法によって、それ以前の行為を裁くこと」を意味するが、近代法では絶対にやってはいけないものだった。が、そんなことはおかまいなく法輪功を事後法の対象にしたのである。

中国の憲法では、表向き信教の自由は認められている（第三十六条）。だが、それは「社会秩序を乱さぬ限り」との但し書きが付いている。これが当局のマジック・ワードで、少しでも怪しいとなれば、この但し書きを適用する。法輪功は、これに引っかかったわけであるが、一方のキリスト教もそれに劣らず監視対象となっている。

もともと、共産主義は宗教の否定を基本とする。だが、宗教の根絶やしはさすがにできない。そのため、しぶしぶ宗教を愛国の下に置き、両立させる政策を遂行した。だが、その両立は安定せず、文革期には宗教の全面否定、その後は党の監視下での活動認可（改革開放期以後）とその都度揺れ動いてきた。また、歴史における宗教の在り方も加味されて、その評価がなされている。

イスラム教は、清朝期に幾度もの大反乱を起こしており、共産党とも矛を交えたこともあり（長征期や内戦期、さらには近年での東トルキスターンでのテロ活動）、非常な警戒がなされてきた。イスラム教徒が集住する甘粛、青海、寧夏海峡自治区では、軒並み宗教指導者が逮捕・拘束され、行方不明者も続出している。東トルキスターン（新疆ウイグル自治区）では、ウイグル人の抵抗に手を焼いた共産党がジェノサイドとも言われる程の弾圧を加えている。それは日常的な習俗にまで及んでおり、顎髭の禁止、スカーフ着用の禁止、食生活への介入、異教徒との婚姻（これはイスラム法で禁止）、ついにはモスクへの出入りにまで干渉している。

仏教は、チベット問題が深く絡んで、胡錦涛期に始まった長い戒厳令が敷かれてきた。むろん、ダライ・ラマの帰国は認められず、仏教への弾圧に抗議する焼身自殺が延々と続いている。以下、その弾圧の一例を挙げておく。共産党の愛国の強要と宗教の衝突がどのようなものかを示す典型的な例である。

二〇〇五年十月初め、ラサにあるチベット最大の僧院デプン寺に「愛国教育」を施すために「工作員」が派遣された。僧侶たちは講堂に集合させられ、工作員から教育を受けた。「愛国」教育の内容は、ダライ・ラマ法王を「分裂主義者」として非難し、中国共産党政府に忠誠を誓うことであった。何人かの僧侶たちが「教育」を拒み、役人たちとの間で口論が始まった。ガワン・チュアンチュプ師二十八歳は、最も激しく口論した一人であった。ガワン師は、法王を非難することを拒み、法王は「現世と来世の救済者」であると主張し、僧院から追放されることになっても後悔はしないと言明した。ガワン師はさらに「チベットは中国の一部である」との役人の主張に反論し、「チベットは歴史的に中国の一部になったことなど一度もなかった」と主張した。これに対し役人たちは口汚く彼を罵り、恐ろしい結果になると脅した。ガワン師は憤懣やるかたない様子で自室に帰ったが、翌日自室から出て来なかった。仲間の僧侶が部屋に行ってみると、彼が亡くなっているのが発見された（中略）デプン寺ではガワン師死亡の後、僧侶たちが集団で沈黙したまま座り続けるという抵抗運動を続けたために、僧院は閉鎖され公安当局の厳しい監視下に置かれている。

（小林秀英『中国民族問題研究・第九号』）

キリスト教は、かつて帝国主義列強（西欧諸国）と結託し侵略の尖兵になった事に依り、非常な警戒がなされていた。そのため、新中国が成立した後、中国キリスト教は窮地に陥り、プロテスタントは以下の誓約を共産党に提出することになる。それが「愛国三自運動」と呼ばれるもので、諸外国のキリスト教勢力から自らを切り離し「自養・自治・自伝」を原則とするものであった。一方のカトリックも同様に「愛国反帝国主義運動」なるスローガンを掲げ、バチカンとの関係を保留し中国政府に服従することになる。かくして、中国キリスト教は共産党の指導する「三自愛国運動委員会」の傘下で延命を図ることになってゆく。

だが、ここで問題が起きてくる。そうした共産党公認のキリスト教会に入らない団体や個人が増えてきたからである。これがプロテスタントでは「家庭教会」、カトリックでは「地下教会」と呼ばれるものだ。とりわけ、問題だったのがカトリックで、バチカンは台湾と関係を持っており、しかもヒエラルヒー（ピラミッド組織）を組織原理とするために、共産党指導下の愛国教会やその司祭を認めなかったからである。この確執は長く継続してきたが、近年カトリック側が司教の叙任権をめぐり中国推薦の愛国教会の司祭たちを公認して歩み寄ったが、それを認めない地下教会は相変わらず存続している。プロテスタントの家庭教会も同じである。

これに対し、共産党は地下教会や家庭教会を弾圧し続け、教会爆破にまで及んでいるが、それでも信徒数は減っていない。

以上、中国の林立や愛国教育と宗教の関係を述べてきたが、共産党支配の息苦しさや苛烈さが増せば増すほど、信者の安らぎや連帯感を求める感情は高揚し、信徒数は増え続ける。「宗教はアヘンだ」とする共産主義のテーゼがもはや通用しないのだ。

が、こうした宗教興隆の決定的なダメ押しは、共産党が自らの思想（毛沢東思想）を放棄し、心の空洞化を招いたことが非常に大きい。中国の宗教は、その間隙をぬって巨大化している。今中国社会は、心の空洞化にさいなまれているのである。

では、こうした資本主義に走った体制側の状況はどうであったか。ここでは、その事例として人民解放軍の場合を挙げてみる。

> 差し迫った戦争の危機がなく、眼前に突如として金儲けの機会が出現したという環境のなかで、解放軍将兵の活動時間の多くが訓練ではなくビジネスに割かれるようになった。解放軍将兵の活動時間の多くが訓練ではなくビジネスに割かれるようになった。全国各地で部隊長が企業の社長を兼任し、指揮下の兵士を社員（例えば建設現場の労働者など）としてこき使うという光景がみられるようになった。八〇年代になると、軍への入隊直後からひたすらビジネスに従事させられ、退役するまで軍事に関する教育・訓練を一切受けないという兵士が大量に存在することや一部の部隊で兵士を出稼ぎに出したため部隊の兵力が定員数に達しないといった現象が発覚し、大問題になった。
>
> （阿南友亮『中国はなぜ軍拡を続けるのか』新潮選書）

にわかに信じられない光景である。

だが、次の記述はもっとすごい。

多くの将兵が軍事訓練そっちのけで金儲けに興じるという八〇年代に出現した拝金病は、九〇年代に入っても解放軍に深く巣くっていた。江沢民政権は、湾岸戦争や第三次台湾海峡危機をつうじて解放軍のプロフェッショナリズムを早急に向上させる必要性を痛感するようになったものの、九八年に解放軍海軍が密輸を取り締まる税関当局の船を撃沈するという事件が相次いで発生したことに象徴されるように、解放軍にはまだまだプロフェッショナリズム向上にストイックに取り組む覚悟が欠けていた。(『前掲書』)

一瞬、眼を疑う事件である。解放軍(海軍)が自国の、しかも取り締まりにきた税関の船を撃沈し、それが相次いだというのである。

この場合、なぜ軍が商売に手を出したかは、国家がそれを維持する予算を取れなかったことによる。軍の経済活動はあらゆる分野に広がるが、金融業もその一つである。初めは小金を貸し付ける金貸しから始まって、やがては実質的な銀行業(シャドウ・バンキング)に手を広げ、理財商品を売り出すまでになっていた。むろん、拝金病は蔓延し、ついには金で将官の地位を買う売官が横行する。

さすがに、この状態を放置できず、国家がこれに介入し、そうした事業を地方政府に明け渡し、本業の軍務に専念することになったのだが、一度味をしめた軍人がそう安々と利権を手放すまでには至っていない。

ちなみに、解放軍は、この他にも致命的弱点を持っていた。

一人っ子政策による新兵の虚弱化である。

周知の通り、一人っ子は小皇帝と呼ばれるほど、甘やかされて育っている。それが、いきなり厳しい訓練と厳しい環境に投げ出されれば、とうてい付いて行けなくなる。そのため、落伍する新兵が続出し、それを心配した親が賄賂を使って除隊させるケースが相次いだ。

この場合も、社会規範の喪失が影響を与えている。新兵も、その親も、賄賂を受け取る部隊長も、使命感がまるでないのだ。

かくして、軍の公的精神は私的精神に置き換えられることになった。鄧小平から始まった開放経済導入（資本主義の採用）は拝金主義を蔓延させ、このような結果を生んだのだ。

鄧小平以後（一）——江沢民の抜擢

華国鋒後の江沢民と胡錦涛の党総書記就任は、いずれも鄧の指名による。要するに、鄧によって指名され、鄧の院政を補完する存在に他ならない。したがって、当然ながら、鄧の敷いた路線上を動いてゆく。

その江の評価は、おおよそ次のようなものだった。

「もはや時代は、毛のようなカリスマも、鄧のような改革者も必要ではなくなった。したがって、その後の指導者は、鄧の路線を忠実に歩んでゆけばそれで済む。江も胡もそうした指導者なのである」と。

それでも、指導者は指導者である。以後、彼らがどのような軌跡をたどっていくかを、しばしの間見てゆくことにする。

その江であるが、彼の経歴はかなり怪しい。

まず問題となるのが、実父・江世俊が親日たる汪兆銘政権の宣伝副部長で、国民党特務機関とも関係があったらしいことである。その傍証は、叔父の江世侯の養子になっていることである。

これは、実父の籍のままでいると、日本に協力した漢奸になりかねないということで、共産党の幹部であった叔父の籍に入ったのが真相らしい。また、江世侯は革命烈士として戦死したため、後々これも役に立った。実際、この経歴が物を言い、文革の折にも追及が少なくて済んでいる。

その後、大学を卒業し、モスクワの自動車学校に留学したキャリアを持つが、一貫してテクノクラートの道を歩んでゆく。

江沢民

その江の政界デビューは、第十二回党大会（一九八二）で、中央委員の選出にあったとされるが、決定的だったのは上海市長に就任したことである（一九八七）。

江の立場は、保守に若干傾斜した中間右派に属していたが、特筆すべきは第二次天安門事件で失脚した趙紫陽の後釜として党総書記に抜擢されたことである。

この場合、江が選ばれたのには理由がある。

一つは、天安門事件での弾圧に関わらなかったことである。李鵬のように、弾圧に関わった者は、民衆の支持を得られないため総書記への道は閉ざされていた。また、弾圧に批判的なリベラル派の採用も不可であり、手を汚さず、弾圧を支持した江が選ばれたようである。

かくして、無名の江が共産党に君臨する総書記に登り詰めることになる。

鄧小平以後（二）——資本家の入党

だが、江の前途は多難であった。

まず、天安門事件のため、西側諸国が経済制裁を課していた。ために、鄧が求める開放経済は行き詰ったままであった。

次いで、独自の支持基盤がなかったため、保守派と改革開放派のバランスを取るのに汲々とする立場となった。

これを示す有名な言葉が残っている。「毛が呼びかければ千人が動く、鄧が呼びかければ十人が動く、しかし江が呼びかければ一人しか動かない」

だから、民衆に対しても、彼の権威はほとんどなかった。彼が地方巡回した折、農民に何が欲しいかと聞いたという。その答えが振るっていた。「今欲しいのは陳勝・呉広だ」と（黄文雄『それでも中国は崩壊する』ＷＡＣ）。

農民は、秦帝国に反乱した指導者の名を挙げ、今の共産党支配（江沢民）に反対だと述べたのだ。思わず笑ってしまう逸話だが、これはある種農民の思いを伝えている。

このようなみじめな状態である。江は、十分すぎるほどの根回しをやり、幾多の会議を招集し、多数の賛意を得て初めて公式の発言をなしている。だから、院政を敷く鄧小平に活を入れられ、改革開放を促進するよう強いられる場面がたびたびあった。

その江が、ようやくその意思を全面に出すことができたのは、総書記就任後数年経ってのことである。外相に銭其琛、経済担当に朱鎔基を配置し、自らの独自色を出す条件がようやく揃った。その政策が、以下に示す「三つの代表論」と呼ばれるものだ。（一）先進的生産力の発展、（二）先進的文化の啓蒙、（三）国内の広範な人民の利益追求、の三点である。

この内（一）は、テクノクラートらしく科学技術の促進に注がれた。これについては、鄧小平以後の状況では、それほど奇異なものではない。改革開放下における科学技術の発展は必須のものであったからだ。また、上海市長を務めていた朱鎔基が辣腕を振るい、国有企業改革も進められることになる。

だが、（二）と（三）については、大きな問題を孕んでいた。

まず（二）であるが、江は毛と全く違い、中国古典を重視する立場を取った。だから、儒教など中国の伝統思想とマルクス主義の融合を打ち出した。これをもって規範創出の要にしたのだ。

だが、これは失敗に終わってしまう。毛思想の否定により空洞化した民衆の心には全く響かず、江の進める両者の結合は試みるまでもなく無に帰した。

一方、江は愛国主義を掲げることで、党の権威失墜をカバーしようと試みた。それが、一九九四年に出した「愛国主義教育実施要綱」である。そして、その翌年から徹底した愛国教育を実施する。

これが日本との齟齬を生む。愛国教育と言いながら、実質反日教育であったからだ。江が進めた反日教育は、それまでの親日感情を一変させ、両国の溝を深めることになってゆく。愛国教育は繰り返しこう語る。

「日中戦争での我が人民の犠牲者は三千五百万人、南京での犠牲者は三十万人にも達している。これをゆめゆめ忘れるな」と。

江はかつての共産党の公式発言（犠牲者二千百万人）をいきなり千四百万人も上乗せし、南京虐殺も十万人付け足した。

江はこれを事あるごとに吹聴し、来日の宮中晩餐会でも、この歴史問題に言及し、物議をかもした。彼は反日をもって政権基盤の安定を得ようとしたのだ。この時以来、反日は共産党の党是となり、親日は売国と同様の扱いを受けてゆく。

このことは将来の重大な禍根になろう。というのも、仮に中国の民主化がなったとしても、民衆を扇動するデマゴーグは必ず反日を言い募り関心を惹こうとするからだ。それは韓国を見れば一目瞭然で理解できよう。韓国は、軍事政権下よりも民主化後の方が反日の度合いがきついのだ。中国の民主化が親日になると考えるのは余りにナイーブと言っていい。そして、その反日教育を開始した本人こそ江沢民であったのだ。

そして（三）。おそらくこれが江のなした最も重要な政策であったろう。

ここで言う「国内の広範な人民の利益追求」とは、一見まともな政策に思われるが、社会主義中国ではそうではない。社会主義の基本は、何をおいても労働者であり、それを補助する農民である。この労働者と農民の結合（労農同盟）こそ社会主義の基本であり、これを階級闘争の要とし、ブルジョアジー（資本家階級）を打倒するのだ。

ところが、この広範な大衆に私営企業家（資本家）が入っていたことから問題となった。おそらく、毛が生きていれば、思わず息を飲んだであろう。「これでは、社会主義の根幹が崩れてしまう」と。

事実、そう思った保守派は、これに猛然と抗議した。そして、事あるごとに、資本家の党への加入に反対した。

しかし、それが受け入れられることはなかった。ひとたび改革開放の味をしめた党幹部は、いまさら保守派の主張する階級闘争など支持する気にはならなかった。また、科学者や言論人も、その懐柔と引き換えに党の認める範囲内での研究や言論の自由が認められ、党内基盤は以前の労農同盟から資本家や知識人へとシフトしてゆく。階級闘争の時代は終わったのだ。かくして、人民の在り方も階級的分類によって差別された在り方（黒五類や紅五類等）から、財力と学歴によって差別される在り方へと変わってゆく。

その結果、人民中国は、江の唱える「社会主義市場経済」に突入し、「開発独裁（独裁体制下における経済発展）」の道を歩んでゆく。と同時に、それは汚職まみれの経済活動を誘発し、今に至る共産党最大のネックとなる。

これがどれほどひどいかは、あらゆるメディアがそれを指摘していることからも伺えよう。その腐敗は、実に江の時代に最高潮に達してゆく。

鄧小平以後（三）——胡錦涛、チベット自治区に赴任

胡錦涛も鄧小平に抜擢された男であり、江沢民と同様に技術畑を歩んできた。すなわち、精華大学の水利学部を卒業し、ダム建設に携わる技術者だった。

胡は優秀な技術者で、人当たりも良かったことから、職場（水利省）での評判も上々だった。

その彼が、政界にデビューするのは、甘粛省政府建設委員会の張延青のスカウトによっている。張は「自分の秘書にならないか」と誘いをかけ、それが実現した事で政治家への道を踏み出した。

胡にとって幸運であったのは、彼が僻地にいる間に文革が終了し、改革開放路線が始まっていたことだ。実は、胡は名家の出ではあるものの、父は小売商（茶の卸業者）となっており、政治的分類では小ブルジョアになっていた。

これは、出身階級を重視する共産党では有利な立場では決してなく、文革の際には標的にされる怖れが十分あった。事実、胡は甘粛省に下放されたが、それ以上の追及は受けることなく、華国鋒時代が過ぎ去ると、問題にされなくなった。

一方、国務院総理として胡とコンビを組むことになる温家宝は北京地質学院を卒業後、胡と同じ甘粛省に赴任し、そこで十年間を過ごしている。その後北京に移動し趙紫陽総書記の部下として趙が天安門の学生を訪問した折にもその傍に控えていた。両者とも、文革の折中国辺境部で過ごしたことで、中国の現状と未来について熟慮する機会を得たことになる。時代的には、それまでの西欧のイミテーションを抜け出ることで、中国の自立を明確に意識することになった時代だ。

そしてこれが彼らの人生を大きく変える。

まず胡であるが、当時若返りの人材を求めていた胡耀邦が彼を見出し、自らが校長を務める中央党校（在北京の若手幹部養成課程）に入学させたのである。

ここから、胡の出世が開始される。その重要な分岐となるのが四十二歳の時就任した封疆大臣（貴州省党委員会書記）である。このポジションは重要で、辺境でありながらも、中央省庁の大臣より一ランク上とされ、中央の首脳部入りを果たす上での登竜門とされていた（楊中美著、趙宏偉監修、青木まさこ訳『胡錦涛』ＮＨＫ出版）。

胡は、その期待に応え、十分な実績をあげたところで、北京に呼び出される。チベット自治区の党委員会への移動を打診されたのだ。

胡錦涛

これが胡の人生を決定的に左右する。第三章でも述べたように、チベットは人民中国のアキレス腱になっていた。そのため、チュシ・ガンドゥク（チベット武装勢力）との死闘やラサ蜂起などを経なければならず、軍人がチベット統治のトップに起用されるのが常であった。その党委員会書記に初の文官として赴任することになったのだ。

この赴任には、それまでの伏線があった。

胡の後ろ盾になっていた胡耀邦は、同地区の惨状を見るにつけ、極貧に苦しむチベット人への援助を促し、民族文化の復活やダライ・ラマとの和解を積極的に進めていた。そのチベット視察の折のエピソードが残っている。

彼は余りの惨状を見るにつけ、強い憤りを覚え、近くにいた孤児を「こんなになって可哀そうに」と抱きしめ、「このような状況を招いた責任はいったい誰か」と詰問し、同地区に導入されていた階級闘争の持ち込みを禁止した。中国共産党成立以来、この時期が最も民族和解が進んだ時代と思われる。

だが、胡の失脚で、それも霧散してしまう。ダライ・ラマもアメリカ議会の人権小委員会で発言し、中国に対し以下の五項目を要求していた。

一、チベット全土を平和地帯とする。
二、民族としてのチベット人の存在を危うくする中国人の大量移住政策の放棄。
三、チベット人の基本的人権と民主主義的自由の尊重。
四、チベットの環境の回復と保護。中国がチベットを核兵器及び核廃棄物処分の場所として使用することの禁止。
五、将来のチベットの地位、並びにチベット人と中国人の関係についての真摯な交渉の開始。

「ダライ・ラマ十四世による五項目和平プラン（ダライ・ラマ法王庁日本代表事務所）」

この提案がチベット人の独立志向に火をつけた。そのため、自治区内でも漢人幹部とチベット人幹部が衝突し始め、民衆の独立願望とも相まって、両者の緊張が極度に高まりつつあった。

当然、デモや小競り合いが多発した。その結果、胡の民族融和政策を忠実に実行し、ラマ書記と呼ばれていた伍精華は、漢人とチベット人の狭間にあって心労し、ついには体調を崩して辞任する。

胡錦涛が伍に代わり自治区党委員会書記に赴任するのは、このような時期であった。

鄧小平以後（四）――小康社会の実現失敗

胡錦涛時代が始まった。江沢民以来、二期続けてのテクノクラートの時代である。だが、胡の党中央への採用は、あくまで政治的功績の故である。チベット自治区の平定がそれに当たる。

間の悪いことに、胡の就任と前後して、パンチェン・ラマが遷化した（一九八九）

その遷化により、チベット人の心の支えは一手にダライ・ラマに集中する。

「これは危険だ」と胡は思った。そのため、治安の維持を図るべく、チベット仏教の高僧や名士を訪ね、独立運動に与せぬよう説いて回った。

だが、無駄であった。ダライ・ラマの発言に刺激された民衆は、雪山獅子旗（チベット国旗）をジョカン寺（大昭寺）の正殿に高く掲げ、独立の意志を表明する。

「事ここに至ってはやむをえない」と思った胡は、党中央に軍権の掌握を願い出る。つまり、軍の出動によるデモ鎮圧である。

案の定、独立の思いに胸踊らせた民衆が街頭に繰り出した。スローガンは、ダライ・ラマのチベット帰還。そして、禁断のチベット独立。

ボウ・ランチェン（チベット独立）！

デモは荒れ、警備当局との乱闘や焼き討ちに発展する。

ただちに、武装警察が投入され、銃撃を含む武力弾圧が行われた。鎮圧は丸二日にわたって継続し、阿鼻叫喚の中、数十人の死者を出して終息した。一九八九年三月三日～五日にかけてのことである。

胡はそのダメ押しに戒厳令布告を党中央に要請し、三月八日に発布された。

胡は全ての抗議活動を抑え込み、その評価は一気に上がった。ただし、国際世論はこの措置に反発し、ダライ・ラマにノーベル平和賞を贈呈することになるのだが。

胡の措置は、国内で評価され、世界で敗北したのだ。

が、胡にとって、この鎮圧は重大な岐路となった。実は、その一ヵ月後（四月）、北京では胡耀邦追悼に始まる学生らのデモ・集会が繰り広げられていた。それが何とも収まらず、手こずっていたのである。

その同じ混乱を、胡は短期間で解決していた。これを見た鄧小平ら指導部が、胡の存在に眼を向けることになる。

「こいつは使えそうだ。北京でも胡のような人材を抜擢すべきだ」――彼らがそう思ったことは間違いない。

事実、高山病治療のためチベットから引き揚げていた胡は、その二年後に党中央に抜擢され、その十二年後に党総書記に、十三年後には国家主席に就任する。

その胡が、女房役の温家宝（国務院総理）と推進したのが科学的発展による「和諧社会」や「小康社会」の実現である。社会の安定、所得格差是正をもって社会不安を解消しようとしたのである。彼が貧しい内陸地域の底上げを図るため「西部開発キャンペーン」を行ったのはこの事に依っている。その中には胡がかつて赴任していた貴州省や甘粛省も含まれていた。

それは、鄧の残した遺訓でもあった。鄧の「先富論（先富起来）」は、何も豊かになることだけを言っていない。先に豊かになった者が、そうでない者を引き上げる「共富論」も入っていた。したがって、江時代の先富を、共富によって是正する必要が生じていた。胡はそれを実行しようとしたのである。はっきり言えば、胡の政権は江の上海閥が行った国富の略奪、格差の拡大、党官僚の腐敗堕落、棄民化された農民問題等々の巨大な尻ぬぐいをするものだった。それが和諧社会や小康社会の実現なのだが、あまりにツケが多いため、解決不能となっていた。

もともと先富起来は、趣旨はいいが、中国社会の本質を見誤っていた。先に富んだ者たちはさらに富むことに終始して、共に富むことなど露とも考えていなかった。そして実際、中国はそのようになってゆく。

もう一つ、胡は弱点を持っていた。その政策は手堅く、着実ではあったものの、権力への意志が欠けていた。そのため、江派との徹底した暗闘に踏み切れず、社会的にも党の締め付けが緩んだことで、共産党批判がかなり出回ったようである。

ただ、その分、幾ばくかの自由があり、毛以後の政権で最も権力の圧迫を感じることのない時代だった。胡の風貌からもそれがうかがえ、悪党面をしている党中央の面々に比べ、イケメンの紳士然としている。

だが、それでもトップにのし上がった権力者である。常に優柔不断かと言えば、むろんそうではない。先のチベット事件の処理もそうだし、リーマン・ショックに始まる世界金融危機の折にも四兆元の超大型景気対策を採用し、世界経済の救世主となっている。

ちなみに、胡の行く先々には、常にチベット問題が付きまとっていたようである。北京オリンピックの折、中国はチベット等少数民族弾圧の故をもって激しい批判にさらされた。

フリー・チベット！

世界各地をめぐる聖火リレーは行く先々で激しい抗議に遭遇し、その矢面に立たされることになる。この場合、胡がチベット弾圧に直接手をそめていたことが、よけいに火に油を注いだ。

胡は、チベットを足掛かりに出世を果たし、それ故に世界世論の批判を受けた。

最後に、胡と江の関係について記してみる。

まず、江から胡への引継ぎは、何はともあれ平和裏に進められた。もとより、権力をめぐる確執は存在し、政治局常務委員も過半数が江派によって占有され、党中央軍事委員会主席もその後二年にわたり江が掌握したままであった。これは中国の国の形を端的に示している。この国では、党が国を上回り、軍が党を上回る。したがって、軍権を握るものが最高指導者なのである。だから、毛も鄧も最後まで軍権を手放さなかった。そして今回の江もまた。

かくして、胡の政権は、常に江の上海閥との暗闘を戦わざるをえなかった。江子飼いの陳良宇を粛清したのはその際たるものである。江は総書記を退いてもなお、隠然たる力をほこっていた。結局、胡は江との暗闘に勝ち切れなかった。その結果が、胡の引退に伴った人事に見られる。最側近の李克強を党総書記に就かせられず、上海閥の推す習近平が就任してゆく。胡にとっては、忸怩たる思いがしたはずだ。

胡が最後に述べた言葉の中に、その思いが垣間見られる。

「党による腐敗堕落を改めなければ、その未来はない」と。

それは、江やその配下の上海閥への当てつけであると同時に、強い危機感の表れでもあったろう。その意を受けて登場したのが習近平である。ここから彼の時代が開始される。以下、習の時代、すなわち現在と近未来の中国について語ってゆくことにしたい。

第四章のまとめ

一、中国の政争は葬儀から始まる場合が多い。紅青ら四人組への抗議が、周恩来の死を悼む葬儀の中で開始され（第一次天安門事件）、以後混乱の続く中、毛沢東による華国鋒の後継指名と鄧小平の失脚となってゆく。

二、毛の死後、ただちに「四人組」対「華国鋒」の権力闘争が勃発し、解放軍を掌握した華国鋒側が四人組を拘束して勝利を収める。

三、次いで、華国鋒の主張する毛の一言一句を継承すべきとする「二つのすべて」派と、毛思想のエッセンスのみを引き継ぐべきとする「実事求是」派が対立し、後者が勝って政権を掌握する。

四、鄧小平の主張する共産党独裁下の資本主義採用（改革開放）が採用される中、人民公社の解体と経済特区の設置が実施され、ここに毛沢東の実施した社会主義路線は全否定されることになる。

五、この経済開放を政治的自由に結び付けようとしたのが天安門事件（第二次）で、学生らが天安門を長期にわたり占拠するが、最後は鄧による武力弾圧で鎮圧される。この期に当たり、解放軍は国軍であるのを止め、共産党の私兵たることを選択し、人民への虐殺に加担してゆく。

六、江沢民の時代になると、毛思想の破綻を穴埋めするため愛国主義が奨励され、資本家にまで党員資格を与える国民政党となってゆく。また、この時代、毛思想の否定から来るアキュート・アノミー（社会的無規範状態）が発生し、過剰な金銭欲と新宗教（法輪功や地下キリスト教等）の乱立を招いてゆく。

七、水利関係の技術者であった胡錦涛は政界への転身後、チベット平定の功により中央政界へ進出し、その後共産党総書記に就任するが、江時代に起きた格差拡大の是正を目指す「小康社会」を実現できず、同じ共青団の李克強の後継指名にも失敗して、その後を習近平に譲ってゆく。

第五章　今、中国は

新中国は西欧の全面コピーで出来上がった

少し時代を遡り新中国の建国時、すなわち毛沢東の世界観から見てみよう。

彼は平和共存を主張するフルシチョフ（ソビエト共産党第一書記）に対抗し、次のような見解を発表する。

「東風は西風を圧倒する」と。

この場合、東風は社会主義、西風は資本主義を意味するが、東風・西風となれば、どうしても中国（アジア）と西欧を連想する。となれば、その裏には中国百年の屈辱を晴らす思いが込められていたとしても不思議でない。それだけ、近代中国の史的過程は屈辱にまみれていたということだ。

無理もない。この間の中国は、何もかもが「西欧」と「その文明を仲介した日本」の後を追うだけの存在だった。清朝の「洋務運動」から始まって、日清戦争に完敗するや、日本を通じて西欧を学び始め（変法自供運動）、孫文の「三民主義」や「辛亥革命」、「五・四運動」や「新文学運動」、「サイエンス」や「デモクラシー」等々とそれこそ枚挙にいとまない。

その頂点にあったのが人民中国の政策で、西欧の異端たるマルクス・レーニン主義を採用し、文革に至っては中国伝統の全面否定、すなわち旧思想、旧文化、旧風俗、旧習慣の「四旧」を批判し尽くしている。

また、その文革が失敗に終わるや、今度は工業・農業・国防・科学技術の西欧化、すなわち「四つの近代化」を打ち出し（五つ目の近代化「民主化」は排除）、ついには近代西欧の本流たる資本主義を採用するまでになる。「改革開放」とその後の「社会主義市場経済」がそれに当たる。

全面、西欧のコピーである。それまで、自らの文明を輸出し続け、それを何より誇りとした中国が、他文明の模倣国に成り下がったのだ。そしてこの全面コピーが重大な政治的影響をこの地に及ぼす。それは、西欧列強の帝国主義と戦う中で、自らも帝国主義に罹患したことである。ニーチェの言う「怪物と戦う時は、怪物にならないように気を付けろ」との文言が典型的に当てはまった事例である。人（あるいは集団）は、自らの怖れおののく対象に自己同一化し恐怖を回避する心理があるが、それが人民中国にも起こったのだ。と同時に、それは西欧と自己同一化することで過剰な西欧崇拝を引き起こし、西欧帝国主義を口を極めて罵りながら強い憧れを持つ相矛盾した状態となっている。そのことは、党の幹部が蓄財した資産を欧米に逃避させ、その子弟を当地に留学させていることからもよく分かる。

ただし、一つだけ西欧の概念を採用せず、かたくなに中国の伝統を残したものがある。「『民主主義の採用拒否』と『皇帝独裁制の継続』」である。

秦の始皇帝を尊敬する毛は、自己の存在をこう述べている。「始皇帝＋マルクス」と。つまり「自分は皇帝の絶対権力とマルクス主義の解釈権（権威）を引き継いだ」と言っているのだ。権威・権力の二権掌握による独裁である。

これは、中国伝統（とりわけ宋代以降）の皇帝独裁主義と同型で、皇帝を共産党総書記に、士大夫階級を共産党高級幹部に代入すれば、同様のものになる。

むろん、そうした独裁制を阻害する民主主義は全面的に排除された。

これは歴史的仮定になるが、いっそのこと中国全土を西欧（例えば大英帝国）に支配されていれば、民主主義の何たるかを学べたかもしれない。インドがそうだ。インドも中国と同様、巨大な版図と人口を有しながら、何とか総選挙を実施し、世俗民主主義国家になっている。それは、大英帝国百年の支配により学習した成果である。

中国は香港以外それができずに終わっている。非西欧の日本とロシアがこれに割り込み、アメリカも時に応じて介入したため、西欧列強の単独支配がならなかったからである。せめて、西欧が南方だけでも領域支配をしていれば、インドに少しは似た状態になったかもしれない。

だが、そうした事実がなかったため、中国の主張はどうしてもナショナリズムと反帝国主義のみが先行し、その背後にある西欧のエッセンス（民主主義）を学ぶことができなかった。

ここに、中国の歴史文化の限界が見て取れる。

これは冒頭でも述べたことだが、古来、中国は、例え夷狄に征服されても、やがては文化的同化により夷狄を心服させてきたという自負があった。

ところが、西欧に対しては、それが全く通じなかった。西欧は中華文明を意にも介さず、逆に中国を自らの辺境と位置付けて西欧化してゆくことになる。毛沢東が一時、中国語のラテン表記を試みた文字革命は、その典型的な例である。あれほど中国が誇りにしていた漢字文化を放棄したのだ。近代におき、中国の文化的同化はその意義を失っていたのである。

かくして中国は、西欧を生半可に学んだ結果、民主主義を抜きにした後発帝国主義国家となり、今にまで至っている。

一帯一路（一）――中国は禁断の両生国家に踏み込んだ

さて次に、習近平が言い出した「一帯一路」について見てみよう。「陸の帯」と「海の路」を世界に張り巡らせようとする戦略である。

実は、この用語こそ新しいが、歴史上では新奇なものでは決してない。

それは大陸国家が対外膨張を目指す時、必ず史上に表れている。

ユーラシア大陸に一帯（陸の帯）を求めれば、その代表例がモンゴルの征西で、あの時ジンギスカンから始まったモンゴルの遠征は、ヨーロッパから西南アジアにまで至る広大な領域支配につながった。

一方、西からの東征では、帝政ロシアが中央アジア・シベリア一帯を席巻し、その後継たるソビエトの極盛期には、世界の三分の一を制するまでになってゆく。かくして、右の両国（モンゴルとロシア・ソビエト）は、ユーラシア大陸中心部（ハートランド）を征することで、世界を制覇したことになる。

こうした歴史を習近平がどれほど意識しているかは知らないが、習の目指す「一帯」とはハートランド制圧が当面の目標と考えられる。

一方の一路（海の路）は、大陸国家が興隆を見た場合必ず起こる海洋進出、すなわち海陸を併せ持つ両生国家になろうとする事による。直近では、ソビエト帝国がそれに当たり、古くはモンゴル帝国も海洋進出を目指していた。

この海洋進出は、中国の近代海軍の父・劉華青（海軍司令員）の提言によって開始され、第一列島線から第二列島線（西太平洋）に至る近海防衛戦略（接近阻止・領域拒否『A2／AD』）は劉の構想をベースにしている。

だが、この両生国家は歴史的に見れば、成功をしていない。あれほど強大であったモンゴルも海を隔てた周辺国には手が出せず、帝政ロシア（バルチック艦隊）も日本に敗れ、ドイツ第二・第三帝国も海の支配をできずに負けている。

その両生国家に中国は今なろうとしている。南シナ海を制圧し、東シナ海に進出し、インド洋を経てアフリカまで到達する戦略（海のシルクロード）とは、両生国家を目指している端的な証拠である。

習近平

この一帯一路が最初に浮上したのが上海ファイブとその後継である上海協力機構である。協力機構は、二〇〇一年六月に発足したもので、中国が主導しロシア・カザフスタン・キルギス・ウズベキスタンがこれに加わり、オブザーバーにモンゴル・インド・パキスタン・イランの四ヵ国が参加している。

その内容は時と共に変わってゆき、国境の画定から始まって、反テロ問題・アフガン問題等が取り上げられ加盟国の軍事演習がなされている。

ここで重要なのは提唱国が中国で、加盟国の大半が旧ソビエト圏の中央アジアの国々であったことから、アメリカを意識したものになっていた。

が、この一帯一路は当のアメリカが作り出したものでもあり、リーマン・ショックがそのきっかけとなっている。この時中国（胡錦涛政権）は四兆元もの超大型景気対策（財政出動）を打ち出して不況脱出を試みた。これにより世界不況は回避されたが、中国は完全な余剰生産に陥って、そのはけ口を求めざるをえなくなった。そこで実施されたのが、これら余剰の国外輸出とそれに伴う政治的進出だった。その対象は年と共に範囲を広げ、今やアメリカ以外の全世界にわたっている。この場合、アメリカ排除で最も重要であった地域がＥＵで、メルケル（当時のドイツ首相）の積極的支持とも相まって両者の投資協定が後一歩のところまで迫っていた。

が、ここで問題が起こってきた。ウイグル問題が急浮上し、それが決定的なガンとなり、現在は凍結状態になっている。さらに問題であったのは、ＥＵの弱い環とされていた中・東欧諸国に的を絞った合作（17プラス１）も、リトアニアから始まったバルト三国の離反が起き、これに追随する動きも見られている。

以上が、一帯一路の起源（上海協力機構と中国の財政出動）であるが、これを資金的に支えるのがＡＩＩＢ（アジア・インフラ銀行）やＢＲＩＣｓ開発銀行（ＢＲＩＣｓはブラジル・ロシア・インド・

チャイナ・南アフリカ）である。その当初挙げられていた具体例を列挙すると、高速鉄道網の整備（ユーラシア・汎アジア・トルコ・中央アジアの各鉄道）、カザフスタンの天然ガスパイプラインの建設、ウズベキスタンの飛行場建設、沿岸部の港湾整備計画、中国・タイ間の高速鉄道計画、アフリカ内部の鉄道施設計画等々がある。

　これからも分かる通り、一帯一路はそのスローガンたる「六廊・多国・多港」に依っている。すなわち「六廊」たる交通情報網（道路・鉄道・海運・パイプライン・情報網）、一帯一路の協力国たる「多国」、それと海上ルートを保障する「多港」である。

　中国は、これらを西部大開発（ウイグル・チベットの同化や平定も兼ねる）とリンクさせ、本格的な西方への進出を目指すとともにウイグルの天然ガスパイプラインを上海にまで伸ばす西気東輸プロジェクトを志向している。地政学的にも八ヵ国と隣接するウイグルは今、陸のシルクロードの「核心区」となりつつある。

一帯一路（二）——中国の領土観

　では、習の目指す一帯一路は、その思惑通りに進むであろうか。おそらくは無理であろう。最初に結論じみたことを言えば、一帯一路は明らかに「過剰膨張」と断定できる。これは、英国史家ポール・ケネディーが『大国の興亡』で述べていた代表的な衰退要因の一つである。そもそも、清朝の版図自身が過剰膨張の最たるもので、現中国はそれを引き継ぎ、かつ中央集権化したために、よけいに膨張が際立っている。国内統治さえままならぬ中、それを世界にまで広げればどうなるかは言及するに及ばない。こうした世界化を進めれば、南のクワットだけでなく、西のＮＡＴＯとも正面対峙することになり、ロシアのウクライナ侵攻を契機にしてさらなる対中包囲網が進むであろう。

世界は今、一帯一路がスムーズに進行するなどありえない状況となっている。

では、現在ある個々の事例を、海のシルクロード（一路）から見てみよう。

中国は現在、「真珠の首飾り戦略」を展開している。つまり、中国の海南島を起点として南シナ海・マラッカ海峡を経、ミャンマーのシットウェ、バングラデシュのチッタゴン、パキスタンのグワーダル、スリランカのハンバンダド、モルディブのマラオ、ペルシア湾や東アフリカ諸国（ジプチ・スーダン・ケニア・タンザニア）、さらにはスエズ運河を経、地中海に至る海洋ルートの確保を目指す。が、その構想が実現するは、あまりに障壁がありすぎる。まずは、インド太平洋の自由航行を主張する四ヵ国（日米豪印）が立ちふさがり、最大のチョーク・ポイントたるマラッカ海峡も押さえられたままであり（マラッカ・ジレンマ）、アメリカ第五艦隊が駐留するペルシア湾も障害になっている。

中国の構想する海のシルクロードはあまりに障害がありすぎる。

次に、陸のシルクロード（一帯）の方はどうか。

これにはまず、ロシアとの関係が問題となってくる。

中露はこれまで共通の敵たるアメリカが存在するため協力関係を促進してきた。

二〇〇一年の善隣友好条約、二〇〇八年の国境の画定、ロシアの「ユーラシア経済連合」と「一帯一路」の協力・連携、ロシアからの大量かつ継続的な石油・天然ガスの輸入、シベリア・極東地域での軍事演習（ボストーク二〇一八）への中国参加等々がそれに当たる。

また、両国の地政学的戦略一致も、これに拍車をかけていた。ロシアは、クリミア半島奪取以来続いてきた西欧との戦略対峙を維持するため中国との政治的安定が必須となり、中国もまた南の海洋進出を図るため北のロシアとの共存を望んでいた。

だが、一皮剥けば、その底流には非常な確執が存在する。

その筆頭が両国国境を挟んだ人口比の問題である。ロシアの極東連邦管区ではロシア国籍の人口はわずか六百五十万。それと接する中国東北部（遼寧、吉林、黒竜江各省）の人口は一億三千万にも達する。この人口格差が中国人の一方的なロシアへの流入を生んでいる。しかも、ソビエト時代の極東在住者への厚遇が喪失したため、人口流出が止まらない。

現在ロシア在住の中国人は二百万、さらには百五十万の違法流入がこれに加わる（二〇一六）。まだある。過去十年間で八十平方キロの農地が中国人に格安でリースされ、ザバイカルに至っては千百五十平方キロが中国企業にリースされている現状がある。

では、なぜこのような状況が黙認されているのか。

それは、ロシア一国ではシベリアの維持・開発がとうてい賄えないからである。

江戸時代に、ロシアがアダム・ラクスマンやニコライ・レザノフを送ってきたことを想い出していただきたい。ロシアは広大なシベリア、さらにはアラスカまで進出したが、その地に居住する入植者への食糧供給がままならず、慢性的飢餓が蔓延していた。そのため、シベリアに近い日本と通商条約を締結し、食糧補給を得たかったのだ。この関係はその後も変わらず、日本の資本と技術をもってシベリア開発を進めたいとの意向があった。

　中国による開発を進めればいいではないかと思われるかもしれないが、これは右の理由で政治的リスクを伴う。その点、日本とは領土問題を除いては政治的リスクがあまりない。少なくとも、中国よりは遥かに少ない。しかも、中国との間には歴史問題が横たわっている。ロシアによる沿海州の強奪である。具体的には、一九五八年の愛暉条約、六〇年の北京条約がそれに当たる。この時ロシアは、その武力を背景に割譲を迫り、清国領を強奪した。

　この史実が中国人の深層に刻印され、領土回復が折に触れて喚起されてきた歴史がある。事実、未だ中国の教科書にはこの割譲された沿海州を自国領との記載がある。ロシアは、二〇〇八年の国境画定により、この問題は終わったと見ていようが、中国はこうした史実を絶対に忘れない。そして、自国が優位に立った瞬間、それを公然と言い始める。そもそも、極東ロシアは、ソビエトの崩壊とその後の各共和国分離に際し、それに乗り遅れた経緯がある。本来なら極東共和国ができてもおかしくない状態であったのだ。それほど不安定なのがこの地である。中国がそこに割り込んでくる可能性は十分すぎる程存在する。

　ちなみに、中国には二つの領土拡張概念が存在する。一つは列強によって強奪されたかつての領土の失地回復である。台湾や香港やマカオ等がそれに当たる。そして将来、沿海州もその対象になるであろう。

今一つは、中国が戦略的国境論という特異な国家論を持っていることである。つまり、通常の近代国家が持っている固定化した国境線でなく、それが時と場合で拡大するのだ。その最たるものが尖閣列島や南シナ海の領有で、「当地は国家の核心的利益に当たる」と宣言し、その編入を言い出すのだ。しかも、それらはかつての協定や条約を反故にした事情変更でなされてゆく。「過去の事情は変更になったので、今からは別の論理で行動する」と。その典型がフィリピンとの間で起きた係争で、国連海洋法条約に基づくオランダ・ハーグの仲裁裁判所の裁定（中国の主張する九段線には国際法上の根拠はない）を紙屑だと一蹴したことが挙げられる。国際法は強制力のない慣習法であるために、大国がこれを破れば手の出しようがないのだが、それにしてもあまりに言動があからさまだ。

万事が万事この調子でなされるのが中国の国境論だ。

まだある。中国は、自国の排他的経済水域（ＥＥＺ）にも領海と同様の国家主権を言い募る。つまり、無許可のＥＥＺ内の航行は領海侵犯に当たるというのだ。これは拡大解釈もいいところで、それが認められれば、現今の海洋法は全て無効になってしまう。

こうした国境論を持つ中国である。これが沿海州にも適用されるであろうことは、まず間違いない。むろん、その時はロシアとの確執は避けがたい。

そもそも、中露関係は一皮剥けば、幾つものトラブルを抱えていた。ロシアは自前のユーラシア経済連合を一帯一路の上に置き、中央アジアへの中国の進出を牽制してきた。近年起きたカザフスタンの混乱に際しての平和維持軍派遣がそれを端的に示している。要するに「中央アジアはロシアの縄張りだ」を宣言したのだ。

ただし、この概念はソビエト時代の古いもので、トカエフ大統領（カザフスタン）には受け入れられないものだった。それはトカエフの「ロシアのウクライナ侵攻を支持しない」との発言からもよく分かる。

カザフスタンに未だ二割近くのロシア系住人がロシア国境近辺の北部を中心に集住している。となれば、ウクライナと同様、彼らを保護する名目で侵攻を受ける危険性が常にある。カザフスタンにとり、ロシアも中国も常に警戒する相手なのだ。

その中国は、ロシアから軍事関連の技術移転や各種兵器の輸入を続けてきた経緯があるが、これもさまざまな壁に阻まれてきた。例を挙げれば、大型輸送機イリューシンを高額な値で売り付けられ、その数量も制限を受けている。スホーイ戦闘機30に至っては、国内向けの最新鋭機は提供されず、それとは異なる輸出型を押し付けられ、かつランク上位の輸出機をインドに向け、ランク最下位の輸出型を中国に売り付けられた過去がある。まだある。ロシアはインドと、超音速巡行ミサイル・ブラモスを共同開発しているが、そのインドがブラモスをフィリピンに輸出している。中国の南シナ海進出を牽制するためである。これまたロシアの許可なくしてできえないことであった。

むろん、こうした処遇に中国は激怒したと言われているが、如何ともしがたかった。中露は表で握手を交わしながら、その裏で蹴り合っていたのである。

だがそれも、ロシアのウクライナ侵攻が始まって状況が一変した。

ウクライナの執拗な抵抗と西側諸国の制裁や支援が重なって、ロシアは非常な窮地に立たされている。その結果、中国の有形無形の支援を仰がねばならぬ状況に陥った。

ロシアは今、中国に自国産のエネルギーや鉱物資源を買いたたかれ、また中国からの大量輸入をもって経済的に席巻され、それに抗する術を何も持たない。

となれば、戦争の帰趨にかかわらず、ロシアは中国の草刈り場となるであろうが、それが中国の利益になるかどうかは定かでない。

これは、それまでの大国が急激に没落する時常に起こる現象だが、力の空白が生じるため非常なアナーキーが発生する。だとすれば、中国の構想する陸のシルクロード（一帯）がスムーズになされる保証はどこにもない。この地は中国の鬼門であり続けるはずである。

一帯一路（三）——帝国の墓場、イスラム世界

最後に問題となるのが、陸海のシルクロードのいずれもがイスラム世界を通ることだ。

このイスラム問題は、過去の世界帝国にとり、最も解決不能なものであった。

大英帝国は、ロシア帝国とのグレート・ゲームを演じる中で、アフガニスタンに攻め入った。この地を確保することで、ロシアの南下を食い止められると見なしたからだ。

ところが、これが難物だった。三度のアフガン戦争には何とか勝ったが、当地の確保は十分にできなかった。とりわけ、第二次アフガン戦争は悲惨であった。派遣した帝国軍が完全殲滅に遭ったからだ。比喩で言っているのではない。本当に全滅したのだ。大英帝国の受難はその後も続く。中東でも

至る所で破綻を見、中でもパレスチナ問題では三ツ股公約（アラブとユダヤとフランスとの密約）をした挙句、最後は国連に解決を丸投げして撤退した。

これはソビエト帝国も同様で、近年のアフガン侵攻では執拗なムジャーヒディーン（イスラム戦士）の抵抗を受け、長期にわたる消耗戦を経た末に撤退し、それが引き金となる中で崩壊した。

アメリカも同じ轍を踏んでいる。九・一一米同時多発テロを事由にしてアフガン介入をした挙句二十年の月日をかけても収拾が全くできず、膨大な犠牲を払った末に撤退の憂き目を見ている。また、湾岸・イラク両戦争を戦ってみたものの大混乱を引き起こし、未だに火種は残ったままだ。加えて、中東政策の要であったイランを失い（一九七九年のイラン・イスラム革命）、イスラエルとパレスチナの紛争も調停できず、世界の警察官の役割を果たせなかった。

帝国にとり、イスラム世界は鬼門中の鬼門なのだ。まさに帝国の墓場であった。

ちなみに、その理由はさまざまあるが、その一つにイスラム世界の異教徒への強い拒絶感が挙げられる。

イスラム教は、世界を「ダール・アル・イスラム（イスラムの家）」と「ダール・アル・ハルブ（戦争の家）」に分類する。そして、両世界の衝突には「ジハード」を適用する。このジハードには「防衛ジハード」と「攻撃ジハード」があり、異教国家の侵攻には防衛ジハードが宣せられ、老若男女全てのムスリムがこれを迎撃する義務（アイン・ファルド）を負う。

これが実にやっかいなのだ。それがいかに大変かは右に挙げた通りだが、他にも例は幾らもある。侵攻した帝国はいずれも足を取られている。

この状況をよもや中国だけが回避できるとは思えない。そもそも、自国領の東トルキスタンさえ治め切れず、全土収容所化にまで至っている。しかも、内に熾烈なイスラム弾圧を行いながら、外にイスラム世界と友好関係（一帯一路）を築こうというのである。まさに、矛盾以外何ものでもない。

イスラム過激派は、欧米を主敵と見なしているため、中国の東トルキスタン弾圧には手が回っていないようだが、少しでも欧米との関係が緩んだなら、ただちにその矛先は中国に向かうであろう。いや、その兆候はすでに出始め、アフガンではイスラム国ホラサン州がウイグル問題をもって中国にジハードを宣言し、カブールの中国資本の経営する高級ホテルを襲撃し、外務省前でも自爆テロを実施している。今中国は、アフガンの地下資源に狙いを定め、タリバンとの大規模契約に調印し、開発を促進しようとしているが、イスラム国がその阻止に動くのは眼に見えている。

その際、中国はかつての帝国の二の舞を避けるため、直接介入を極力控え、タリバンを使って治安の維持（中国人の警護）を図ろうとするだろうが、それがうまく行くかどうかは定かでない。おそらくは今後とも、中国人を標的としたテロが続くものと思われる。

一方、親中国家のパキスタンでも対中テロが勃発し、近年ではグワーダル港建設反対を呼号するバルチスターン解放軍のテロ攻撃（在カラチ中国総領事館襲撃）を受け、その半年後にも中国人宿泊客を狙ったパール・コンチネンタル（在グワーダル）が襲撃され、直近ではカラチの孔子学院が自爆テロに遭っている。

グワーダルはバルチスターン州の港湾で、四十年間、中国が同港一帯の管理運営を請け負う形で建設が進んでいるが、スリランカのハンバンダド港と同様の「債務の罠」に陥る危険がかなりある。右のテロ攻撃は、これにバルチスターン独立問題が加わって、武装勢力が異議申し立てを行ったものと思われる。

現在、パキスタンは中国との間で「中パ経済回廊構想」を進めている。中国領東トルキスターンからパキスタンを縦断し、インド洋に到達する陸上ルートと海のシルクロードをつなぐ構想である。これができれば、インド海軍を牽制でき、かつ「マラッカ・ジレンマ」を軽減することが可能となる。ただ、当初の発表では四百六十億ドルだったものが六百二十億ドルに跳ね上がり、またその実現には、パキスタンの政情安定が不可欠なのだが、それが達成されていないのだ。

この政情の混乱は、パキスタンの西方に位置するイスラム諸国も同様で、アフガニスタン（長期の内戦による政情不安）、イラン（アメリカ・サウジ等アラブ諸国と対立）、イラク（戦争後の政情不安）、シリア（長期にわたる内戦）、サウジ（シリア・イエメンをめぐるイランとの代理戦争）、イスラエル（パレスチナ紛争）等々とそれこそ枚挙にいとまない。

イスラム世界に進行してゆく中国の未来（陸海のシルクロード）は前途多難なのである。

一帯一路（四）――韜光養晦を怠った中国

以上述べて来た一帯一路だが、これに次の条件を加えることで、非常に特異なものとなる。

まず挙げられるのが、地理的範囲の拡大である。それは地球規模で構想され、まずはＢＲＩＣｓ＋アルファーがあり、次いでアフリカ全土と中南米、さらには太平洋島嶼諸国がこれに続く。

さらに、これに宇宙空間が入って来る。中国ウォッチャーの遠藤誉は、現在の一帯一路が空と宇宙を含んでいることに着目し、「一帯一路一空一天」と表現している。これにサイバー空間を加えれば、周近平の言う「偉大な中華帝国の復興」の決め手となる。

それを支えるものが「中国製造二〇二五」と名付けられた国家産業戦略で、二五年に製造強国入りを果たし、三五年に中位に付け、四五年にトップの座に就くとの構想である。この計画は、トランプ政権の対中制裁で支障が出始め、バイデン政権もそれを引き継いでいるため実現が危ぶまれるが、覇権を目指す以上、産業政策それ自体は引き続き継続すると思われる。

これに対するアメリカの姿勢は、矢継ぎ早の関税攻勢や、後述するペンス副大統領の中国批判にそれがはっきり見て取れる。もはや、その姿勢が後退することはないであろう。

それは軍事的にも現れて、米軍は日本・オーストラリアとの協力を前提に、それまでの太平洋軍の名称をインド太平洋軍に変更している。

それに対する中国高官の言葉が印象的だ。

「われわれは後五年、静かにしておくべきだった」と。

これは、中国伝統の「『韜光養晦』を踏み外してしまった」との後悔の念である。韜光養晦とは「力の無い時には息を潜め、力がついた時に主張する」との意味を指すが、それが不十分だったと嘆いているのだ。「もし、韜光養晦がその通りに実現すれば、『二〇二五』に支えられた一帯一路一空一天が完了し、アメリカ優位は逆転し、その存在は『盲目の剣客』となるはずだった」と言いたいのだ。その時中国は、アメリカに代わり、軍事用の早期警戒・電波傍受・通信傍受から民生用の気象・測位・

地上観測に至るまでの全ての面で圧倒することが可能となる。

その機会を、中国は失ったのだ。

だが、問題はそれだけで留まらなかった。一帯一路の資金源が枯渇し始め、途上国への支援が滞り出したからだ。無理もない。習の総書記就任した二〇一三〜二〇年で五百兆円もの資金投入をなしており、もはや弾切れをおこしてしまい、計画倒れや実施途中で棚上げされた計画が山積している。

さらに、中国の投資先は他の金融機関が二の足を踏んでいる危険な投資（返済不能な高リスク）が多かった。先に述べたパキスタンも、デフォルトを起こしたスリランカもその例にもれず、それを救済する繋ぎ資金も出せないでいる。もともと、これらの投資はタイド方式（ひもつき援助）になっており、その五十パーセントは中国企業がそれを請負い、それに携わる労働者も中国本土から呼び寄せるため地元への還元が少なかった。そのため、地元の不満は蓄積し、かつ過重な債務がのしかかる。スリランカの場合には総輸出量の三割もの返済が待っていた。その結果がデフォルトになったのだ。

現在、対中債務がＧＤＰの十パーセント以上になった国は四十二ヵ国、中低所得国の対中債務は十九兆円を超えている。しかもこれは、二〇二〇年末の世銀発表であるために今はさらにその債務が膨張し、加えて中国の契約は非公開が多いため、隠れ債務がこれに加わる状態になっている。その結果、中国に港湾の運営権が譲渡されたスリランカ・ハンバンダド港を皮切りに、パキスタンのグワーダル港、ミャンマーのキャウクピュ港、カンボジアのコー・コン港、オーストラリアのダーウィン港、アフリカのジブチ港、さらにギリシアのピレウス港の運営権もその譲渡が取り沙汰される。ただ、オーストラリアは国防上の危険から租借の解消に動いており、ギリシア等その他の国も警戒を強めている。

一方、開発事業での失敗例も続出している。中国が請け負ったインドネシアの高速鉄道建設がその代表例だ。当初、総工費五十五億ドル（当時のレートで約六千六百億円）の契約であったものが、完成が遅れに遅れ、今では八十億ドル（約一兆円）に達している。しかも、払いきれないインドネシアは、中国開発銀行から年利六パーセントの高利で融資を受け、かつ完成後も首都移転が見込まれるため利用者が激減すると予想される。地元政府とそれを請け負う中国開発事業のミスマッチの典型例である。そうした事例があるからだろう。タンザニアに至っては、中国との間で交渉が進んでいたバゴマヨ港湾事業（一兆円規模）の全面撤回をなし、マレーシアも二・二兆円の高速鉄道計画が白紙化している。

もともと、中国の開発援助は二国間交渉で行われるため割高になっている。したがって当然にも減免要求が出されるが、対する中国は新たな借款をもって債務返済に当てるよう要求し、かつ「債権国同士でスキームを作る会議」に応じないため債務国の不満が高まっている。事実、ウクライナ戦争が拍車をかけ、エネルギーや食糧価格の高騰で、中小国（パキスタン、スリランカ、モルディブ等々）では返済が滞っている。

となれば、中国開発のインフラが今度は地元政府に接収される危険が生じる。それは、かつての西欧列強と植民地諸国の関係からも推測できる。植民地独立に際しては、列強の投資したインフラはことごとく召し上げられ、独立国のものとなった。おそらく、それと同じ現象が起こるであろう。それを唯一防ぐには軍事力での威嚇が必要となってくるが、人民解放軍にそれだけの力はなく、時代ももはや帝国主義の世紀ではない。

一帯一路は今、当初の計画の大幅修正を余儀なくされ、その先行きが危ぶまれているのである。

帝国の衛星国（一）――北朝鮮の懸念

ここで、中国に隣接する衛星国について見てみよう。

通常、帝国は、タコ足が伸びるように、その周辺に衛星国を抱えている。かつてのソビエト帝国もそうであったし、中華帝国もそうであった。したがって、衛星国の状況を見れば、本国の強度がどれほどのものか推測できる。

その典型がソビエト帝国であった。

ソビエトはその周辺に、東欧・バルト三国・中央アジア等々の衛星国（及び国内植民地）を抱えており、飴と鞭を使い分けながら、支配下に置いていた。

だが、アメリカとの競合に圧倒され、アフガン侵攻に失敗するや、兵士の供給源たる中央アジアに異変が起こり、ゴルバチョフの改革（ペレストロイカやグラスノスチ）が始まると、ただちにそれが衛星国に波及して、帝国からの離脱が始まる。またそれがソビエトに逆流し、相互に影響を与えながら崩壊を誘発することになってゆく。

このことから、衛星国の状況を観察すれば、帝国の実情が推測できることがよく分かる。

では、現在の中国はいったいどうか。

中国の周辺には、同じ社会主義体制を取るベトナムや北朝鮮があり、北には旧共産国のモンゴルや、南には中国の従属国となっているラオスやカンボジアが控えている。

この内、中国の内情を知るのに最適なのが北朝鮮である。

北朝鮮は、中国の心臓部（北京）に最も近く、核・ミサイル問題でアメリカと対立し、過去にも朝鮮戦争をもって米中衝突のきっかけとなっている。

実は、この戦争をもって、北朝鮮は中国の支配下（保護国化）に組み込まれる寸前だった。それは次の状況からもよく分かる。

戦争当時、人民解放軍を率いて北朝鮮に乗り込んだ彭徳懐は「この戦争は、私・彭徳懐とマッカーサーとの戦争である。したがって、貴下（金日成）が口出しする余地はない」と言い放ち、それに対して何事か言わんとした金に対し「私が人民解放軍（八路軍）副司令官であったときに、貴下は満洲の抗日北連軍の師長にすぎなかったではないか」（金学俊、李英訳『北朝鮮五十年史』朝日新聞社）と述べ、引導を渡している。

この構造は、かつての中華帝国の廷臣が朝鮮王に居丈高に述べたものと同じである。この時、彭徳懐は実質的な朝鮮王になっていたのだ。

彭は、その後毛沢東に批判されて失脚し（廬山会議）、その毛の背後にもスターリンがいたために中国の一元支配は免れたが、それが無ければあれだけの出兵をした中国の意向に逆らえず、ひれ伏すしかなかったろう。

その中国支配の脅威が、ソビエトの崩壊により現実のものになろうとしている。北朝鮮は、ソビエトの代替として密かにアメリカに期待を寄せ、かつての中ソと同様に米中を天秤にかける素振りを見せるが、核を手放さない限り無理であろう。

むろん、この北朝鮮が動揺を来せば、ただちに中国本土に影響する。それは、地理的条件を見れば、一目瞭然に理解できよう。したがって、北朝鮮の動向を見ていれば、中国の現状がかなりの程度理解できる。

まず、北朝鮮の対中貿易だが、これは九割以上を占めていた。現在は、国連制裁の厳格化で北朝鮮の輸出入はかなりの減少を見ているが、参考までにそれ以前の状況を記しておく。

まず、中国からの輸出が繊維・機械・電気製品等々で、輸入が石炭・鉄鉱石等の鉱物資源、それに繊維製品がこれに続く。この対中貿易の総額は抜きん出ており、第二位のロシアの八倍近くになっていた。

また、中国からは毎年食料や石油の無償援助が存在し、その見返りに咸鏡北道・茂山鉱山のレア・アース開発権を中国に譲っている。

北朝鮮は鉱物資源の宝庫であり、金やウランから始まって、石炭、アルミ、モリブデン、チタニウム、タングステン等々が眠っており、各国がその獲得に触手を伸ばす。中国、ロシア、イギリス、フランス等がそれに当たる（ただし、二〇一八年時点では国連の制裁で、北から中国への輸出が九割減、中国から北への輸出が三割減となっているが、中国が最大の貿易国であることに変わりはない）。

さらに、中国は羅津港の三つの埠頭の一つを租借し（他の一つはロシア）、人民解放軍が駐留している。港湾警備と脱北者の取り締まりのためとされている。これらを見ても、中国の影響が圧倒的であることが理解できよう。

では、それは、どのような結果をもたらすか。

無償援助、鉱山開発権の譲渡、港湾施設の租借等と続けば、北朝鮮の裁量範囲は極度に狭まる。加えて、中国は北朝鮮の貿易額の九割を占めており、これは実質的な生殺与奪権に相当する。

この危険性は、北朝鮮指導部にも十分理解されており、事実金正日は「中国にはくれぐれも気を付けろ」との遺言を残している。先に述べた通りである。

当然であろう。韓半島の政権は常に強大な中華帝国の圧力下で、恫喝され、蹂躙され続けてきた。ある史家の計算では一千回にものぼる侵略を受けたとされる。そして今なお有形無形に圧力を受け続けている。人民解放軍の機甲化部隊がその気になれば、一日足らずでピョンヤンに到達する。この恐怖は並大抵のものではない。

北朝鮮が核ミサイル開発を進めるのは、表向きにはアメリカに向けたものだが、その裏には明らかに対中関係が存在する。これが生き残る命綱になっているのだ。

では、北朝鮮の最終的結末はどうなるか。それについて若干の考察をしてみよう。

帝国の衛星国（二）——社会主義国家間の確執

この北朝鮮と中国の関係を分析するには、レーニン主義を適用するのが最もいい。

レーニンの帝国主義論は、植民地へのさまざまな権益奪取を経た後の金融支配をもって完了する。

この帝国主義論はもはや古典とされているが、未だに適用できる場所がある。帝国主義化した中国と周辺諸国（衛星国家群）、とりわけ北朝鮮との関係である。

　現在北朝鮮は深刻なジレンマに陥っている。改革開放（経済開放）に踏み切れば中国資本に飲み込まれ、現状が続けばどうしようもなく立ち遅れる。
が、最後は資本主義の採用に踏み切るしかないであろう。それ以外生き伸びる術がないからだ。そうなれば、中国資本の圧倒的な進出が予想され、金融支配を受けることで支配下に組み込まれる。帝国主義論の結論通りだ。それが分かっているから、頑なに改革開放を拒んでいるが、それとて時間の問題なのだ。両国の関係は今この段階に至っている。

　おそらく、それを知ったレーニンは、思わずのけ反るに違いない。

「社会主義国が、同じ社会主義国を植民地化しているだと？　何ということが起きているのか」と。

　レーニンの誤算はそれだけではない。

　彼の主著『国家と革命』では「国家の存在をブルジョアジーによるプロレタリアートの抑圧機構として捉え、その階級矛盾が無くなれば必然的に国家の役割は無に帰して死滅する」と見なしている。言うなれば、プロレタリア国家とは、国家死滅に至る過渡期の形態なのである。むろん、中国共産党もこのレーニン主義の国家論を引き継いでいた。

　ところが、結果は全くその逆で、プロレタリア独裁が成立するや、国家はますますその権力を拡大した。これをどう考えるか。

　共産主義者はこの難問に頭を抱え、共産主義国家が強大になればなるほど国家の死滅は近くなるとの詭弁を弄し、この問題の解答を回避した。

実は、国家が余剰生産物の上に成り立つ限り、絶対になくならない。農業革命で飛躍的な余剰を得た人間社会は、産業革命を経てさらに多くの余剰を抱え、その上に乗った権力機構（国家）は巨大化の一途をたどってゆく。

これに一党独裁が加わるのだ。国家権力は増大こそすれ、減少することは一切ない。ましてや、死滅するなど考えられない。

まだある。この余剰の存在は、国家間戦争を不可避とした。有り余る余剰を持った国家は、強力な軍を持つ。とすれば、いったん軍を持った国同士が関係をこじらせれば、戦争を阻止するものは何もない。それは社会主義国同士でも同じである。

かつて、社会主義国家間には戦争はありえないとの論調が出回ったが、それが誤りであったことはこの間の歴史が証明している。

人民中国に関しても、ソビエトと戦い、ベトナムと戦っているではないか。その行動原理は、過去の中華帝国といささかも変わりはない。だとすれば、かつてと同じく、周辺諸国を従えて（朝貢させ）、帯同してゆこうとするはずだ。

最後に、人民中国の国家形態について述べておく。

それは、ファシズムとますます似通ったものとなっている。中でもナチスとは類似する。ナチスの正式党名は「国家社会主義ドイツ労働者党」であるが、この社会主義と労働者党なるキーワードは、即座に共産党を連想させる。違うのは、ナチスが独占資本と癒着した経済体制を取るのに対し、現中国が企業を支配下に置く国家資本主義であることだ。その他の点では、他国支配を求めることも、大々的なキャンペーンを行うことも、全体支配を貫くことも、全土を収容所列島化することも、特定のエスニック・グループ（ナチスはユダヤ人ら、中国は少数民族）に対する迫害も瓜二つである。それは、現在、中国が行っているウイグル人弾圧を見れば即座に分かる。

百万人以上と言われる強制収容、強制移住、強制労働、強制避妊（避妊手術の強要）、集団レイプ、臓器摘出、民族抹殺がそれに当たる。それは、現代のアウシュビッツそのものと言えるであろう。

ここまで相似していれば、ファシズム（ナチス）と共産主義（中国共産党）に何の違いもない。両者は近親憎悪で互いに噛み合っていたことになる。

これまた、レーニンにでも見せれば、唖然とするであろう。

中国の人民支配

では、その独裁制下の体制とは、どのようになっていたのか。

中国は、これを以下の形で実施していた。

まずは「戸籍」と「単位」と「檔案」である。

その筆頭の「戸籍」だが、これは農業生産合作社（後の人民公社）を嚆矢とする。ただこれは、共同作業を嫌った農民の逃亡が相次いだため、その対策として戸籍登記条令を発布して強力な拘束を開始した。このため、都市と農村の間に亀裂が生じ、教育・医療・年金など社会保障における格差が生じた。しかも、戸籍は生まれながらに固定され、移動ができないものとされた。中国はまず、この戸籍によって人民を縛り付けた。

こうした戸籍による縛りは、中国伝統のものであり、例えば唐代での均田法がそれに当たる。字のごとく、均一に分割された田と人の戸籍台本を基にして、徴税や徴兵を実施していったのだ。これは、現中国が採用した社会主義政策と同じである。

隋唐帝国は、古代の社会主義とも言うべき律令制を基礎にして国家所有である土地を農民に貸し与え、強大な官僚機構の支配の下商業活動を制限する統制経済を採っていたが、これは毛時代の中国と同じである。それを実現すべく行ったのが戸籍制度の縛りであった。

次の「単位」は、労働者が帰属する職場を指す。この単位という存在が労働者の生殺与奪権を握っていた。その結果、誕生から葬送まで、人の行うすべての行為をその管理下に置いてゆく。その是非を決めるのが所属単位の党委員会である。

これでは、誰も党の意向に逆らえない。共産党がなぜ決定的な支配力を及ぼせたかはこのシステムがあるからだ。

三番目の「檔案」は、二部作成されていた。そこには、個人の履歴・出身階級・人間関係・共産党に対する態度等が列挙され、一つは職場に、一つは治安機関に収められた。

国家（党）は、これをもって人民の動向を掌握し、その支配を完璧なものとしていった。そして、それに違反する者が見つかれば、ただちに当局の手が伸びて来る。その典型が双規と呼ばれる中国独特のシステムで、令状なしの強制捜査から始まって、無差別逮捕・無期限拘束・自白強要（拷問を含む）、そして各種処罰へと続いてゆく。この無期限拘束が特徴で、拘束された容疑者にとりいつ果てるともない時間の経過が当局の意のままの自白を強いる。この双規が捜査上の恫喝なら、刑法上の最大の恫喝は国家転覆罪の適用だ。ここで問題なのは、国家転覆罪には定義が存在しないことだ。となれば、いかなる事由も転覆罪を適用できる。かくして、ジャーナリストも教育者も人権活動家も、灰色の領域に踏み込むことを躊躇する。そのため、あるいはおもねり、あるいはためらい、さらには追従に走ってゆく。が、それでも時には逮捕、時には黙認、時には過去に遡って罪を問われる。この何とも言えぬ曖昧さが非常な圧力になっているのだ。強烈な人治である。

　こうした支配の手練手管は中国国内の外国籍の人間（台湾人等）や、他国（親中国家）で拘束されたウイグル人にまで及んでおり、前者は数百人にも達しており、後者の場合も中国への強制送還がなされている。その数は年々増加の一途を辿り、その後の消息が不明になっている者も数多い。さらに問題なのが「国家情報法（第七条）」で、「あらゆる中国人は中国政府に協力する義務がある」とするものである。つまり、全人民に共産党のスパイ活動を強いているということだ。むろん、これは海外で居住する中国人にも適用され、共産党の求めに応じ、知る限りの情報を通報する義務を持つ。

　以上の監視と処罰と情報操作が共産党支配の要となり、これに都市部の居民委員会と農村部の村民委員会が加わって、社会の隅々にまで監視・密告がなされることで、より鉄壁の支配体制となっている。

　だが近年、それが揺るぎ始めている。資本主義を採用したからである。

　その結果、農民工の都市流入が開始され、戸籍制度は修正せざるをえなくなり、居住地を基本とした居民戸籍に移行しつつある。

一方、国有企業も整理（人員カット）を迫られ、あるいは破産の憂き目を見ることで大量の解雇者を出している。こうなれば、単位の力も希薄となり、職場に収められる檔案も威力が半減してしまう。

では、共産党はどうしたか。

その代替となったものが二〇一四年から制度化された「社会信用システム」である。すなわち、中国籍を持つあらゆる人間とその組織、中国在住の外国人とその組織を管理・支配するもので、かつての檔案を電子管理に移行させ、その収入・職業・社会行為をランク付けし、共産党への忠誠度を計ろうとしている。

現在、中国では、十六歳以上の全人民にＩＣチップ内蔵の身分証明書が発行され、それがないと日常生活が送れない仕組みになっている。そこには、氏名・生年月日・性別・住所・顔写真、それに一八桁の公民番号が記録され、銀行口座を開設するにも鉄道・航空機・ホテル宿泊等々にもこの証明書の提示が必須となる。むろん、この情報は公安当局に送られて、個人情報のデータベースに組み入れられる。これを基にしたものが右に述べた社会信用システムで、個人の信用度を、ＳＮＳでの言動・職歴・金銭上の取引等から点数化し、その点数に応じて住宅の購入から公共交通機関の利用までを制御している。

まだある。このＩＣチップは「天網」に接続している。天網は、ＡＩを使用した監視カメラに接続し、その人物がスマホを使えば、当人の位置情報が北斗（中国版ＧＰＳ）に送られ、スマホ所有者の氏名を容易に割り出せる仕組みになっている。

むろん、このような状況である。中国政府が不都合な情報を排除していることは言うまでもない。

これが「金盾工程（グレート・ファイアー・ウォール）」と呼ばれる情報抑制システムで、これによって中国内部のネットワークを外部の侵入からプロテクトし、かつ検閲している。

かくして、ジョージ・オーウェルがソビエトをモデルに著した『一九八四』が、まさにここに実現した。さしずめ、習近平は、その支配者たるビッグ・ブラザーにも比せられよう。ただしそれでも、ソーシャル・メディアの存在は為政者には諸刃の刃になっている。それまでの旧メディア（テレビ・ラジオ・印刷物等）とは全く違い、双方向性がきわめて強いからである。すなわち、瞬時に自らの意志を社会に向けて発信でき、支配者（共産党）の意図を挫くことができるからだ。近年では、アラブの春がそれを端的に示している。その波及効果を共産党は恐れているのだ。

ちなみに、中国国内で確立された社会制度は、対外的にも適用されていった歴史がある。中国は独裁国家や政権基盤の脆弱な途上国にこのシステムを輸出し、またその技術的根幹を押さえることで意のままに動く衛星国に仕立て上げようと試みている。これについては、国家の支配システムも併せて輸出を図っており、共産党中央党校（中国共産党幹部養成学校）を真似た政治塾の設立を進めている。かつて人民中国は毛沢東思想を党外交の基本に置き、革命の輸出を目指していたが、それが無くなった今、独裁統治のシステム伝授をもってその代替となしている。

習近平は「中国は新植民地主義を採らない」との弁明を繰り返すが、以上の動きから見る限り新植民地主義の道を歩んでいる。また、その狙いを実現するため、あからさまなマキャベリズムをためらわない。例えばエコノミック・ステイト・クラフト（ＥＳ）と呼ばれるものがそれに当たる。ヨーロッパの半導体大手へ大型発注をした上でドタキャンをやり株価下落後に買収をもくろんだ例、フィリピン産バナナの通関を遅らせて圧力をかけた例、台湾産パイナップルの輸入禁止をなした例、日本に対するレア・アース輸出をいきなり止めた例、コロナの原因究明を求めたオーストラリアの輸出品に突然の高関税をかけた例等々はいずれもこのＥＳの発動と見なしていい。

中国は今、国内での治安を強化し、国外での覇権を目指す二一世紀型帝国主義国家となっている。

中国の社会事情（一）――労働倫理の欠如

今少し、中国の現状を述べてみる。

前述にもしたように、中国は表向きには「特色のある社会主義国家」と述べているが、何のことはない。社会主義的要素として残ったものは、習近平が真似ようとする毛沢東政治の階級理論と一党独裁制だけである。その幻想を取り払えば、俗に言う「開発独裁国」の姿が見える。

では、この中国を分析するには何が最も適当なのか。

鄧小平以後は資本主義国になったのだから、その経済的分析には近代経済学が真っ先に挙げられよう。事実、これで中国の経済活動は一応のところ説明できる。

だが、経済分析をベースにし、経済を運営するには、情報公開を徹底し、公正な競争を公認し、為替操作への人為的介入を行わず、何よりも法治主義を確立した信用制度が基礎となる。これがなければ、経済の実態には迫れない。ましてや、その運営はできえない。であれば、社会の実情に迫るには、別の経済社会分析も必要となる。

それがマルクス主義である。マルクス主義はすでに古典となっており、現実の経済社会分析には適しないとされるのが現代の常識だ。

確かに、先進国ではもはやそれは古典である。だが、現実に通用するのが中国や北朝鮮など社会主義の残滓を持つ独裁国家だ。

実際、現在の中国は、エンゲルスが報告した「イギリス労働者階級の状況」と酷似する。当然だろう。今中国は初期資本主義特有の苛烈な賃労働と資本の関係を常態としている。低賃金での長時間労働、労働者の無権利状態、頻発する労働事故と労働争議、それを取り巻く環境破壊――これらはいずれも初期資本主義特有の現象であり、それが中国全土を覆っている。

さらに問題なのは、初期資本主義下でもかろうじて認められた労働者の権利、とりわけ労働組合結成権が中国にはないことだ。労働組合は政府の認めた総工会に所属したものしか認められず、多くの企業にはそれがない。したがって、企業の経営者はやりたい放題の搾取を行う。むろん、賃上げなど容易に認められることはなく、解雇も日常茶飯事で、ストライキなど論外だ。

労働者が主人公たる社会主義国家に労働者を保護する権利が無いとは！　これ以上の皮肉はない。事実、中国はマルクス主義を表看板にしながらも、その対極をもって成立している。

要するに、中国では、支配する者とされる者が変わらなかったということだ。人民中国になり、「労働者農民が主人公である」と言われ（共産党の公式見解）、「大衆のみが歴史を動かす」（毛沢東）と言われても、支配する者とされる者の関係は、寸分たりとも変わらなかった。そして、遂には資本家が入党し高学歴者が取り立てられる状況が生まれる中、一般大衆は党の支配に忍従するしか道はなかった。何のことはない。共産党の党幹部や社会の上層階級が新たな士大夫階級になっただけのことである。かくして、人民中国が口を極めて言い続けた「人民に奉仕する」とのスローガンも、「人民元に奉仕する」に代わってしまい、社会規範・経済倫理も地に堕ちた。

そもそも、マルクスによれば、社会主義は資本主義の発達した末に生まれるはずのものだった。なぜなら、資本主義で培われた労働規範（時間の厳守や製品に対する社会的責任等）があって初めて社会主義が有効に機能するはずだったからである。

その労働規範の前提こそマックス・ウェーバーの言う資本主義の倫理となる。ウェーバーによると「資本主義の離陸には、労働そのものを聖化し、自らの職業を神によって与えられた天職と見なし、それに邁進することで社会に有益な商品を産出し、その商品が隣人愛の証となって救済につながる」というのである。そのため全身全霊をこめて仕事に励み、その結果資本が蓄積され、資本主義が離陸したとされている。つまり、労働（職業）とは単なる金儲けの手段ではなく、それ自身が救いに至るプロセスなのだ。

社会主義社会の労働とは、資本主義社会におけるこうした倫理規範の確立後に初めて成り立つ。

ところが、封建社会からいきなり社会主義に移行したソビエトにはそれがなく、中国たるやもっとなかった。そこへ、いきなり労働倫理の何たるかが分からない労働者や党幹部が、資本主義の坩堝に投げ込まれたのである。無茶苦茶になるのは分かり切っていた。その結果、倫理規範の欠如から欠陥商品が大いに出回り、事情変更が横行してゆく。

これは近代社会で絶対にやってはいけないタブーである。労働倫理が確立していない社会に資本主義を導入すれば、このようになるのである。

中国の社会事情（二）――格差社会、赤字拡大、解放軍の綱紀粛正

一般に、近代化に離陸するには膨大な資本の蓄積が必要だった。全土を網羅する鉄道網や自動車道、辺境にまで至る通信網、巨大発電所建設によってなされる全土電化、外国人技術者に支払う高額な雇用費、総じて近代化に離陸するための一切の資本蓄積がそれに当たる。

西欧列強は、こうした資本の蓄積を植民地から巻き上げることでまかなった。だが、ソビエトや中国には植民地がない。そのため、どうしても国内から調達せざるをえなかった。そのターゲットとなったものこそが農民だった。国民の大多数を占める農民から搾れるだけ絞り取り、その結果起こる飢餓輸出をものともせずに近代化につぎ込んだ。それが、ソビエトや中国の実施した五ヵ年計画の内容だ。中ソ両国は、五ヵ年計画に次ぐ五ヵ年計画を繰り返し、そこで溜め込んだ資本の再投資をすることで近代化を果たしてゆく。

だがこれでも、西欧の資本主義との競争に勝てなかった。「上から与えられたノルマさえ果たせればそれで良し」とする社会主義社会と、自由競争のただ中で熾烈な競争を必須とする資本主義社会が競合すれば、どちらが勝つかは眼に見えている。その結果、中国は計画経済を捨て去って資本主義を採用した。一党独裁下の国家資本主義である。

その結果が、右に述べた資本による苛烈な労働者搾取（農民工らを含む）であった。おそらく、マルクスにでも見せたら卒倒するに違いない。

現在、中国では、大小の労働争議が至るところで頻発するが、この現象は容易に収まることはない。と同時に、社会主義の尻尾を引きずる国営企業が赤字の垂れ流しをやっているため、その整理を早急にする必要に迫られている。

その代表格が例えば国営鉄道で、中国自慢の高速鉄道網も「空気を運んでいる」と揶揄される状態になっている。かろうじて黒字となっているのは北京・上海路線と北京・広州路線の二路線だけで、後は慢性的赤字となっている。

ところが、これを整理できず、あろうことかさらに路線を延ばし続けた。こうした国営企業の整理は難しい。赤字の垂れ流しが分かっていても止められないのだ。

それは、日本との比較でもよく分かる。日本でさえ、国鉄の解体・民営化にどれほど苦しんだか分からない。ましてや、中国の場合には、整理による失業問題にプラスして、そこに共産党幹部が寄生する。彼らが陰に陽に整理に反対・抵抗し整理を阻止しようと試みる。その難しさは察するに余りある。

この高速鉄道については、日本の川崎重工が国内使用に限るとした上で、新幹線タイプ（Ｅ２系）の車両を技術移転ともども輸出していた。が、中国側は、その約定を反故にした上、安価で海外に輸出している。川重は「車両の輸出はいいとして、技術移転はやめた方がいい」と忠告をされていたにもかかわらず、それを聞かずにこのような事態を招いてしまった。中国の常套手段に無知な事がいかに事態を危うくするかの見本である。

だが、その中国も、経済的には下降線を辿っている。そもそも、資本主義を採用したと言っても、その基本は社会主義国家であり、依然として大手国有企業が君臨している。右に挙げた鉄道以下、金融・保険・石油等々の大手企業はみな国営で、これに匹敵する民営の大企業は不動産とＩＴだが、どちらも習政権によって締め上げられ、後退を余儀なくされている。圧倒的に「国進民退」が顕著なのだ。

それは、習近平の思惑が、単なる上海閥（江沢民派）との権力闘争にあるのではなく、改革開放そのものへの否定にあることを意味している。習は通常言われているより遥かに社会原理主義的で、その信奉者であると言っていい。

その習が掲げたものに「四つの全面」というものがある。小康社会の樹立、改革の深化、法治の実現、党内の引き締めである。表向きには、無難な政策のように思えるが、小康社会は貧富の格差を阻止できず、改革の深化は民間企業への締め付けで社会の活力を喪失させ、法治の実現とは党や国家の定めた法に無条件で従えとの意味しか持たず、党内の引き締めは権力闘争を遂行するための方便となっている。

このため、中国は今、社会・経済的な閉塞状況を招いているが、習にとってはそれでいいのだ。彼にとっては、権力強化による政治的安定と国家主導の計画経済推進が何よりも重要なのだ。となれば、やがては今ある自由さえ縮小し、民営企業の大半は国有化されるであろう。習の理想とするのは、社会主義社会の再現なのだ。それを表すスローガンが「共同富裕」と考えられるが、これは端的に富裕への否定である。

それが分かるのは、習の母校たる精華大学系の紫光集団のデフォルトを黙認したことである。紫光集団は半導体国産化計画を推進する国策会社で、是が非でも育てねばならぬ存在だった。とりわけ、米中対立が本格化する中、それまでの高性能半導体は入手しにくい状況になっている中、デフォルトを見過ごすと中国の将来に暗雲が垂れ込める。が、習はそれを止めることなく黙認し、大型国有企業にも容赦のないことを見せつけた。ちなみに、他の半導体企業としては、巨大プロジェクトとして立ち上げられたＨＳＭＣ（半導体製造企業）があるが、こちらも紫光と同様に救済されずに見過ごされた。国家にとって喫緊の課題たる半導体企業の育成でも、この調子である。他の分野がどのように扱われたかは言うまでもない。教育関係の企業など一夜にして跡形もなく潰された。おそらく、中国経済の牽引力を担ってきた不動産関係もその標的となるであろう。これまで不動産企業は社会への影響力の大きさからその規制が手控えられてきた経緯があるが、習は不動産部門を過剰な改革開放の行き過ぎと見なしている。であれば、これを整理することは容易に予想可能となる。

そもそも習は、こうした巨大企業に、おしなべて否定的な態度を取っている。過剰生産を行う企業の整理とも言われているが、それだけでなく共同富裕を推進する政策の一環と考えられよう。それが証拠に、特大企業と言われる諸企業に共同富裕を根拠にして、多額の献金を強要している。習の考える共同富裕と小康社会の実現とは、持てる者から富を奪い、貧者に分配することなのだ。これは却って社会全体の貧困を招くのだが、それをあえてやるところに習の社会主義への執着が見てとれる。

しかし、社会主義社会が資本主義化した後に、再度社会主義になった例は一度もない。客観的に見てまず無理な試みと思えるが、唯一戦時下になれば可能となろう。具体的には台湾侵攻時である。この時、中国は統制経済にシフトし、戦時共産主義体制となるであろう。習が中国長年の国是たる台湾侵攻を目指す限り、社会主義へのレジーム・チェンジは未だ可能性として残っている。

だが、非常時には有効な統制経済も、平時には全くの無力である。したがって、習の現在採っている経済調整政策は確実に中国経済を劣化させる。そもそも、国営企業だけに関しても、第三セクターも含めると一八万社以上存在し、その多くが機能不全になっており、それが民間活力も奪っている。

これをどうやって処理するのか。これは、共産党の最も頭を抱える問題となっている。


もう一つ、難問を指摘しておく。人民解放軍の処遇である。

古来、国家の指導部にとり、牙を持つ軍ほどやっかいなものはない。とりわけ、大規模な国民軍を持つ近代国家はそうである。だから、これをどう支配してゆくかが、政権の最重要課題となってくる。

近代日本も、軍をコントロールし損ねた結果、二・二六事件を起こされて大変な危機を迎えた。第三世界たるや、日常的に軍のクーデターが頻発している。

それは、社会主義国でも同様で、ソビエトも赤軍支配に頭を痛め、ついには大粛清を行うことで党への服従を強要した。すなわち、赤軍の英雄トハチェフスキーから始まって、三人の元帥、十三人の軍司令官、百十人の師団長、総じて赤軍の党員三十万の半数を粛清している。その結果、以後赤軍は、党の命令に絶対服従の姿勢を見せ、一切の反抗はなくなった。

しかし、その反動もまた大きかった。独ソ戦の開始以来、連戦連敗を重ねたのは、この粛清が原因ともなっている。

では、人民解放軍の場合はどうか。

そうした粛清に遭っていない。となると、どのように解放軍を支配したのか。

毛沢東は、建国の祖としてのカリスマと終身党中央軍事委員会主席の立場をもって軍を支配し、鄧小平も軍事委員会主席を占めると共に、第二野戦軍政治委員としてのキャリアをもって支配していた。

しかし、江沢民・胡錦涛は、そうしたカリスマもキャリアも持っていない。したがって、軍への予算増額や軍人の昇級乱発で懐柔していた。というよりか、ご機嫌を取っていた。とりわけ江の場合はそうであった。

だから、解放軍は往々にして党を軽んじ、勝手な真似をすることが多かった。先に述べた汚職・売官・営利追及等がそれに当たる。

習近平は、そうした行為を抑制すべく、反腐敗運動を行う中で、大々的な粛清を断行した。その対象は軍のトップ（徐才厚、郭伯雄ら）を皮切りに、将官・佐官クラスや武警（武装警官）に及び、解任や配置転換が大規模に行われた。

むろん、軍以外の共産党員もただではすまない。党中央規律検査委員会によると、その数は上級クラスの敵対派閥二十五万も含め四百八十万にも及び、全党員の五パーセントにも当たっている。その中には、これまで手が付けられなかった党中央委員会政治局員（周永康）や党中央軍事委員会委員（張陽）も含まれている。習は、「刑罰は士大夫には及ばず」との不文律を破ったのだ。となれば、習が権力の座から退くことはありえない。退こうにも、その取り巻きが許すことはないであろう。退けば、その瞬間、すさまじい報復に遭うからだ。

その習が、汚職追放（権力闘争）と同時に公言するのが台湾の解放だ。

人の支配には、何らかの偉大さを見せつける必要がある。それが無ければ、単なる綱紀粛正は怨念と混乱を生み出すだけで終わってしまう。が、それが理想に繋がれば話は変わる。習が軍の引き締めと共に台湾解放を叫ぶのはこの事に依っている。

だが、それでも、ソビエト（スターリンの粛清）に比べれば、ほんの序の口にしかなっていない。スターリンは、その粛清の規模においても、大祖国戦争での勝利においても、習など足元にも及ばぬ権威を示した。それゆえに、ソビエトの赤軍も人民も、その足下にひれ伏したのだ。それに比べれば、習の粛清も理想も未完のままで、解放軍も人民もその支配に服していない。習支配の限界と言えるであろう。

今中国の経済は、表向きの活況とは裏腹に、社会主義経済の残滓たる赤字国営企業の存在や過剰投資の後遺症（不動産セクション等）、さらには初期資本主義の典型たる賃労働と資本の矛盾等々から挟撃され、非常な危機に陥っている。また、解放軍のコントロールも不十分で、それが達成できるかどうかは未だ不明のままである。

中国は今最盛期を過ぎ、急速な後退期にかかっている。

第五章のまとめ

一、中国は西欧列強に対する敗戦で天下であることを止めさせられ、世界の中の一国と化してしまい、かつ西欧世界のフロンティアに成り下がった。毛沢東が「東風は西風を圧倒する」と述べ、習近平が「偉大な中国の復興」との発言は、この間の歴史的恥辱を晴らそうとする思いに依っていよう。

二、一帯一路は、上海ファイブの結成と西部大開発をリンクする形で産声を上げ、ＡＩＩＢやＢＲＩＣｓ開発銀行の資金援助を基盤にして立ち上げられた。

三、一帯一路の海のシルクロードは「真珠の首飾り戦略」を取り、海南島から東アフリカや地中海ルートの確保を目指すが、米国が眼前に立ちふさがり、陸のシルクロードも中央アジアを経てヨーロッパへ抜けるルートはロシアの存在やその動向（ウクライナ侵攻等）がネックとなり、イスラム世界を通るルートも異文明を寄せ付けない異教世界を通るため、その維持は困難を極めるであろう。

四、世界帝国はその周辺部に衛星国を従えるが、現中国の場合は北朝鮮がその典型となっている。かつてレーニンは、帝国主義の植民地支配は、様々な権益奪取を経た末に金融支配をもって完了すると述べているが、これは中国・北朝鮮関係にも当てはまる。北朝鮮が頑なに開放経済を拒否する形で国を閉ざすのも、開放したあかつきには中国資本が無制限に流入し、完全な属国状態になるのを怖れているからと思われる。

五、中国の人民支配は戸籍・単位・檔案を基本とするが、近年はこれに電子支配が加えられ、かつこれを途上国にも輸出して自らの勢力範囲に取り込もうと試みている。今中国は、かつてのソビエトをモデルとしたジョージ・オーウェルの小説『一九八四』を地で行く体制となっている。

六、かつて中国は、近代化を実現するため資本の蓄積を必須とし、これを農民からの搾取（飢餓輸出等）でまかない、それから得られた資本の再投資を繰り返し近代化を実現してきた。一方現中国も、労働倫理等社会環境が整わない状況で資本主義を採用したため、労働環境が劣悪で欠陥商品も出回り続ける。そして何より、マルクスの言う「賃労働と資本の関係」が社会主義国家に当てはまる驚くべき国家体制となっている。

七、人民解放軍はソビエト赤軍に対して行われた弾圧や粛清を受けていないため、党による軍の支配が未だ確立していない。とりわけ、カリスマの担い手たる毛沢東や鄧小平を引き継いだ江沢民や胡錦涛は軍に譲歩するしか術がなく、予算増額や地位昇級等をもって懐柔していた。解放軍には未だ党の完全支配が及んでいないと思われる。

第六章　中国の近未来

和平演変は起こらない

まず初めに、東アジアにとっての中国の理想形を示してみる。それには、一党独裁体制を止め、連邦国家ないしは幾つかの独立国家になることが必須である。李登輝元台湾総統が唱えた八つの中国等がそれに当たろう。

この場合、一般的な民主化は、現体制下では無理である。民主化が実現するには、社会的連帯感が行き渡る適正規模の広さと人口が基本となるが、中国はそれを大幅に超えている。したがって、中国の統一と中央集権化を前提にする限り、どうしても独裁制が必須となる。

そもそも、あのような広大な国土の下で民主化を進めれば、どうなるかは容易に分かろう。その時、民衆は言いたいことを言い散らかし、やりたいことをやり始める。

それは独裁国家が崩壊し、突然の民主化が実現した状態を見れば分かる。そこでは、完全な無政府状態が出現し、収拾がつかない事態となる。しかも、中国に民主化の史的経験がないとなれば、大混乱になるのは眼に見えている。すなわち、現段階での民主化は無理であり、たとえできてもアナーキーをもたらすしかないであろう。

そのため、独裁制が失われれば混乱が収まらず、従って常に専制君主が求められる。中国共産党も例外ではなく、共産党総書記という新たな皇帝を生み出して中国を収めている。ヘーゲル流に言えば、「一人の自由、万民の奴隷化」である。

これが中国の常態なのだ。

この点、天安門事件に見る民主化要求は心情的には理解できても、明らかな無理があった。

これは、広大な版図を持つ帝国に常につきまとう問題で、ローマ帝国もこれに頭を痛め、テトラルキアという四分統治を採用している。帝国を四分割し、そのそれぞれに皇帝を置き、地方の分割統治を目指したのだ。中国もここまで踏み込まないと、根本的な解決を見ないであろう。が、中国はその動きを封殺し、さらには地方にタガをはめ中央の力を強化している。香港の反乱があれほど激しく長きにわたったのはこうした地方自治を抑え込む中央政府への反発があったからだ。他の地方も基本的には同じである。

では次に、ソビエト崩壊に見る平和裏の体制変革は可能であろうか。

かつてアメリカは、ジョージ・ケナンの提唱した「封じ込め政策」をもって社会主義体制を動揺させ、体制変革に導いた。

この場合、「平和裏の体制変革（和平演変）」がキーワードである。なぜなら、共産主義体制は戦時に強く、平時に弱くなるからだ。

それは、共産主義体制が完璧なトップダウンのヒエラルヒー（ピラミッド組織）であることに依っている。この体制はきわめて戦時向きのものであり、人民も党中央の命令一下、信じられない威力を発揮する。これがいかに凄まじいものだったかは、第二次大戦中のハリコフ（現ウクライナ）の戦車工場移転劇を見れば了解できよう。

　スターリン率いるソ連共産党は、ソ連国民に対して「祖国防衛戦争」を訴えかけたのはもちろんのこと、攻撃してくるドイツ軍の第一線が迫ってくるなかで、ソ連の軍需生産を担当している工場の労働者が、全力をあげて軍需品の生産を続けていた。そればかりか、ドイツ軍の占領寸前に、その保有しているすべての機械設備を取り外し、シベリアの奥地に移転させ、そこで文字通り生産を再開して、大量に消耗する軍需品の補給を完全にしたのである。それはまさしく一種の叙事詩に似た極めて劇的な展開であった。シベリアの奥地に展開したロストフの戦車工場は、移転そのものに六週間、移転から生産が再開されるまで二週間、そしてその後一ヵ月で能力のすべてをあげて戦車の生産を行った。しかも、そこで生産されたT34という戦車は、ソ連の国土での戦闘行動に最も適した高度の性能を持つ戦車であり、その威力はドイツ軍の機甲部隊を撃破するに足るだけの力を発揮している。

（長谷川慶太郎『新「戦争論」の読み方』PHP研究所）

しかも、この時期は真冬なのだ。その真冬にこれだけの事を命令し、実行させる！
恐るべき強制力だ。この強制力を駆使することで、ソビエトは白軍との死闘（内乱）を勝ち切り、ナチスとの祖国防衛戦争を勝ち切り、中国もまた劣勢をうたわれた国共内戦に戦勝している。それで足りないと言うならば、スターリンの行った民族強制移動を見てみればいい。あの時、共産主義の脅威とされた諸民族は住み慣れた故地から丸ごと移住を命じられた。しかもそれが、抵抗という抵抗に遭うことなく行われている。非常時における共産党たるや、かくのごとき力を持つ。

その一方、平時には、この全体主義が仇となり、進歩に取り残されることになる。社会主義の硬直した政治体制（計画経済や言論統制等）では、自由競争を事とする資本主義には勝てないのだ。

だが、この平時の和平演変は、中国には通じなかった。その最大の理由は、中国が自らの体制に資本主義を入れたからだ。このことを甘く見たアメリカや西側諸国は、今や中国の猛烈な追い上げを受け、非常な焦りを覚えている。

なぜ甘く見たかは、中国の学習能力を過小評価したせいであろう。

ソビエトが崩壊した時、西側諸国、とりわけアメリカは「自由と資本主義が共産主義に打ち勝った」とはしゃぎまくった。

だが、よくよく考えれば、資本主義が勝ったのは社会主義の長所をうまく吸い上げたからでもある。アメリカにしても、資本主義最大の弱点たる大恐慌を、社会主義政策（ニューディール政策）で修正し、かつ社会主義の専売特許たる公共福祉も取り入れて乗り切っている。

それを今度は中国が資本主義の長所を取り入れ、社会主義に接木してその体制を延命したのだ。その結果が今に見る躍進である。

トランプ大統領下のアメリカは、遅まきながらそれに気付き、今は対中シフトに移行し、競合体制に入っている。

中央対地方の競合

ここまで来れば、おのずと結論も絞られる。中国の現体制を認めたままでは民主化は達成できず、和平演変も期待できない。また、群体事件（農民暴動や労働争議等）がいくら起きても、体制変革にはつながらない。

むろん、共産党も、こうした群体事件には気を使い、十万件を超えたあたりで発表を取りやめたが、それが倍になったとしても政権は潰れない。そもそも、こうした反乱の頻発は中国の常態とも言うべきもので、いつの時代でも存在していた。中には、それが致命傷になることもままあったが、現今の体制では治安部隊（武装警察）の充実がそれを抑え込む力を持つ。武装警察を単なる警察機構と見てはならない。それは限りなく軍に近い。その証拠には、武警の装備は重武装で、その予算たるや解放軍より多いのだ。それだけ国内治安に完璧を期しているからである。

とすれば、中央に最も危険な存在とは、地方勢力の台頭しかないであろう。

中国における中央と地方の関係には、常に緊張関係が存在する。もともと、地方から見た中央とは、居丈高に権威・権力を振り回し、自らの富を収奪し、それを地元に還元しない存在と見られている。それは裕福な地方であるほど顕著であり、上海などはその八割もの富が中央に吸い上げられたままである。辺境地区ではさらにひどく、内モンゴル・チベット・ウイグル自治区に至っては資源の収奪だけが先行し、地元への還元がほとんどない。国内植民地と言われる由縁である。
したがって、富裕か否かにかかわらず、いずれの地方も中央からの距離を置き、自らの力の温存に腐心するのが常である。この動きは一貫して継続し、中でも経済特区を持つ地方は、その実力を背景に、ともすれば中央に楯をつく。

それが最も先鋭に表れるのが非常時だ。第二章で書いた文革時の状況を想い出していただきたい。あの時、武漢では、実権を握る陳再道は、中央から派遣された文革小組のトップら（王力ら）を拘束し、あろうことか毛沢東にまでデモをかけている。さらに林彪に至っては、毛へのクーデターを画策するや、自らの息のかかった第四野戦軍系の人脈を駆使し、広州に立て籠り、党中央（毛沢東）と対峙しようと試みた。

もう一つ、旧瀋陽軍区を挙げてみる。当軍区は、北朝鮮の北にあり、北京に近く、ロシア（旧ソビエト）にも隣接するため、近代化された機甲師団をどの軍区よりも持っていた。そのため、非常な発言力を持っており、中央の意向をすんなりと受け入れなかった。その代表例が近接する北朝鮮との貿易だ。

長谷川慶太郎によると、中央が国際世論に押される形で北との貿易を縮小するよう求めても、それを黙殺する形で継続していた。しかも、瀋陽軍区は朝鮮族の自治区があり、瀋陽軍区には密貿易を行うメリットは大きかった。北朝鮮の経済がさまざまな制約にもかかわらず持ち堪えていたのはこのことがあったからだ。ゲマインデ化した瀋陽軍区は、自らの不利益をもたらす相手には、例え党中央の意向であっても馬の耳に念仏であったのだ。習近平が軍区再編に乗り出したのは、こうした事情にも依っている。

以上が地方と中央の関係だが、これから分かることは、常に地方が中央からの離脱を願望していることである。

ただ、その地方にも非常な弱点が存在する。それは、多くの地方が莫大な負債を抱えたため中央に頼るほか術がないということだ。豊かな地方は中央に楯を付き、負債を抱えた地方は中央にすがりつく。どちらもいびつな関係だ。これが中央と地方の常態となっている。

鄧小平はそうした混乱を見越した上で「四つの原則」を重石とし、現状をコントロールしようと試みたが、それにも限界が存在する。香港が中央政府の管理下に入るのをあれだけ嫌ったのは、そのことの証左である。少しでも自由を手にした地方政府は、その遠心力のおもむくまま、中央の統制から遠のくことを常に求める。

例えて言えば、中国の地方とは、グレイト・ブリテン（英国）を構成する州政府、すなわちスコットランドやウェールズや北アイルランドと同じなのだ。英国の国家構造は中央政府とそれと対峙する地方政府との二重構造となっており、ともすれば後者は前者からの離脱の動きを見せてゆく。

この場合のキーポイントは繁栄である。英国が極盛期の時代であれば、地方政府もそのおこぼれに預かって独立の動きを見せなかった。が、いったんその力に陰りが見えれば、この限りでは決してない。この原則は中国も同様で、両者の違いは、選挙による離脱権が有るか無いかの違いだけだ。あれだけ、小さな英国でもこんな調子なのである。ましてや、中国にその動きがあることは言うまでもなく、それが時に応じ地方の反乱として表れる。

人口動態と自然破壊

今中国は、中央と地方の競合以外に、今一つ大きな問題を抱えている。急激な人口減少である。

現在、中国は極端な少子化と老齢化に見舞われている。日本もそうだが、それをはるかに上回る。中国は長年続いた少子化対策（一人っ子政策）を廃止し、二人っ子、次いで三人っ子政策に転じたが、それでも出生率は上がらない。中進国の常として、中産階級は多産を回避し、下層階級も経済的に余裕がない。人口ボーナスの過剰抑制をした結果、急激な人口オーナスに変化したのだ。

その結果、社会の老齢化が始まった。

こうした場合、社会の攻撃性（政治的軍事的攻撃性）は減少し、経済成長も鈍化する。それは、中国の建国以来の歴史を見ても理解できる。建国時に五億五千万弱であった人口は、現在十四億にまでなっている。

この増加は、二度にわたる人口増によってもたらされた。一九四九～五九年までの第一期と、一九六三～七九年までの第二期である。

この間に何が起こったか思い出していただきたい。対外戦争と内乱（文革等）がひっきりなしに起こっていた。戦争や内乱には若いエネルギーが必須である。文革時の紅衛兵がそれを端的に示している。あの熱狂はあだやおろそかなものではない。それはまさに、若者の多さに支えられたものであった。

だが、この人口増に待ったをかけたのが共産党である。生産が人口増に追い付かないことを危惧した党は、厳格な人口抑制を採り始める。これが一九七九～二〇一五年までである。そのため、有無を言わさぬ強制堕胎が行われ、もし生まれても黒孩子（ヘイハイズ）として戸籍に載らぬ日陰の存在とされてゆく。この黒孩子は千数百万にも達し、就学ができず公共サービスが受けられないため、大きな社会問題となっている。

この一人っ子政策が、今度は急激な人口減を伴った人口オーナスを引き起こした。その結果、激動（戦争や内乱）の抑止にはなったものの、社会の活性化を阻んでゆき、さらには社会の老齢化に伴う年金制度の崩壊が予想され、その問題が先送りできない状態になっている。

共産党はそれに気付き、今では多産奨励のキャンペーンを張っているが、遅きに失して出生増は見られない。おそらく、人口オーナスは今後とも継続し、社会の老齢化を促進することになるであろう。

ただし、である。ハーバード大学のグレアム・アリソンは「このような時がむしろ危ない」と述べている。急激に台頭した新興国は、ピークを過ぎ、衰退の兆しを見せ始めると「本格的な衰退が始まる前に覇権国への挑戦を決意する可能性があるから」だ。これが「ピーク・アウトの罠」と呼ばれる現象だが、今中国はその罠の最中にあると思われる。習近平の戦浪外交は、それを見事に示唆している。

さて、人口減と共に中国を襲っているのが生態系の破壊である。

一般に、生態系の崩壊は重大な社会的危機を招来し、国家はもとより文明の瓦解を誘発し、数多くの文明がこれによって消滅した。中国もご多分にもれず、これにより幾多の王朝が崩壊の危機を迎えた。

では、現中国の場合はどうか。

これが恐るべき事態になっている。全ての指標が劣化を示しているからだ。ざっと挙げると、大気汚染・水質汚染・酸性降雨・産業廃棄物、さらには砂漠化の問題がこれに加わる。この内、大気汚染はＰＭ２・５が有名だが、その他の汚染も待ったなしの状況にある。こうした汚染は、近代化に離陸する際には常に起こる問題で、むろん日本にも見られたが、中国の場合は度を越している。したがって、それに対する抗議運動も頻発し、暴力を伴った群体事件に至っている。なぜ群体事件に至るかはさまざまあろうが、その一つに地方政府と公害企業の癒着がある。地方政府が企業の納税に頼っているからである。そのため環境破壊の実態を公表せず、それを抗議する農民・市民を排除しようと試みる。

ここが先進国の公害処理と根本的に違っている。

そもそも、中国の一般人（農民・市民）は、選挙によることができないため、その声を届ける術を持ってない。彼らが直接選挙できるのは郷・村レベルまでであり、市・省レベルには手が届かない。したがって、あえてその声を届けようとするならば、直接行動による他ない。これが群体事件を頻発させる元凶となっている。

これについては、中央政府もそれなりに努力をし、民間でも先進国に多く見られる環境ＮＧＯも存在する。だが、効果は十分上がっていない。環境破壊の進行速度に対策が追い付かないのだ。

一例を挙げて見よう。右の砂漠化について言えば、約百七十万平方キロの大地が砂漠化され、これは三十八万平方キロである日本の四倍余りになっている。しかも、この砂漠化は黄砂を巻き上げ、酸性雨を含む大気汚染の元凶になっている。と同時に、長年放牧地として利用してきた草原を農地化したため表土流出を引き起こし、農業にも不適となり、不毛の地となり果てている。

その被害をもろに受けたのが生態移民と呼ばれる遊牧民で、彼らは少額の保証金で放牧地を追い払われ、残された遊牧民も過度の資源開発で放牧地を汚染され、奇形の家畜を生み出すまでになっている。

もう一つ具体例を挙げておく。

三峡ダムだ。このダムは二〇〇九年に完成し、総発電量二千二百五十万キロワット、七十万キロワットの発電機三十二機を備えた世界最大の超巨大ダムである。その総工費は二千億元にも達し、十五年の歳月をかけた文字通りの国家プロジェクトであった。もともと、水資源に問題を抱えていた中国である。水問題は国家の命運に関わる最重要のものであり、だからこそ五大河川の水源たるチベットを確保すべく最も長い戒厳令が敷かれ続けた経緯がある。長江も、そのチベット高原を源流とする河川であり、これをコントロールすることは共産党政権にとり死活の問題であったのだ。

だが、ダム建設の反動は大きかった。譚璐美のレポートによると、まずダム建設のため百十万人もの強制移住が行われ、その内十万人が流民化したという。また、総工費のうち三十四億元は賄賂のため消失したとされ、手抜き工事の指摘も後を絶たず、メンテナンスも不十分であることが周知の事実となっている。

それは何より、工事を進めた共産党自身が知っており、その証拠にはダム完成式典には一人の高官も出席をしなかった。

むろん、こうしてできたダムである。問題は山積している。上流から流れ出た砂礫やゴミが堆積し、かつ長江が干上がり、旱魃が起こり、気候不順が常態化し、おそらくはダムの水圧と目される大小地震が多発している。四川で起きた大地震もその疑いがもたれ、有感地震だけでも数百件に達している。

そして、洪水。これが毎年多発するため、その流域の都市群が水没の危機を迎えている。これには幾多の理由が挙げられるが、その一つにダムの下流域にある洞庭湖など幾多の湖を埋め立てた事に依る。湖が長江の水位調節を果たしていたにも関わらず、それを埋め立てたことにより、自然の調節機能を失ったのだ。

そこへ、百年に一度と言われる大洪水が発生し農地への壊滅的な打撃となった。そのため、穀物輸入が三割もの増加を見たが、不思議なことに穀物生産量が微増している。何とも言いようもない発表だ。数量操作の典型であろう。

実は、このダム建設には、当初から反対意見が存在し、中でも精華大学の故黄万里教授に至っては繰り返し警告を発していた。それを鄧小平や李鵬が黙殺したのだ。「このダムは多大な恩恵を我が国に与える。その耐用年数は千年にも及ぶ」と。

間違いであった。千年どころか、わずか数年もたたぬうちに齟齬が出て来た。

この事実を前にした共産党は、さすがに千年を百年に縮めたが、百年でも長すぎた。黄教授はその耐用年数を十年と予測していた。その十年が二〇一九年に当たり、ますますその予測が現実味を帯びている。

では、ダムが決壊したらどうなるか。

その時は、下流域の全ての土地が信じられぬほどの被害を受ける。それは上海にまで及び壊滅的な打撃を受ける。その被害者は数千万人にものぼるという。ちなみに、このダム問題は国防上の問題も孕んでいた。ミサイルを撃ち込まれる危険が生じるからだ。事実、台湾では、中国侵攻時を迎えた場合は「三峡ダムを狙え」とする声が俎上にのぼっているという。

こうした生態系の破壊には、明らかに倫理上の問題も含まれている。欲望の全面開花で環境破壊を制御すべき倫理規範が失われているからである。

これは由々しき事態であり、とりわけ改革開放後においては、それが著しく顕著になり、自然に対する激しい収奪が繰り広げられている。

要するにこういうことだ。「汚水を垂れ流そうが、大気が汚れようが、大地が砂漠化しようが、儲かりさえすればそれでいい」と。したがって、仮に公害防止の設備があってもそれを全く使用しない。メンテナンスに費用がかかるからである。

そうした過度の欲望を制御する思想や倫理が今の中国には全くない。そのしわ寄せが生態系の破壊をさらに進行させている。

もともと、近代には自然征服を善とする進歩史観が存在するが、独裁制を基調とする全体主義国家ではこれがとりわけ顕著であった。ソビエトの場合でも、アラル海を干上がらせてしまった過去がある。三峡ダムもこれと同じ事例となろう。

そもそも、共産党の水利政策は失敗ばかりを繰り返している。現在ある二十二万ものダムはすでに二万が廃ダムとなり、三峡ダムもその轍を踏むことが確実視されている。

最後に、環境汚染の締めとして核汚染問題を見てみよう。これこそ、中国が人と自然にどう向き合っているのかを端的に示している。

周知の通り、中国は一九六四年に核実験を始めて以来、数多くの大気圏内核実験をタクラマカン砂漠ノプノール実験場（新疆ウイグル自治区）で行ってきた。

これがいかに甚大な被害を与えたかは、以下の東京新聞（二〇〇八年十一月二十一日付）に掲載された札幌医科大学・高田純教授（放射線防護学）の引用文が示している。

> 中国は実験現場を公開していないが、どう調査したのか。用いたのは、旧ソ連が監視していた中国の実験の核爆発威力や爆発高度、風向き、さらに風下のカザフスタン東部マカンチに実験直後に降り積もった核分裂生成物の分析から、新疆ウイグル自治区の被害を推定する手法。現地調査をせずに核汚染を科学的に分析するこの方法を適用することで、中国が隠してきた核実験災害の実態解明に突破口を開いた。中国が同自治区で行った核実験は、一九六四から九六年まで延べ四十六回と見られ、「これらの実験のために致死レベルの放射線を浴び、死亡した住人は十九万人と推定される」と高田教授は具体的な数字を挙げた。劣悪な医療環境などから、その約四倍の七十五万人が死亡したとする説もあるという。死に至らなくとも、白血病やその他のがんの発生、胎児への影響が高まる地域には百二十九万人がいたとみられる。核実験はもう十年以上行われていないものの、「住民の健康被害は続いており、まさに現在の問題」に他ならない。

この場合、ロプノール実験場が、新疆ウイグル自治区であることに注目してもらいたい。そこがウイグル人の居住区であり、国内植民地であったからこそ、こうした被害を無視できる核実験が行われたのだ。

環境問題・民族問題・人権問題がリンクした典型的な事例である。ちなみに、チベット自治区でも同じ問題が起きており、こちらの方は核廃棄物の処理場と化している。

中国の環境汚染は、人権問題・少数民族問題と相まって、限界点に達している。

アメリカの気付き——冷戦は続いていた

次に米中関係を見てみよう。まずは、二〇一八年に行われたペンス副大統領（当時）の中国批判がその代表例として挙げられる。その要旨を挙げると、次のようになっている。

まずペンスは、中国の不正を逐一取り上げ、激しくそれを難詰した。

「中国は、現国際秩序の強引な変更を始めている」とした上で、「アメリカがソビエト崩壊後、自由な中国の到来を確信し、世界貿易機関に中国が入り、私的所有権、個人の自由、信教の自由、人権の尊重を果たすことを希望したが、それは無に帰した」と失望を露わにした。そして、中国がＧＤＰ世界第二位になったのもアメリカの投資があったればこそだと強調し、それに対する中国の返答が高関税、総量規制、為替操作、強制的技術供与、知的財産の窃盗だったと結論づけた。

ペンスは続ける。

「こうしたアメリカの支援にもかかわらず、中国は『中国製造二〇二五』プロジェクトを立ち上げ、世界の先端技術の九割支配を目標とし、ロボット、バイオ、人口知能等々をアメリカから盗み出し、軍事的優位を確保した上、西太平洋からアメリカを締め出そうとしている」

「また中国は、船舶を尖閣列島に侵入させ、南シナ海において『軍事拠点化をしない』と明言したにもかかわらず、その約束を破り捨て、直近では米艦ディケーターの四十メートル近くまで接近している」

さらにペンスは「中国政府は人民への抑圧を止めていない」と明言し、中国国内問題にも踏み込んだ。

「中国は過度の監視社会を築き、しかもアメリカの技術をもって人民を統治し、『社会信用の数値化』を行っている」

「中国は、人民の内面にも介入し、地下キリスト教を抑圧し、チベット仏教を抑圧し（百五十人以上の焼身自殺）、百万以上のウイグル人を収容所に収監する宗教弾圧を行っている」

「中国はスリランカを債務漬けにした上で港湾を租借し、また台湾を孤立化させるため、ラテンアメリカ三国に台湾との断交を強いている。だが、われわれはそれを決して認めない。断固台湾の民主主義を擁護する」

ペンスの舌鋒は何より鋭い。中国は、中国は、中国は……とこれでもか、と言わんばかりに、その汚点をあげつらっている。

そしてダメを押すように警告した。

「もうアメリカは、そのような中国のやり方を黙認しない。そのために七千二百六十億ドル（八十兆円）を投じて米軍を強化する」

「北京はアメリカの外交・内政に干渉しており、アメリカの企業・映画・大学・研究所・中央行政機関・

連邦職員への篭絡を目指し、ついには国内世論や大統領選挙にまで影響を及ぼすに至っている。これはアメリカの民主主義に対する干渉である」

「さらに北京は、アメリカの中国進出企業の中に『党組織』を設けるよう要求している」

「ハリウッドでは中国を好意的に描くよう要求し、そうしないとそのスタジオやプロドゥーサーを罰する。また、ジャーナリストにもビザ発給禁止をちらつかせ、その家族にも圧力をかけ、中国人留学生やその国内家族にも圧力をかけている。これらはいずれも検閲文化の典型だ」

そして最後に、アメリカの立場を述べ伝える。

「われわれは自由・公正・互恵を求める。インド太平洋でのアメリカの国益を求め続ける。そのために、インドからサモアに至る関係諸国との絆を強めることになるであろう」

以上が、四十一分間にわたるペンスの対中方針演説の概要である。

これほど激しい中国批判はかつてなかった。

要するに、ペンスは「それまでアメリカが採っていた対中政策を変更し、これからは容赦なく対抗措置を取ってゆく」と言明したのだ。それは、今まで採ってきた中国へのアンガーマネジメント（中国への宥め戦略）を止めたとするアメリカの宣言だった。中国は、他国が自らの言い分が受け入れそうにないと見るや、常に「強烈な反対」「猛烈な抗議」等々の言葉をもって恫喝してくる。とりわけ、習近平時代の戦狼外交が始まるや、恫喝が激しくなり経済軍事的威圧を伴い脅してくる。と、恫喝された国々は、あまりの剣幕に動揺し「何かえらく怒っているようだから、ここは一つ退いておこう」と要求を取り下げる挙に及ぶ。これがアンガーマネジメントと呼ばれるものだが、ペンスはそれと決別し、これからは容赦しないと言い切ったのだ。その具体的な対中政策として国防権限法の強化がある。一つは外国投資リスク審査近代化法（ＦＩＲＲＭＡ）で、外国企業のアメリカ企業への買収・出資の際の投資審査厳格化。今一つは、軍事関連の技術や戦略物資の輸出厳格化である。これにはエンドユース規制（最終国使用規制）やみなし規制（技術指導規制）が含まれ、それに違反した折の罰則（取引禁止顧客リストへの掲載）も記載され、アメリカ企業との取引停止やアメリカ製の製品・部品の供給停止が盛り込まれている。一方、中国企業のみに認められていた会計監査の特権も剥奪されることになり（サーベンス・オクスリー法）、他の企業と同様の厳格な監査のもとに置かれることになっていった。

　これら対中政策の根本的な変更を網羅したのが、右のペンス講演だった。

　おそらく、これを聞いた中国共産党首脳部は、思わずのけ反ったことであろう。

　ただ、これらペンスの発言はもはや予測されたものでもあった。その時すでにトランプ（大統領）は一連の対中高関税攻勢から始まって、中国ＩＴ企業（ＺＥＴ・ファーウェイ等）の政府調達禁止、軍事転用可能な人工知能やバイオテクノロジーの輸出制限、さらにはそれが中国の手に渡らぬよう日本やヨーロッパ諸国にも同調を求めていた。

　この場合、アメリカの戦略方針は次のようなものだと思われる。

　それは、表向きの貿易問題と、その奥にある安全保障問題の二重構造となっている。これが前者だけの問題ならば、トランプ得意のディールをもって解決できるが、安全保障が絡んでくると安易な妥協はできえない。

　それは中国も同様で、貿易問題（経済）では妥協できても、安全保障問題で妥協すれば、自らの国家方針は無に帰する。彼らの優先順位は、まず第一が「共産党の永続支配」、次いで「国家の主権保持（領土・領海・領空の防衛）」、最後に「経済問題の処理」となる。

ペンスの講演は、経済問題を飛び越して、主権にかかわる問題（国家の核心問題）であったため、アメリカの対中姿勢が未だ経済問題と見ていた彼らに引導を渡すことになったのだ。

両国は今、新冷戦に入っている。いや実は、東アジアでは旧冷戦が続いていたのだ。ざっと見渡しても、中国や北朝鮮は共産党の支配下にあり、ソビエトや東欧諸国で実現した和平演変は起きていない。

アメリカは、ここで初めてその事に気付いたのだ。

文武の均衡を失った帝国

では、中国はこれに対して、どう対応しようとするのか。

それを概観するためには、今一度共産党がたどった歴史を振り返ってみる必要がある。とりわけ、共産党が「銃口が政権を作る」との立場を取る限り、その軍事戦略を見ることは必須である。となれば、毛沢東の遊撃戦論から始めるのが妥当であろう。

これは、すでに第二章で述べた事だが、それを今一度記してみよう。

敵進我退（敵が進めば我退く）
敵止我撹（敵が止まれば我撹乱する）
敵避我撃（敵が戦いを避ければ我撃つ）

敵退我進（敵が退けば我進む）

この遊撃戦論は、未だ解放軍の中で生きており、これを具体的戦術の中で生かしている。すなわち、狙った領土を少しずつ細切れに奪ってゆく「サラミ・スライス戦術」や、海軍の援護を背景に、海上民兵を乗せた漁船・公船を前線に押し出す「キャベツ戦術」がそれに当たる。この場合、相手がひるめば侵攻し、押してくれば退却する。まさに、遊撃戦術そのものである。

ちなみに、サラミ・スライス戦術は、ブータンやインドとの抗争で用いられ、フィリピンやベトナムではキャベツ戦術を採用し島嶼群を奪っていった。

では、こうした侵攻が実際の戦闘になった場合はどうなるか。

その際は「短期高烈度決戦」で決着させる。すなわち、先制攻撃をかけて敵軍の出鼻をくじき、短期間で勝利を得た後、それを政治的優位につなげようとするのである。

これは、一九六二年の中印戦争の折に表れ、インド軍を奇襲をもって退けた後、反撃を受ける前に撤収し、政治的勝利（未確定な領土奪取）につなげようと試みた。

むろん、このサラミ戦術が効かなかった例もある。ソビエト赤軍との交戦である（一九六九）。あの時、人民解放軍は領土紛争になっていたウスリー川の中州ダマンスキー島を奪取すべくソビエト国境警備隊に奇襲をかけた。いきなりの奇襲であったため、警備隊は抵抗という抵抗もできないまま粉砕されたが、それに対する反撃も厳しかった。

激怒した赤軍は、重装備の部隊を派遣して解放軍を一蹴し、さらには新疆省に戦地を移し、大々的な侵攻を実施する。解放軍はこれに抗すべくもなく、一方的な後退を余儀なくされた。つまり、自国より強く反撃を躊躇しない相手には、サラミ戦術は通用しないということだ。

ここから得られる教訓は「サラミであれ、キャベツであれ、それが限度を超えた場合には明確な反撃がある」との警告（抑止）を出しておくことである。

これが中国に、最も有効な手段となる。というのも、これが中国共産党の幼児体験に触れるからだ。繰り返すが、共産党の党是とは暴力至上主義なのだ。となれば、それを抑止するためには、対抗暴力を示すしか他にない。暴力至上主義には平和主義は通じない。平和を前提にした話し合いも通じない。対抗暴力の裏付けなしに平和的な話し合いを求めることは、相手の弱みであると考えるからである。となれば、彼らとの関係は抑止を背景にすることが必須となる。対中国政策はこの事を基本とする。

以上が、中国の常用する戦略だが、今度はそのソフト面での状況を見てみたい。

この場合顕著なのは、中国が自らの意志をごり押しする体質を持っていることである。そのため、その圧力に晒された中小国は非常な脅威を覚えるが、中国はそれに無関心であるようだ。自国の政策遂行のみに傾注し、他者を気遣う余裕がないのだ。その折の中国の態度たるや、居丈高に相手を威嚇し、時には具体的な実力行使に打って出る。目立ったところだけを挙げても、米艦艇に対する妨害行為、操業中のベトナム漁船の拿捕・撃沈、インドネシア領海内での中国船拿捕に対する妨害行為、フィリピンの資源探査船の探査妨害、ベトナムの石油探査船のケーブル切断、そして自衛艦への照射事件等々と。まさにごり押しのオンパレードである。

また、そうした行為に抗議を受けた場合も高圧的だ。鼻をくくったような態度に出る。そして、都合のいい時のみ国際法を持ち出し、悪ければ平然と破り捨てる。

要するに、ソフト部分の欠如がはなはだしいのだ。というのも、国是たる力への過信（暴力至上主義）があるために傲慢さが表に出、文革による伝統文化撲滅（宗教倫理的精神の喪失）のため相手国への対応が精練さを無くしている。

このことは、中国メディアやスポークスマンが発する罵詈雑言からも察せられる。何せ、少しでも関係がこじれると、相手国を容赦なく罵倒し、威嚇するのが常態となっている。しかも、平気で嘘をつく。これでは良好な関係を維持できない。

現在は、かつての北京放送に見られるようなダイレクトな革命への扇動は控えているが、その体質は変わっていない。

そうした中国の粗暴な主張がなぜ通るかと言えば、ひとえに力と富を持つからだ。その結果、中小国は中国にはなはだ不満を持ちながらも、なびかざるをえなくなる。

かつて中華帝国は、確かに強大な力をもって周辺国に君臨したが、力だけで支配していたわけではない。

唐代で言えば、日本はその宗教（仏教）や政治制度（律令制）に憧れて、波濤万里をものともせず遣唐使を送り続けた。これがいかに大変なことであったかは、打ち続く難破船の続出からも伺えよう。だから、遣唐船の乗員に指名された者たちは悲嘆にくれ、涙する者も絶えなかった。最澄・空海が派遣された第十六回遣唐大使に指名された藤原葛野麻呂は、桓武帝が催した送別の儀に際し「つつがなく戻るように」と声をかけられ、思わず落涙してしまった。それだけ危険だったということだ。しかも、これには莫大な資金が要った。

それにもかかわらず、日本は遣唐使派遣を止めなかった。それだけ、唐の文化は日本を魅了し、犠牲を引き換えても余りある存在となっていた。在日米大使であったライシャワーは、それを「あれだけの犠牲を顧みず、文化のみを求めようとしたことは驚嘆に値する」と述べている。

それを、かつてのローマ帝国と比較すれば、さらにその実態が明らかになる。

ローマには、その政体を表す次のような言葉がある。「ローマは三度世界を征服した。一度は武力で、一度はキリスト教で、一度は法で」（ドイツの法学者イェリング）と。

右の言葉に従えば、中国は今武力しか持っていない。キリスト教（宗教・思想）や法（普遍的法体系）に当たるものが全くないのだ。また、「宗教は阿片だ」とするマルクスのドグマを受け継いだため、全ての思想文化や宗教を打ち捨てた。ちなみに、中国の代表思想と言えば儒教が挙げられるが、あれは血縁集団の倫理規範を指すもので、社会倫理にはなっていない。朱子学になって初めて「正心・修身・斉家・治国・平天下」を唱えることで天下国家を網羅したが、華夷の別や身分秩序を余りに強調する思想では普遍的なものにはならなかった。さらに言えば、儒教は古代の聖人政治を聖化するため、近代思想とは正反対の過去を向いたベクトルを持っている。これでは、近代についてゆけない。その儒教でさえ文革期の「批林批孔」で批判し尽くされ、かろうじて残ったものは法家（韓非子）や戦略論（孫子）など為政者に役立つ処世術だけである。

かくして、現中国には、他国を魅了するいかなる文化も存在せず、経済と軍事だけで自己アピールをしなければならない状態に陥った。

文化的吸引力の無い帝国は決して長期の支配はできえない。現中国にそれが分かっているのだろうか。

地政学に見る中国の終焉

次に、中国の近未来を地政学的に見てみよう。中国の国家方針たる一帯一路の成立には陸海双方の安定支配があって初めて可能なものであったが、これが極めて困難なのだ。

そのことは、『海上権力史論』を著したアルフレッド・マハンのテーゼからも伺える。「大陸国家であることと、海洋国家であることは両立しない」と。

もともと、大陸国家は陸続きであるために、常に過剰な防衛力を強いられる。したがって、必然的に強大な陸軍が求められ、現中国も百十五万もの陸上兵力を有している。これは日本の十四万、アメリカの四十九万と比較しても桁違いのものである。しかも、この数は、近年の兵力削減を済ませた後の数字なのだ。

当然、それにかかる社会負担は多大なものとなるはずだが、大陸国家の常として隣接する外敵を常に意識し、四方へ膨張する場合にも陸上兵力が必須であるため過剰な兵力を持たざるをえなくなる。

一方の海洋国家は防衛にかけるコストが少ない。また、膨張する場合にも、大陸国家に見られるような他国領を全て収める必要はなく、シーリーンのチョーク・ポイント（要衝）のみを押さえておけばそれで済む。物資の集積と物流をコントロールできるからだ。大英帝国はこうして七つの海を支配した。

そこが、大陸国家と根本的に違っている。大陸国家は海を自由な領域と見るのでなく領土化して考える。中国が自国のＥＥＺ（排他的経済水域）を領海として扱っている現状はそれを端的に示しており、南シナ海に至っては、ほぼ全海域を領土化しようと試みている。彼らは、海洋が自由であることをまるで分かっていないのだ。

そして空。中国は今、尖閣列島の上にも防衛識別圏を設定している。中国空軍は、未だこの防衛識別圏にその都度スクランブルをかけるまでの実力を持っていないが、将来を見据えてのものであろう。日本は今、海も空も非常な危機に直面している。

では、以上の点を踏まえた上で、大陸国家と海洋国家の関係をどう見ればいいのだろうか。

まず地政学の祖マッキンダーは「世界史は、ランドパワーとシーパワーの衝突の歴史である」と述べ、また「旧大陸（ユーラシアとアフリカ）を一つの島（世界島）とみなし、そのハートランド（ユーラシア）を制したものが世界を制する」とのテーゼを出した。当時の大英帝国が世界制覇を達成したことをベースにしつつ、その最大のライバルであるロシアを意識して出されたものだ。

これに対抗して出されたのが、ドイツの地政学者ハウスホーファーの勢力均衡論である。これには、日本ともいささか関わりを持っており、ハウスホーファーが来日途上（船旅）で出会った領地がことごとく大英帝国の植民地ないしはその影響を受けた地であることに驚愕し、これを打破しなければドイツの未来はないものと認識したエピソードが残っている。

その彼のセオリーは独ソ同盟を基本に据え、日米を含めた四ヵ国による勢力均衡を提唱し、ランドパワーによる世界制覇を構想したものであった。すなわち、アメリカが南北アメリカを、日本が中国と東南アジアを、ソビエトがチベットからインドを、ドイツが中東からアフリカを、それぞれ支配するとの構想である。彼はそれを日本の政界や軍関係者と交流する中で吹聴し、多大な影響を与えてゆく。

それに乗ったのが当時の外相松岡洋右で、その構想のもと日独同盟を成立させ、その足でソビエトを訪れて日ソ中立条約を締結した。これは日独の東西からの挟撃を最も恐れるスターリンを狂喜させた。彼が破格の待遇で松岡を迎え、その別れ際には自らプラットフォームまで見送りに行ったのは「これで挟撃を避けられた」との深い安堵があったからだ。だが、このツケは大きかった。中立条約はソビエトに日米戦の仲介を期待する淡い思いを引き起こし、敗戦の間際にはソビエト赤軍の満洲・樺太・千島列島侵攻というおまけをつけた致命的結果を招くことになってしまった。地政学的判断を誤るとこのような結果を招くのだ。

一方、マッキンダーを引き継ぎながら昇華したのがニコラス・スパイクマンで、大陸国家と海洋国家の接点たるリムランドで最も多くの紛争が多発していることに着目し、「リムランドを制したものがユーラシアを制し、ユーラシアを制するものが世界を制する」とのテーゼを打ち出す。そして「アメリカの安全を守るには、ヨーロッパとアジアの政治に積極的に協力しなければならない」（奥山真司訳『平和の地政学』扶桑書房）と結論し、戦後世界に大きな影響を与えてゆく。

海洋国家は、リムランド制圧に動く大陸国家の動向を見過ごすことはできないのだ。それは今、日米が行っている対中政策にも当てはまり、中国の海洋進出に対抗して「開かれたインド太平洋自由構想」をぶつけている現状は、まさにこのことを示している。また、スパイクマンの考えは、戦後冷戦期に「ソビエト封じ込め」を提言したジョージ・ケナンにも影響を与え、さらに特筆すべきは戦後日本の在り方をも示唆していた。

日本に関することで注目すべきは、何と言ってもスパイクマンが戦時中に同盟国であった中国で

はなく、アメリカは戦後日本（とドイツ）と組まなければならないと発言していることだ。これにはその伏線として、スパイクマンが「アメリカは将来、日本とドイツと組まなければならない」と発言した「事件」があった。この発言は一九四一年十二月三十一日の大晦日のアメリカ地理学会で、彼自身の最後の論文となった『フロンティア、安全保障、国際組織』を発表した後の質疑応答の時間に行われたのだが、ここに参加していたある人物は「この発言は大問題となり、スパイクマンと彼の意見に反対する学者たちの間でほぼケンカ寸前の激しい怒鳴り合いの議論の応酬が行われた」と報告している。この発言が日本の真珠湾攻撃が行われてまだ一ヵ月もたっていないうちに行われたものであることを考えると、まさに驚くべき先見性であると言っていい。（『前掲書』）

スパイクマンの予見は見事に戦後体制を見据えていたのだ。

もう一つ、大陸国家に不利な点が存在する。

大陸国家は、陸続きである地政学的な条件故、往々にして激しい衝突を繰り返す。すなわち、その版図拡大、あるいは国土防衛を遂行する段階で、抜き差しならぬ抗争へと向かうのだ。中露もその例にもれず、一触即発の段階に至っている（一九六九）。

この時、これを利用して、中露の離間策を採ったのがアメリカである。アメリカは、ソビエトの消耗を誘うため中国と手を組んだ。どちらも共産主義体制を採る敵対国家ではあったものの、より強力なソビエトを排除するため中国を選択した。

そして今、この間の中国の台頭で、アメリカは中国を主敵としている。となれば、今度はロシアを取り込んで、中国を排除する政策を採るべきだったが、アメリカはそれを怠った。それどころか、ウクライナ政治に強引に介入し（マイダン革命の支援やＮＡＴＯ加盟の推進や親米派内閣の閣僚人事等）、ロシアを挑発し過ぎてしまった。このことは、中露のうちより強力な側を標的とする政策の失敗を意味している。

では、その標的となっている中国の崩壊は現実にあるのだろうか。

過去における崩壊の最単純モデルは「国内の農民反乱と国外の異民族侵入が合わさった時」であった。この時、中華帝国は崩壊の危機を迎えた。現在で言うならば、国内の反乱と国外でのアメリカとの戦闘があった時だ。

そのモデルを今少し詳述すれば、次のようになるかもしれない。

まず、国内における大乱の勃発。

これは農民の反乱や秘密結社の蜂起を指すが、今で言えば、反乱の予備軍として、大量の失業者や盲流と呼ばれる農民工が都市部に流れ込んでいる事も挙げられよう。この場合問題なのは、農民工は単なる経済流民であるだけでなく、異邦人扱いされているため、福祉政策も適用されず、精神的にも疎外されていることだ。さらに、こうした盲流は、国境の壁を越え、年間数百万もの国外脱出を遂げている。これが問題にならないわけがない。

次に、外敵との戦いでの敗北。

かつてはソビエトとの衝突がその危険を招いていたが、今ならば台湾を巡る戦いでの敗北がそれに当たろう。この場合、どれほどの敗北かによって状況は変わるが、共産党政権が政治的危機を迎え、政権運営に多大な支障が生ずることは間違いない。敗北は常に政権の崩壊を誘発する。

次に、国内の大乱と外敵からの敗北が合わさった場合。

その典型は、明や清の崩壊過程が参考になる。明は北虜南倭（北の北方遊牧民と南の倭寇）で悩まされ、秀吉の朝鮮遠征で多大な財政負担を強いられた末、農民反乱（李自成の乱）と東北部からの満洲族襲来で止めを刺された。つまり、「南北挟撃」で弱体化され、「国内叛乱」と結びついた「北東からの侵攻」で亡びたのだ。

清も同じで、「北方の帝政ロシア」と「南方の西欧列強」に挟撃され、「東から侵攻してきた日本」に敗れて実質的に崩壊する。

この地政学的崩壊過程は今に至るまで変わらない。外憂（アメリカによる決定的敗北）と内憂（国内叛乱）が結合すれば、持ち堪えることは難しい。

最後に、その他可能性があるものとして「徐々の衰退」が挙げられる。これは現代の恐ろしく急変する社会経済体制や生態系の激変に対応し切れず、限界点に達した際に引き起こされる。その典型がソビエトで、アメリカとの経済的競合に耐え切れず自壊する結果となった。この場合、ソビエト末期（ゴルバチョフ時代）のグラスノスチ（情報公開）が、この自壊のダメを押した。共産党の恥部が明らかにされた事で人心が決定的に離れたからだ。政権の末期には、往々にしてこうした秘密が暴露されるが、それが体制の致命傷になってゆく。

以上、いくつかの事例を述べてみたが、中国共産党もその例外となることはないであろう。

実は、中国共産党政権も、すでに崩壊の危機を幾度か既に経験している。

まずは大躍進政策の失敗（対外的には台湾海峡戦争と連動）。次いで文化大革命（対外的にはソビエトとの衝突）。さらには天安門事件による国内の混乱と国際社会との確執もこれに加わるかもしれない。

まず大躍進政策は、共産党の失政（毛沢東の失政）と飢饉が加わり、四千万もの犠牲を伴う大惨事をもたらした。蒋介石が大陸反攻に色めき立ったのはこの時のことで、前述の白団（旧日本陸軍将校団）は台湾対岸の福建省ら南部中国への上陸作戦を作成していた。次の文化大革命だが、闘争に継ぐ闘争で人心は荒廃し、経済は壊滅し、国内統治は無に帰した。これにソビエトとの軍事衝突が加わり、核戦争の一歩手前までになっている。これでよく政権がもったものだと思えるほどの内憂と外患だ。

最後の天安門事件は、右の二者より危機の度合いは少ないが、これをもって共産党の権威が失墜したことはやはり大きい。それは、その後の改革開放と相まって、アキュート・アノミーを引き起こし、社会的無規範状態を生み出している。

以上が過去の事例だが、現中国が今一つ経験していないものがある。それが、資本主義に内在する経済恐慌である。

これがいかに大変なものかは、その歴史が語っている。日本もこれで七転八倒を繰り返し、それがもとで戦争に引き込まれた。欧米諸国も同じである。

現在は、そうした経験に基づいて、各国が協調体制を採っているが、資本主義に内在する不況・恐慌の可能性は常にある。人民中国は、その経験を持っておらず、したがってそれに対処するノウハウも不足している。

　近年、エコノミストが中国の景気減退を論じ、中にはそれによる崩壊を予測する識者もいるのはこの事に依っている。

　現在、思想的権威を失った中国の唯一の正当性は経済発展に依るとされるが、それが実現できぬとなれば、その正当性が脅かされるのは避けられない。その兆候は、多くの指標が語る通りで、その経済的失速が回復基調になる兆しはほとんどない。

　もともと、人為的な命令が基調となる社会主義社会と、レッセフェールが基調となる資本主義は極めて相性が悪かった。だから、鄧小平の社会主義に資本主義を接木したヌエ体制は、当初から矛盾を抱えて出発していた。それが今露骨に表れてきたのである。

　共産党の全体支配は常に命令を基本にする。人民に命令し、経済に命令し、自然にまで命令する。だが、人民への命令が仮に有効だったとしても、経済に命令することはできえない。法則が違うからだ。ましてや自然への命令など無意味である。かつて毛沢東は「愚公山を移す」と発言し、人為による自然改造を可能としたが、現中国に見る生態系の破壊はそれが全くの無意味だったことを示している。

コロナ禍

　中国の対自然観が如実に表れているのが、現在のコロナ禍である。このコロナ（ＣＯＶＩＤ―19）の形態を、ごく簡単に説明すると、次のようになる。

まず、コロナ禍を引き起こすウイルスは生物ではなく、タンパク質遺伝子（ＤＮＡ）で、それが油脂の層に包まれている。それが眼球や口中の粘膜に付着すると、コロナ・ウイルスのスパイク・タンパク質が人の細胞表面の受容体と結合して感染し、遺伝子情報をウイルスのものに書き換える。この細胞が増殖すると、ウイルスが急激に増加してゆく。これがやっかいなのである。

ただ、ウイルスは生物ではないので死なないが、タンパク質の分子であるため、その破壊は可能である。ウイルスは薄い油脂に被われているだけなので、非常に壊れやすい物質なのだ。石鹸の泡が油脂を切り裂き、また油脂の層を溶かす事でタンパク質は分解し壊れてしまう。また、加熱も効果を持っており、二十五℃以上の温水で洗うと良いとされ、アルコールも六十五パーセント以上であれば、油脂を溶解してしまう。アルコール洗浄液が多くの場所に置かれているのはこの事があるからだ。

以上がコロナの一般的状況なのだが、その発生因は未だ不明で、自然発生説と武漢研究所起源説が拮抗している。そして何よりの問題はその後の防疫体制だった。

コロナ禍が発生した時、共産党はそれを全面否定する中で、その危険性を告発した医師らを批判・拘束した。それが世論の非難に遭うと、告発した医師を英雄に祭り上げ、武漢全市をロックアウトする中で封じ込めにかかっていった。一方、その原因究明には徹底して反対し、ＷＨＯ調査団を一年後にしか入国させず、客観的な調査を求めるオーストラリアには逆切れし、同国からの輸入品（石炭・鉄鉱石・牛肉・ワイン等々）に報復関税をかける始末である。何とも言いようのない処置であるが、いったんは流行の抑え込みに成功し、それを大々的に吹聴していた。

が、今回のコロナ禍は、先のＳＡＲＳよりもしぶとかった。かくして、再び流行が拡大すると、上海にまでロックダウンをかけ、ゼロ・コロナ政策を継続してゆく。まさに、ウイルスに命令をかけているのだ。これほど自然を理解していない例はない。

その結果、七千万もの失業者を出すに至った。ただ、失業率は政治的操作によりわずかしか上がっていない。農民工など非正規労働者を数に入れていないからだ。共産党の常なる手口だ。

ちなみに、今回のコロナ禍は明らかな人災でもあった。大躍進や文革と同様の失政による犠牲なのだ。共産党の決定は、常に無誤謬を基本とする。とりわけ最高指導者の政策は常に正しく、それが否定されることはない。もし、否定されれば、その時は政変の可能性が生まれてくる。毛沢東の大躍進は四千万余の餓死者を出した後実権派に政権が移り、文革が一億人の被害者を出した末、鄧小平により否定された。

党（最高指導者）の方針は膨大な犠牲が明らかになるまで変わらない。

今回のゼロ・コロナは、右の例より小規模なため、政権の交代は生まれていないが、習近平後の時代には必ず否定されるものと思われる。

ソーシャル・メディアに出回っている報道を見ていると、白い防護服を着たパトロール隊が一切の人の出入りを規制している。紅衛兵ならぬ白衛兵と称される一隊が、不服申し立てをする住民を力ずくで排除している。

通常の理性的判断をするならば、無症状感染者が圧倒的に多い状況下で、これほどの措置が必要であるとは思えないが、それがいったん党命となった場合はこの限りではない。党命は人命より重いのだ。

かくして重病者でさえ病院に運べず、それによって出る犠牲者がコロナ患者の死者数を大幅に上回り、ロックアウト中の住民に配られるべき救援物資も横流しされ、あるいは途上で抜き取られ、それを押収した際の物資も再び横流しされるという大混乱を呈している。

ちなみに、このコロナ禍は、当該社会の伝統文化にも関係している。ここにそれを記した動物行動学者の記事があるので紹介したい。

> 心理学者のY・インバー氏らによると、極めてリベラルから極めて保守までの自己判断による思想の七段階と嫌悪感受性（病原体や汚物物質を恐れる性質）五段階とは見事に対応し、保守であるほど嫌悪感受性が強い傾向があった（中略）インバー氏らは一六年になると世界三十ヵ国（日本も含まれる）において一万人以上を調査し、まずパラサイト・ストレス（病原体がいかに存在するか）と嫌悪感受性との関係を調べた。当然というべきか、パラサイト・ストレスの強い国ほど嫌悪感受性（病原体を恐れる性質）も強かった。そして次にパラサイト・ストレスと伝統主義の関係を調べたのである。伝統主義とは、こういう昔ながらの食べ物を食べていれば大丈夫とか、こういう調理法ならば安心だとか、こういう生活習慣に従って生きていれば健康を保つことができるといったことであり、宗教を重んじることも含まれる。要は伝統文化の重視だ。すると、パラサイト・ストレスの強い国ほど伝統主義である傾向が見られたのだ。
>
> （竹内久美子『産経新聞』二〇二二年五月十七日付）

このことから分かるのは、人民中国が「これ以上ない伝統破壊と保守思想の否定の上に成り立った社会だ」ということだ。共産党の支配する体制は一見コロナ・ウイルスを嫌悪するパラサイト・ストレスが強いように見られるが、その実伝統破壊を徹底したため、パラサイト・ストレスがもたらす嫌悪感受性が社会の中で喪失している。その補償として、党の命令と権威をもってコロナ撲滅を目指しているが、その結果が民衆への負担増と経済の低迷を招いている。そしてついに、新疆省ウルムチでの火災事件が契機となり、ロックアウト反対の大規模デモが勃発した。

実は、これとは別に政権内部でもゼロ・コロナには反対意見が根強くあった。鄧小平から続く党政分離を習近平が無視し、政府（李克強首相）の管轄する経済政策に関与し、景気の悪化を招いていたからだ。そこへ今回のデモである。

これに共産党は驚愕する。デモ隊の掲げる白紙のプラカードもさることながら、共産党支配に対する公然たる否定があり、習近平の退陣にまで言及する抗議が混じっていた。

さすがに持ち堪えられなかった。共産党はゼロ・コロナを撤回し、しかもそれへの対策が全くないまま行われた。初期コロナ抑え込みの成功で、「我が体制（全体主義）は民主主義体制を上回っている」と豪語していた習のコロナ対策は、ここに見事に失敗し、全面撤廃に追い込まれることになる。行き着く所まで行って方針が転換された典型的な事例である。

ロシアのウクライナ侵攻

次いで、挙げなければならないのは準同盟関係にあったロシアの暴発（ウクライナ侵攻）である（二〇二二）。北京冬季オリンピックで、盟友プーチンと会った習近平は互いの友好と支援を確認し合ったようであるが、いざウクライナ侵攻が開始され、ロシア軍の劣勢と西側の結束（ロシアへの制裁と武器支援）が明らかになるにつれ、ロシア支援に腰が引ける状態になっている。ロシアを大々的に支援すれば、その二次制裁が中国に向けられるからである。

それだけではない。ロシアとウクライナの間に挟まれて身動きが取れない状態になっている。ウクライナはヨーロッパに通じる一帯一路の要衝に当たり、かつロシアが輸出をしぶっている高性能兵器の輸入元でもあった。有名なところでは、ウクライナで建設されたワリヤーグが改造され中国初の空母・遼寧となっており、その他スホーイ33（試作機）をコピーして艦載機とし、揚陸艦や空中給油機等々もウクライナから輸入している。こうした蜜月関係は、二〇一四年のロシアによるクリミア半島併合以降急速に進展し、経済的にもインフラ建設の協定が締結され、鉄道・道路の建設・整備に中国企業が参入し、コロナ禍に当たっては中国製ワクチンが適宜提供されている。言わば、非常な蜜月時代が続いていたのだ。それがウクライナ戦争で全てが反故となってしまい、収拾がつかない状態になっている。

他方、ロシアは、短期決戦での勝利による親ロシア政権樹立が挫折し、戦争目的として挙げていた「ネオナチの排除、ＮＡＴＯへの加入阻止、ドンバス地方のロシア系の住民保護」も有名無実化し、かろうじて占領した東・南部四州の死守のみがメインテーマとなっている。だが、もしこれが実現しても、その後のロシアを鑑みれば、割に合わない「ピュロスの勝利」だ。

そもそも、右の戦争目的には非常な無理が存在していた。まず、ネオナチ排除はロシア国内にも同様のネオナチ（ワグネル・グループ）がいることから意味をなさず、次のＮＡＴＯ阻止は「ＮＡＴＯの加盟条件が紛争や領土問題を抱えている国は加盟できない」との条項から見て、ウクライナの加盟には無理があり、最後のドンバス地方のロシア人保護は、当地の在住ロシア人がかつてのホロモドール（ウクライナ人への人工飢餓）で生じた地への移住者だったことを鑑みれば歴史的正当性に欠けている。それは、ロシアも分かっていたはずである。

とすれば、真の戦争目的は別にあったと見るべきだろう。それは、ロシア民族の復興抜きには考えられない。具体的には、共産主義抜きのソビエト連邦の再興である。だから、プーチンによる次のような発言が生まれてくるのだ。「一九九一年のソビエト崩壊は二十世紀最大の地政学的悲劇だった」と。これはプーチンが戦わずして負けたことで敗戦の実感がまるでなかったことを示している。

その思いが端的に表れたのが「ミュンヘン安全保障会議（二〇〇七）」でのプーチン演説だった。このミュンヘン会議は欧米で最も権威のある防衛問題の会議だが、その席で壇上に立ったプーチンは、遠慮なくしゃべらせてもらうと前置きし、次のような趣旨を述べたてた。まずは「冷戦終了後のアメリカは世界で唯一の大国となったことをいいことに、恒久的平和を脅かしている」とし、「軍事力の使用は国連の合意に依るものに限られているはずだが、今やＮＡＴＯがその決定権を握り、かつ拡大を継続し挑発を重ねている」と切り出した。そして、直接アメリカに矛先を向け「ある国家（アメリカ）が他国に強い影響を及ぼしていることは、民主主義に反するのではないか」と詰問し、最後にこう付け加えた。「ロシアはこうした状況を見過ごすことなく、その政治体制を破壊しようと試みる国や組織には断固戦う」と。

これを聞いたアメリカは思わずのけぞったのではないか。「これでは冷戦期の米ソ対立に逆戻りではないか」と。それほど遠慮会釈の無い指摘がプーチンによってなされたのだ。事実、これがロシアの対外政策の分岐点になってゆく。

その後ロシアが採ってゆく外交政策、とりわけ周辺諸国への政策はこの路線上に位置している。まずはジョージア、そして今回のウクライナへの侵攻がそれに当たる。

もともとロシアには、二つの世界観、すなわちルースキー・ミール（ロシア民族の世界）とロースキー・ミール（ロシア国家の世界）が併存する。思想で言えば、民族ナショナリズムと国家ナショナリズムであるが、プーチンはルースキー・ミールの再興を図るべく民族ナショナリズムを選択し、ウクライナ侵攻に踏み切った。

民族ナショナリズムを採る限り、同じロシア人が居住するドンバス地方はロシア領となり、宗教（ロシア正教）・言語（ロシア語）・歴史（キエフ公国以来の歴史）を共有するスラブ系民族（ベラルーシやウクライナ）は統合されてしかるべきとの国家観（ウクライナ無くしてロシアなし）が生まれてくる。それはこの間の対外膨張時の戦争事由と同じである。帝政ロシアでは宗教的事由（正教徒の保護）。ソビエト帝国ではイデオロギー的事由（社会主義の維持・拡大）。それが今回、民族的事由（ロシア世界の統一）となり、宗教・思想・民族がその動機となっている。そしてこの時、相手国がいずれの国とも同盟関係を持たない弱小国で、しかも隣接する国の場合は侵略の誘惑が倍加する。

大陸国家は往々にして大国と中小国が隣接しており、自国民が相互に居住しているため紛争が多発する。今回のロシアによるウクライナ侵攻はその一例と言えるであろう。ただ、こうした戦争目的（ロシア民族の再興）は抽象的であるために、どこで収拾するのかの線引きが難しく、かつ限定的な目的（ドンバス地方の領有）も短期的勝利を逸すると、弱小国に勝てなかった事をもって実質的な敗北となってしまう。この間のロシアの立場がそうである。

ちなみに、ソビエト崩壊後のロシア・ウクライナ史を紐解くと、一九九四年の核（千二百四十発の核爆弾と百七十六発の大陸間弾道ミサイル）の引き渡しと交換にウクライナの安全保障が確約され（米英露のブダペスト覚書）、九七年には友好条約が締結され国境が画定している。それを反故にしたのが、クリミア併合であり、ドンバスの紛争であり、ウクライナそのものへの侵攻だった。

現状変更の典型だが、おそらくその背景にあるのは「同じ民族は同じ政治単位になるべきだ」とのプーチンの思いがあり、したがってウクライナ侵攻は侵略に当たらず、原点復帰を求めたとの位置付けがあるのだろう。中国はこのプーチンの復古主義に付き合わされた格好になっているが、中国も「台湾は同じ漢民族の居住地である故、一つの政治単位に統合されなければならない」とする点では同じであり、世界はこの二つの大陸国家のアナクロニズム（二世紀前の古典帝国主義志向）に振り回される状況になっている。

では、ウクライナ侵攻後の両国の関係はどうなるのか。おそらくロシアは経済的に中国に依存するしか道はなく、体のいい資源供給国に成り下がるであろう。と同時に、現状の極東ロシアはますます中国移民が急増し、人民元がルーブルを圧倒し、ついには中国の失地回復の求めに応じ沿海州が中国に返還（もしくは売却）され、極東ロシアそのものが飲み込まれることになろう。中国にとっては、ロシアが大負けして当地がアナーキーになるのは避けたいが、この戦争で弱体化しロシアに代わり極東ロシアや中央アジアを自らの勢力範囲に組み込む好機が到来したと見ていよう。

そもそも、中ソの力関係が逆転したのが、ソビエト崩壊時であった。あの時ユーラシア大陸は、ソビエト連邦から離脱する国々で溢れ返った。バルト三国、中央アジア、ベラルーシや、ウクライナがそれに当たり、東欧諸国もソビエトの勢力圏から離脱した。これを仮に第一次分裂と呼んでおこう。これ以降、中国はロシアに対し、有利な地位を占めてゆく。

しかもロシアは、今なお三つの文明圏（西欧キリスト教文明・ロシア正教会文明・イスラム文明）を内に抱え、民族的にも百三十もの民族から成る多民族国家を形成し、常に文明的民族的衝突の気運が横溢している。ロシアは未だ帝国を続けており、国民国家になっていない。

そのため、複数の文明と雑多な民族を内に抱える帝国は、いったん長期戦・総力戦で敗れると、分裂する可能性が高くなる。つまりは、第二次分裂が始まるということだ。とりわけ、第一次分裂で離脱しそこねた極東ロシアの独立が少なからず生じて来る。と同時に、それは周辺国に少なからぬ影響をもたらし、さらなる激動を生むであろう。まずは、ロシアの影響下にあった周辺国のロシア圏からの離脱が起こり、互いに衝突をする事態が生じ（今でもアルメニアとアゼルバイジャン、キルギスとタジキスタンは既に衝突している）、さらにはロシアに代わる中国の台頭に怯える国も出現する。その筆頭がモンゴル国で、ソビエトの援助を受け社会主義国家になって以来、常にソビエト、次いでロシアの支援を受け続けてきた。これがあるから中国の圧力にも対抗することができたのだが、その支援が途切れた瞬間、中国に飲み込まれる可能性が生じてくる。モンゴル国が、ロシアのウクライナ侵攻の失敗とそれによる弱体化を怖れるのはこのことがあるからだ。ロシアの敗北は第二次分裂の引き金となり、中国の台頭を引き起こし、周辺国に多大な影響を与えることになるであろう。

　では、ソビエト崩壊による第一次分裂の淵源は、果たしてどこにあったのか。決定的なのはアメリカとの競合に敗れたことに依っているが、止めを刺したのはアフガン侵攻の失敗だった。十年間の戦いは何一つ得るところがなく敗れ去った。あの時、予想に反したムジャーヒディーン（イスラム戦士）の反撃に手こずった赤軍は、ウクライナ軍の抵抗に手こずっている現ロシア軍とアイソモーフィック（相似）であると言えよう。

　アフガン戦争で受けたトラウマは、ロシアになってからも継続してゆく。

　二度にわたるチェチェン戦争で、これまた執拗なチェチェン独立派の抵抗に遭い、非常な苦戦を強いられた。そのため、首都グロズヌイの徹底破壊等をもって独立は阻止したが、戦死者の増加による反戦運動、さらには独立系ジャーナリストの政府批判が巻き起こり、国論は二分された。このアフガン・チェチェン両戦争を真剣に総括していれば、その後のロシアの方向も大きく変わったものと思われる。

　が、ここで、思わぬ成功体験がそのトラウマを打ち消し始める。ジョージア侵攻の成功である。ジョージア北部のアブハジアと南オセチアの分離独立を支持する形で介入したロシアは、ジョージア軍を一蹴し両国の独立を演出した。

　その延長線上にクリミア占領が存在する。もともとクリミア帰属問題は、ソビエト消滅を前提にロシアのエリツィン、ベラルーシのシュシュケビッチ、ウクライナのクラフチュクの三氏によるベロベーシ協定で合意されたＣＩＳ（独立国家共同体）設立に端を発する。ＣＩＳ加入を条件にウクライナのクリミア領有は認められたが、その後のオレンジ革命（二〇〇四）やマイダン革命（二〇一四）で西側に顔を向け出すと、それに脅威を感じたプーチンがクリミアの力ずくの併合を実施した。二〇一四年三月、突如ロシアの特殊部隊（スペツナズ）と思われるリトル・グリーンがクリミア占領に動き出し、その後の住民投票（独立宣言とロシア併合の是非）でロシア領に編入された。この二つの成功体験がアフガン、チェチェンの傷（トラウマ）を癒し、ドンバス地方（ウクライナ東部）への介入を誘発し、遂には全面戦争へと繋がった。

　そして今、ロシアは長期戦になるにつれ、アフガンの悪夢を再現している。もともと、ソビエトもロシアも多民族国家であるため、軍も多民族構成になっている。アフガン侵攻の折でもそうであったが、ウクライナ侵攻でもフロンティア出身の兵が多い。アフガン侵攻は地理的民族的にも近いことから中央アジア出身者が投入され、ウクライナ侵攻も少数民族地域からの兵士の徴兵、さらにはロシアの属州と見なされたドンバス地方の住民も容赦なく徴兵された。となれば、当然士気は上がらない。そもそも、この間一貫して帝国であり続けたロシアは、均一な国民を基本とする国民国家になっていない。したがって、国民国家におしなべて見られる国民の献身的忠誠を期待できない。それは、国家に対するウクライナ国民の高い士気や忠誠と実に対称的である。

　他方、戦争を取り巻く環境もウクライナに味方した。アフガンやチェチェンへの支援はイスラム過激派が主力であったこともあり連帯感が希薄であったが、ウクライナは同じ欧州のキリスト教圏に属している。西側諸国はウクライナ侵攻を自らへの脅威と捉え、大々的な制裁と軍事援助を遂行し、ためにロシアは非常な苦境に立たされている。

かくしてロシアは、ソビエト崩壊の引き金となったアフガン侵攻と同じ轍を踏んでいる。さらに言えば、ロシアは自ら受けた戦争被害（ナポレオンの侵攻、第一次大戦時のドイツの侵攻、第二次大戦でのナチスの侵攻等）は事あるごとに吹聴し、独ソ戦での二千七百万の犠牲を払った大祖国戦争に言及するが、他国に与えた被害については全くの無関心だ。ウクライナについて言えば、スターリン時代のホロモドールがその典型で、三百五十万ものウクライナ人が食料の強制徴発を受けて餓死させられた。これはロシア系ウクライナ系を問わず、ソビエト・ロシアへの史的怨念として残っており、今回の頑強な抵抗もこうした歴史に依っている。ロシアは、自らが行った歴史の悲惨に頭が回っていないのだ。

中国の困惑――ウクライナ侵攻でヤルタ体制は崩壊する

では、中国はこれをどのように見ているのか。

それには、自らの辿った歴史を振り返らざるをえないであろう。

想えば、ソビエト共産党は中国共産党の誕生を手始めに、長く同党への支配を続けた。また、毛沢東はスターリンに、国民党との間で結ばれた諸々のソビエト利権（海軍基地の租借・新疆省の経済利権・ロシア人の地位協定等々）を引き継ぐよう求められ、それを受け入れざるをえなかった。これは非常な屈辱であるために長く秘匿をされ続けたが、今やその関係は逆転し、近い将来中国共産党がロシアに対して同様の服従を強いる日が来るであろう。

と同時に、ロシアのウクライナ侵攻が執拗な抵抗に遭遇し、かつ西側の制裁が強力に機能していることを見るにつけ、台湾侵攻の難しさを改めて実感したことであろう。台湾はウクライナより上をゆく軍事ランキングを持ち、米国からの武器輸入にも精力的に取り組んできた。また香港問題を見た若者の危機意識や士気も高く、徴兵制も復活している。そして何より、百二十キロメートルという海峡が中国の侵攻を阻んでいる。最終的な占領には陸軍の上陸が必須であると考えれば、これは何にも増した地政学的な優位となる。また、可能な上陸地点も限定され、人民解放軍の上陸部隊も三万人を超えることはないと見られる。台湾海峡より遥かに狭いドーバー海峡でさえ、百万の軍に匹敵するとの試算がある。ここに潜水艦を遊弋させておけば、非常な牽制になるであろう。陸続きのウクライナとは決定的に違うのだ。そのウクライナにさえ、ロシアは非常な苦戦を強いられている。兵器の技術革新がいかに劇的に進もうと、人心の掌握や地政学的ハンディの克服ができなければ、侵攻は難しい。

では、なぜアメリカ軍の首脳部や政治家から台湾危機が数多く出されているのか。

まずは、解放軍が侵攻時に当たり、長期（長ければ三〜四ヵ月）にわたる海上封鎖を実施する可能性があることだ。そのため、海外からの武器弾薬の搬入が至難となることが挙げられる。日本についても、外交関係のない台湾とは各種協定が存在せず、武器・弾薬・燃料等の提供が法的に未整備のままである。そもそも、日本自身（自衛隊）の継戦能力の不備が明らかになっている。これでは台湾支援はできにくく、となれば米戦略国際問題研究所の行った机上演習の敗戦条件（日本の参戦の無い場合）が現実味を帯びてくる。

さらに、台湾の政治状況がこれに加わる。次の総統選で民進党が勝利し、平和裏の統一が不可能と見られた場合がそれに当たる。中国が、その次を待っていれば統一がますます遠のくと見たならば、侵攻が決断される可能性が高くなる。いわゆる「ピーク・アウトの罠」である。

したがって、その時は米軍の介入はもとより、自衛隊の総力を挙げた支援と覚悟が求められよう。この間の解放軍のスタンスは、昨年のペロシ米下院議長訪台後の海上封鎖である程度垣間見られた。台湾本島を六ヶ所にわたっての包囲がそれに当たる。この場合、日本と最も密接に関係するのは台湾本島の南部に対する封鎖である。当地には台湾の軍事拠点が集中するため、解放軍はどうしても日本領の先島諸島、とりわけ与那国島を奪取する必要が生じてくる。となれば、自衛隊と交戦する状況が出現するのは必須である。アメリカは台湾を失っても致命傷にならないが、日本は台湾を失えば海上ルートを遮断され死命を制せられることになる。日本は、まごうことなき最前線に立っているのだ。

では、具体的に台湾侵攻が行われればどうなるか。右の米戦略国際問題研究所が、二〇二六年に侵攻が行われたと想定し、その机上演習（二十四回分）の結果を公表した。それによると、二十四回中十九回もの確率で、中国は在日米軍基地へのミサイル攻撃、自衛隊の艦船や航空機への攻撃を行っている。すなわち台湾侵攻は、日米への攻撃を不可避としていたことになる。となれば、日米台との交戦になるわけだが、その場合の中国の勝機はほぼなかった。唯一人民解放軍が勝つシナリオは、アメリカが一切の軍事介入をしなかった場合と、日本が厳正中立を守りアメリカ単独で台湾防衛に当たった時であった（ただし、これら全ての机上演習は核が使われないとの前提で行われている）。

これは、日本にとり重要な意味を持っている。すなわち、侵攻の傍観は敗戦を呼び込むということだ。ちなみに、こうした机上演習は米軍独自のものや（二〇二〇）、他のシンクタンク（新米国安全保障センター）も行っており（二〇二二）、前者は米軍敗退、後者は痛み分けの結果となっているが、日米の支援がなければ台湾防衛はなしえないことは確かである。日本は、文字通り台湾有事を日本有事と見なすことが必須なのだ。

さて、その中国は、この間一貫して台湾と外交関係が残っている中南米や太平洋島嶼諸国を標的とし、その外交関係断絶を目指してきた。それは、アメリカの間隙を突きかなりの成功を収めたが（アメリカは不覚にも島嶼諸国への外交・防衛をオーストラリアに任せっ切りにしていた）、その一方でリトアニアやチェコに見られる東欧諸国の離反（台湾接近）を招き、一進一退が続いている。だがここに、ロシアによるウクライナ侵攻という新たな条件が加わった。これは、中国にとり想定外の事態であったと思われる。

歴史は時に一つの事件、とりわけ大規模な戦争で世界秩序の大幅な変換が行われる。今回のウクライナ戦争はまさにそれで、第二次大戦後のレジーム・チェンジが起こり始めている。これを元中国ウクライナ大使・高玉生は「ロシアの敗北は時間の問題だ」とする発言の中で、次のような趣旨を述べている。「日独は第二次世界大戦の敗戦国としての立場に別れを告げ、軍備拡張を加速化させ、政治大国としての地位を取り戻そうとしている」と。事実、ドイツは今回のロシア侵攻でGDP二パーセントの軍事費増大を実現し、日本もまた敵基地攻撃能力の獲得や憲法の改正を加速化している。と同時にアメリカも、もはや単独では中国の海洋進出は止め切れず、日本の助力を必須としている。アメリカの海軍総参謀総長が「日本に原潜を持ったらどうか」と打診している現状はそれを端的に示している。つい最近まで、日本には軍事衛星と空母と核を持たせないと述べていたことを考えれば隔世の感である。となれば、それにふさわしい地位をアメリカに要求することが可能であり、またそのようにすべきである。「日本を真の同盟国としたいのなら、この間日本を閉じ込めてきた『ビンの蓋』を開け放て」と。

この「ビンの蓋論」は、かつて忍者外交で中国を訪れたキッシンジャーが、「日米安保条約への懸念」を示す中国側に、「あれは日本を封じ込めるための『ビンの蓋』だ」と述べたことに依っている。そう、確かに日本は、アメリカによるビンの蓋に長く閉じ込められてきた。

これについては、スターリンがさらに厳しい見解を持っており、蒋経国（二代中華民国総統）に次のように述べている。

> もちろん、それ（注・日本の再起）は起こる。日本人は人口が多く、復讐心の強い国民だからだ。日本は再起を願っている。これを阻止するためには五十万から六十万の将校と一万二千ほどの将官たちを捕虜にとる必要がある。（中略）アメリカ人たちは日本の占領を経験したことがない。だからすべてを理解できないのだ。中国は日本の占領を経験した。ソ連はドイツの『占領』と、かつてだが日本の占領を経験した（これは、シベリア出兵のことを指す）。それゆえ中国とソ連は、敵がもはや戦えない状態にする必要があることを理解している。アメリカ人はこのことがわから

ないのだ。自分は彼らがこのことを理解することを願っている。

（横手慎二『スターリン』中公新書）

かくして、日本もドイツも、第二次大戦の完敗でビンの中に閉じ込められ、首をすくめて過ごしてきた。敗戦国故に背負ってきた歴史問題にも苛まれてきた。が、第二次大戦の戦勝国（ロシア）が新たな侵略者として登場し、しかもその侵略が国際世論の批判を受け、かつ苦戦を強いられていることで、ビンの蓋が開けられようとしている。今次大戦の結果たる戦勝国体制（ヤルタ体制）が無に帰そうとしているのだ。右の高玉生の発言は、それがもたらす中国の危惧を述べている。

おそらく近い将来、日独へのビンの蓋は開けられて、大幅なレジーム・チェンジが行われることであろう。そして、これに抗する中国はこの急変に単独で持ち堪えるのは至難となろう。その未来は限りなく暗いのである。

日本の選択

以上、中国の現状と近未来について語ってきた。では、日本はこれにどう対処するのか――以下において、その選択について見てみよう。

その前に、今の日本がどのような現状かを見ておきたい。これがなければ、外交も防衛も語れないからである。

まず戦後日本はこの間長くアメリカの従属下に置かれてきた。それは、今次大戦の敗北で生じたアメリカからの種々の圧力、即ちアメリカ政界からの政治圧力、金融界や産業界からの経済圧力、そして日米同盟から来る軍事的圧力が日本に対して加えられ、その主権を制限されてきたことからも明らかである。これは、アメリカが必要となれば、日本に対して、いついかなる場合でも、自由に、恣意的に、かつ強権的に自己の要求を通すことが可能なことを示している。

これは総力戦で負けた国の宿命とも言えるもので、この結果勝者の体制が敗者に対し無条件で強制される。現代戦の特徴は、単なる領土や賠償金の獲得以上に「自らの体制を強制し、それを通じて敗者への支配を貫徹すること」が主となっている。ソビエトで言えば、東欧諸国がそれに当たり、アメリカで言えば、戦後日本がそれに当たる。即ち、戦後日本はアメリカの体制的強制によってもたらされたものなのだ。憲法も、その中に記載された天皇の地位（象徴天皇制）も、一見民主的とも思われる人権の確立も言論の自由も全てはアメリカの強制に依っている。日本はこの頸木につながれたままである。

それは今や精神界にまで及び、国家の自立を妨げ、かつアメリカに追随する親米派とそれに反発する反米派の葛藤を生み出し、国論の統一を阻んでいる。しかも、この場合複雑なのは、親米派の裏面には「アメリカの強いた戦後民主主義とその象徴たる憲法に憎悪剥き出しにする反米的思い」があり、その逆に反米派の裏面にも「戦後民主主義を過剰に評価し、憲法を死守せんとする親米的態度が隠れている」ということだ。これは、中国も同じであり、西欧から受けた屈辱に一矢でも報いたいとの反米派意識（戦浪派）と、その西欧に擦り寄ろうとする経済派に分裂している。現習近平政権は「中華帝国の復興」を前面に押し出しているところを見ると、前者が突出している状態と言えようが、それは戦前日本のアメリカへの挑戦と軌を一にしたものと見なしていい。

一方の日本は、アメリカに対する挑戦（第二次大戦）に失敗し、戦後は軽武装と経済発展が等式で結ばれ、漠然とした平和の享受を維持してきた。それは、黒船以来の西欧へのコンプレックスにも助長され、アメリカへの従属を当是としてきたものと見なされよう。

これについては、アルジェリアの革命家にして精神科医であったフランツ・ファノンの『黒い肌・白い仮面』が参考になるであろう。ファノンは、この書の中で自らの黒い肌を否定して白い仮面をかぶって生きる植民地下のアラブの姿を描き出したが、それは日本でも同じである。その結果、近代日本は自らの黄色い肌を劣ったもの、遅れたもの、否定すべきものと抑圧し、白い仮面をかぶり続けた。それは、敗戦後のマッカーサー・ショックで、さらに漂白されたものとなり、今や白い仮面が常態のものとなっている。つまり、民族精神の奥底までアメリカをめぐる従属が下降しているということだ。

この心理状態のただ中で、中国に対するのは難しい。とりわけ、最前線に立つ自衛隊は、憲法にもその存在を銘記（保障）されず、それどころか厳密な専守防衛に拘束され、戦うに戦えない状況に陥っている。対中国云々をする前に、自立できない国家の状況が存在するのだ。

だが、それでもなお核武装した三つの隣国、とりわけ中国の挑戦が急である今、平和をむさぼることはよもやできまい。早急な自立が求められ、これに対処しなければならない段階に達している。これが日本の今置かれている状況である。

以上、右の条件を踏まえた上で、過剰な要求となるのを承知の上で、以下の提言をしてみたい。

まず、現在起きている米中の衝突だが、これには**「ツキジデスの罠」を適用するのが妥当**であろう。これは、現状の覇権国家に、台頭する新興国家が挑戦する事態を指している。現在であれば、アメリカに中国が挑戦している状況がそれに当たる。

その最大の懸案が台湾問題にある事は衆目の一致するところだが、「その際の米中衝突を主と捉え、日本はアメリカの支援国であるとするのは決定的な誤り」だ。台湾の防衛は日本の防衛（シーレーンの確保）と等式で結ばれ、これを見過ごせば、日本の死命は制せられる。それはペロシ台湾訪問の折、解放軍の演習（台湾包囲）で日本に向かう数十隻の船舶が大きく迂回しなければならなかったことからも容易に分かろう。石油ルートに関しても、ペルシア湾から原油輸送を担っているスーパータンカーが常時、日本に着岸していなければ日本経済は成り立たない。それほど重要なのがシーレーンの確保であり、その最重要のチョーク・ポイント（要衝）が台湾なのだ。

そもそも、尖閣列島問題に関しても、台湾問題は明確な政治課題となっている。中国の見解では、台湾は中国の一行政区である台湾省であり、その台湾省に属するのが尖閣列島であるからだ。となれば、尖閣を守るとは、中国の政治的見解と真正面から衝突することに他ならない。中国が「尖閣の存在は中国の核心的利益である」と述べるのはこの事があるからだ。

となれば、それは「台湾有事が日本有事」を意味することに他ならない。日本は今、台湾を通じ対中国の最前線に立っており、その状況はかつてアメリカを後方支援してきたベトナムやアフガンやイラクの状況とは決定的に違うのだ。

では、こうした危機を漫然と見過ごせばどうなるか。過去に例を取るならば、ヒトラーの侵攻がそれに当たる。当時のヨーロッパ（英仏等）はその侵攻に口をつぐみ黙認した。オーストリアの併合も、ラインラントの進駐も、ズデーテンランド（チェコスロバキア）の割譲も、その全てを黙認したため、第二次大戦を招いてしまった。チャーチルに言わせれば「（その侵攻に承認を与えなければ）第二次大戦は必要なかった」となる。中国に同様の立場を取らせては決してならない。

次に、**戦力差が異常に大きくなった場合も危険**である。とりわけ、中国は繰り返し見てきた通り、暴力（軍事）をもって外交の基本とする。となれば、戦力差が開いた場合、必ずその意志をごり押ししてくる。領土問題でも経済問題でも、さらには内政にまで干渉し、それが拒否されるや恫喝を加えて来る。

これについては日本側にも大きな問題がある。国際慣習たる相互主義を取ってこなかったことである。一〜二例挙げてみる。今、中国は日本人をそれこそ恣意的に拘束し、非公開のまま裁判し懲役刑を与えている。対する日本はスパイ防止法制定さえままならず、スパイと思しき中国人を逮捕しても詐欺容疑程度で挙げねばならぬ状態だ。これではまるで話にならない。

土地問題も同じである。日本政府（外務省）は、世界貿易機関協定（ＷＴＯ協定）の「サービスの貿易に関する一般協定（ＧＡＴＳ）」を調印する際、外国人の土地取得を制限する条項を入れなかった。外務省はこれを外資の誘致に必要だったと言い及ぶが、とんでもない錯誤である。事実、これが致命的状況を招いている。中国が大々的な土地買収を遂行しているからである。となれば、その土地の恣意的利用は地下資源の開発や水資源の収奪に及び、ついには環境破壊や安全保障に至ることになるであろう。今ではそうした土地取得がどれほどのものになっているか掴めてもいない。

　これすなわち、中国に相互主義を採ってこなかったことを示している。相互主義とは、その語意通り、相手国に同等の対価を払わせていいという国際的慣習で、相手国が自国に不利益を及ぼせば、自国も相手国に同等の報復を行える。それが中国にはできていない。右の例で言えば、中国は日本の土地を買い漁っているが、日本は逆に中国の土地を購買できない。これは明確な相互主義に反しているため、本来なら日本も中国に土地を売らなくていいはずだ。

　ところが、それを実施するには非常な困難が付きまとう。平野秀樹によると「ＧＡＴＳの協定内容を変更するため『三十近い条約を改正』するとともに、各国との個別交渉において、新たな規制の見返りに追加的な自由化を求められるはずだ」（宮本雅史／平野秀樹『領土消失』角川新書）という。だから李鵬（当時の中国国務院総理）に次のように言われるのだ。「日本という国は四十年後にはなくなってしまうかもわからぬ」（宮本雅史、前掲書）と。これは、李鵬がオーストラリアのキーティング首相に語った言葉だが、ここまであけすけに言われているのだ。

　唖然とするばかりである。しかも、これには憲法も絡んでおり、第二十九条には「財産権は、これを犯してはならない」が障害となり、外国人の土地所有を阻むことを至難としている（前掲書）。要するに、国土の保全と安全保障が切り離されているのである。

　では、どうするか。高橋洋一によれば「戦前あった外国人土地法がまだ生きており、これを復活させればいい」という。その際、外務省などは「国際条約が国内法に優先する」という理解を示してこようが、「それは相互主義を楯に取り『当条約を留保する』と通告すれば済む」という。それができれば、ぜひそれをやるべきだ。付け加えれば、最後は世論の喚起である。日本国民が自国の土地を断固守るとの決意を示せるか否かが鍵となる。その決意が今試されているのである。

この観点からも、現在ある「重要土地法案のさらなる改正」と「憲法の改正」は早急に行うべきだ。とりわけ、憲法の改正は必須である。ある西欧史家が、フランス憲法とドイツのワイマール憲法を比べこう述べている。「フランスの憲法はバリケードの中から生まれたのでワイマール憲法より強かった」と。周知の通り、敗戦ドイツの作ったワイマール憲法は最も民主的な憲法とされていた。が、その憲法はあっさりと、ヒトラーへの全権委任法によって否定され、改正をされぬまま全体主義になっていった。となれば、日本国憲法は、血（バリケード）をもって作られたのでもなく、自主的に作られたワイマール憲法にさえ及ばず、他国製（アメリカ製）の憲法を改正もせずに維持し続けている。これでは自主独立のない従属国家と見なされて当然だろう。

だが、ここに好機が訪れた。ロシアのウクライナ侵攻が戦勝国体制たるヤルタ体制の動揺を誘っている。一般に、大規模戦争はレジーム・チェンジを引き起こすが、今回もそれが起こっている。前述にもした通り、ドイツはウクライナ侵攻を機にいきなりGDP比二パーセントの軍事費を決定し、日本も「安保三文書（国家安全保障戦略、国家防衛戦略、防衛力整備計画）」で軍事費の増大と反撃能力（航空優勢を確保する為の反撃能力）の保有をもって、この事態に対処している。

そもそも、これまで余りに安全保障をなおざりにしたことが現在の結果を生んでいるのだ。継戦能力の基本である部品や弾薬が不足し、反撃能力については議論さえなされることなく、サイバー攻撃を受けた場合の対処たるやお寒い限りとなっていた。これすなわち、戦後延々と続いてきた安全神話の行き着いた結果なのだ。

戦後日本は、外交と安全保障をアメリカに全面依存し、経済にのみ特化する政策を採ってきた。そのため、おっとり刀で全てをまかなわねばならぬ立場にあるが、それもこれも「外交が軍事力の支えがあって初めて成り立つ」ことを忘れていたツケである。すなわち、外交交渉の成果如何は「平時には軍事的抑止力、有事には戦場での優劣で決められること」の忘却である。これに遅れを取った場合は、相手に押しまくられて終焉する。それが外交の基本であるが、戦後日本はそれを長く忘れ去っていたのである。

その戦後体制（ヤルタ体制）との決別がようやく訪れ、ビンの蓋が開けられようとしている。アメリカの一元支配と安全保障の委任を離れ、日本の占めるにふさわしい政治的地位を要求すべき時である。むろん、それは**アメリカとの同盟をないがしろにすることにはならない**。日米同盟やクワッドなどでの関係強化は十分に果たしておかなければならない。ロシアがなぜウクライナ侵攻に誘惑を感じたかははっきりしている。戦力差もさることながら、いかなる同盟関係も持っていなかったからである。戦力差が大きく開き、さらにはＮＡＴＯにも加わっていないとなれば、侵攻への誘惑は倍加される。この場合、専守防衛を国是としていたウクライナが自国の焦土化を避けられなかった状況を鑑み、十分な反撃能力と航空優勢を確保し、それをもって抑止力とすることが必須であろう。

さらに、第二次大戦の総括を前提に、**国の形は「海洋国家」に徹すべき**だ。戦前日本は、日清日露両戦争に勝利し、満洲国建国にまで及んだ結果、元々の海洋国家に大陸国家が加わった両生国家になってしまった。これは米海洋戦略家であるマハンの唱える「両生国家は成り立たず」とするテーゼに奇しくも反した結果を招いた。そのため、最終的には、北にソビエト、西に中国、東にアメリカの三方から包囲を受け敗戦の憂き目を見た。この戦略的失敗は徹底的に総括すべきで、日本は何はともあれ海洋国家となるべきなのだ。したがって、大陸に肩入れしては断じてならず、英国が常に採っていたオフショア・バランシング（沖合から大陸の情勢を睨み、一国のみが強大にならぬようバランスを取る戦略）が日本に最も似合っている。

要するに、この両生国家破綻の教訓は「大陸にのめり込んではならない」ということだ。今で言えば、過剰な中国投資がそれに当たる。共産党は外資の進出に当たっては、当面の間進出企業の自由を認めるポーズを取るが、それを過ぎると技術移転を始めとする露骨な介入を始めてくる。その結果、少々の収益では投下された資本を回収できずに終わりを迎える。むろん、これにアメリカの対中制裁や安保リスクが加わるのは言うまでもない。

財界の中には「経済の相互依存がこれほど緊密になっている中、戦争は起こらない」との思いがあるようだが、とんでもない誤りである。それは、第一次大戦、第二次大戦の勃発を見れば、即座に分かる。アメリカの多くの識者は「資源供給を確実に断たれる日本は戦争に及ぶことはないであろう」と予測していたが、見事にはずれた。経済人は往々に合理主義（損得の合理主義）を基調に世界を見るが、それは相手も同じ合理主義で物を見る場合のみ有効であり、歴史心理やイデオロギーで物を見る相手には通用しない。今回のロシアによるウクライナ侵攻も、それをやれば非常な制裁を食らうであろうロシアがあのような蛮行をするはずはないとの合理的解釈が主流であったが、見事に外れてしまっている。
そもそも、日本のブルジョアジーは欧米と大きく異なり、自らが革命を起こし政権を担った歴史を持たない。明治維新があるではないかとの意見もあろうが、あれは下級武士の維新であり、ブルジョアジーのそれではない。だから、政治家のタニマチにはなれても自らが主体となったことがなく、政治的センスに欠けている。未だに中国へのカントリー・リスクに無頓着であり続けている現状はその事を端的に示している。本来なら、中国の台湾侵攻は常に勘定に入れておくべきものであるが、それを全く考慮せず大陸にのめり込むセンスは愚考としか言いようがない。商売はしてもいいが、資本の投下は極力避け、戦略物資の輸出供与はただちに中止すべきである。

今一つ考えねばならぬ事に**現代戦への備え**がある。これが、戦後の一国平和主義の影響で、戦争を思想として捉えることがなくなってしまっていた。そのため、思想面でも中国の唱える戦略（超限戦等）に非常な遅れを取っている。超限戦とは古典的な戦闘以外の外交・テロ・金融・サイバー・ソーシャルメディア・法律・心理・謀略・宇宙空間等々あらゆる日常非日常的手段を駆使して戦いを進める思想に基づく。中国はこれを国家戦略の基本に置くが、日本はこれに決定的な遅れを取る。

では、どうするか。まずは、従来の専守防衛が意味をなさないことへの認識が必要だろう。それはサイバー戦にも当てはまり、日本は不正アクセス防止法や不正指令電磁的記録罪が邪魔をして自衛隊を縛っている。そのため、発信源の特定から始まって、敵国の暗号解読やコンピュータに逆侵入する通常国家の軍事行動が行使できない。これでは、緊急事態に対処できない。悠長に専守防衛云々を検討する事態ではないからだ。そのためには憲法二十一条（検閲禁止や通信の秘密保持）の解釈変更を手始めに、日本版超限戦のスタンスを確立することである。とりわけ、サイバー部隊の質向上は喫緊の課題であり、もしそれができなければ同盟国からの信頼を得られない。だから、アメリカからもこう言われてしまうのだ。「最大の懸念は日本のサイバー・セキュリティーの不全である」と。

この問題は、必然的に経済安保やスパイ防止法の制定にまで及び、この制度的整備がなければ、有効な対策は採りえない。これがなければ、有事に全中国人を動員する国家動員法や、情報工作活動を義務付ける国家情報法に対抗できない。

これには、ウクライナの民間ＩＴ軍がサイバー戦で善戦し、他国の民間企業や民間人が陰に陽にウクライナ支援をなしていることもヒントになろう。現在、ステラのＣＥＯイーロン・マスクがスペースＸを通じたネット・サービスを提供し、果ては世界中の団体・個人からのネット支援がウクライナを有形無形に支えている。これは現代戦が世界中の国家・団体・諸個人を含めた総力戦であることを意味しており、その現状を参考に中国に立ち向かうことが求められよう。かつて日本は、日米戦における暗号解読を始めとする情報戦に立ち遅れ、現在でも非常な後れを取っている。となれば、サイバー・電磁波・宇宙を含む安全保障戦略は喫緊の課題として取り組む必要があるであろう。

そして最も大切であるのが、**国民自身の自主独立の気概**である。戦後日本は、アメリカへの従属を前提とし、それを国是に経済立国として発展した。それができた背景には、東西冷戦下でのアメリカによる日本の発展容認と、海外植民地を手放したため、最も安価で最も良質な資源を、アメリカのシーレーン保護のもとで運搬でき、かつ海外から引き揚げてきた日本人の良質で大量な労働力を集中できたからであるが、その成功体験が仇となり、自主独立の機会（憲法改正の機会等）を失い、今にまで至っている。今次大戦の敗戦で、アメリカの従属国となることはやむを得ないとしても、その従属が精神の深部にまで浸透し、独立の気概を奪っている。

となれば、中国による核の恫喝に耐えられるとは思えない。おそらく中国は、台湾侵攻の折、必ず核の脅しをかけて来よう。その時、現状の日本のままではパニックを起こし、台湾支援に腰が引けることは疑いない。この状況下で、アメリカの核の傘は機能しない。中国の、いや北朝鮮の核ミサイルでさえアメリカ本土を射程に入れている現状では、アメリカが日本防衛のため核使用を行使するとは考えにくいからである。それは、キッシンジャーやその他アメリカ国防関係者が幾人も述べている。「日本に核ミサイルが撃ち込まれても、アメリカはそれに対して核による報復はしないであろう」と。事実、今回のウクライナ戦争でも、アメリカ（バイデン大統領）は「核保有国との戦争はない」と明言している。となれば、その恫喝に対抗するには、核保有をも射程に入れるほかはない。

そもそも、アメリカの核の傘にすっぽりと入りながら、唯一の被爆国であることをことさらに喧伝し、非核三原則（持たず、作らず、持ち込ませず）を唱えるなど欺瞞以外何ものでもない。この内「持ち込ませず」はこの間一貫して空文化しており、核・ミサイル製造能力も十分に持っている。となれば、他国（中ソ北朝鮮）から見た場合、日本は既に潜在的核保有国となっているのだ。したがって、非核を本当に唱えたければ、アメリカの核の傘を排除し徹底した非核政策を採るか、あるいは自前の核武装（核シェアリングを含む）をするかを選ぶことになるのだが、現実的には後者を選択するしかないであろう。抑止とは相手に非常な恐怖を感じさせ侵攻を思いとどまらせなければ意味がない。

ここで参考になるのは、英国が核搭載の原潜を遊弋させていることである。将来これが実現すれば、中国や北朝鮮への最も強力な抑止となろう。また、ＮＡＴＯとの連携も抑止の一端を担うであろう。英独仏の艦船が相次いで日本に寄港し、あるいは共同軍事演習に参加している現状は、それだけで中国に対する牽制になっている。

戦後日本は、平和憲法（非核三原則）と経済発展が等式で結ばれ、国防は全てアメリカに依存してきた歴史を持つ。その時代はもはや終わったのだ。

この状況の改善は、ひとえに国民の防衛意識にかかってくる。自国を護る気概がない国は亡国となり、尊敬を受けない国軍も決して強くなることはない。歴史はそれを語っている。

以上、主要な点のみ記してみた。今日、ウクライナ危機や台湾危機に見られるように、混乱期には秩序変更期特有のアナーキーが発生する。となれば、自らの身は自らが護るしか他にない。とりわけ、日本の周辺には中国という超大国が控えており、その圧力を有形無形に受けている。それをいかに防衛するか——そのためには、中国共産党が果たしていかなる歴史を持ち、いかなる世界観を持ち、何を目指しているのかを知悉する必要があるであろう。それを意識して著述した次第である。

最後に、一つ預言めいたことを記しておく。一般に、一つの体制は敗戦によって崩壊する。とりわけ総力戦で敗れた場合はそうである。現中国に例を取れば、台湾問題を巡る戦争（米中戦争）で敗れれば政権は崩壊の危機に瀕する。

問題はその後のことで、独裁政権が倒れれば凄まじい無政府状態に陥るのが常である。その時はどうなるか。おそらくは「地方に置かれていた各軍区が群雄割拠する形で、中国を支配することになる」

であろう。国民党の北伐が達成される前の状態を連想すればいいかもしれない。中国史を見るにつけ、この地の政権はすべて「馬上、天下を取る」以外、政権を取る術を知らないからだ。

したがって、ソフトランディングして共産党政権が崩壊し民主政権ができる期待は露とも思わない方がいい。その夢は鄧小平の改革開放に、民主化への期待を求めて見事に裏切られたことからもよく分かろう。

東アジアは否応もなく激動の時期に入っているとの認識が、いま最も必要とされているのだ。

第六章のまとめ

一、適正規模を大幅に上回る国土と人口を持ち、かつ民主政治の史的経験を持たない中国に、デモクラシーが根付く可能性はほとんど、ない。あえてそれを実現しようとするならば、連邦制か分国制を敷くしかないが、それを拒否する共産党政権下では民主化は無理である。

二、共産主義は、その全体性（徹底した上位下達）から戦時に強く、平時に弱い。そのためソビエトは西側との平和共存の末に潰れたが、中国共産党は社会主義（一党独裁制）に資本主義を接木することで生き延びて、今にまで至っている。

三、広大な中国には、常に中央と地方（フロンティア）の対立があり、中央の政治的集権化と地方の政治経済的自立化が衝突し、それが中国共産党の動向に大きな影響を与えている。

四、中国の動向は、社会的な人口動態の激変（急速な人口減少）と、生態系の急激な破壊（大気や水質の汚染、乱開発や砂漠化の進行、東トルキスタンにおける大気圏内核実験による被害等々）が存在し、文明自身の崩壊に直面している。

五、アメリカは、中国の資本主義採用による民主化の期待から積極的な支援を行うも、ことごとく裏切られ、トランプ大統領の誕生時より対中強硬策に転じている。ペンス副大統領の中国批判はそれを端的に示すものだが、それはとりもなおさず、それまでのパンダ・ハガー（親中派）からドラゴン・スレイヤー（対中強硬派）への移行を宣言したものと考えられる。

六、中国の国境政策は失地回復と領土拡大であるが、習近平時代になり、それがきわめて露骨になり現状変更を力ずくで成し遂げる軍事大国化に走っている。しかし、文化大革命等により全ての文化的遺産を喪失し、かつその保護育成を怠ったため、文化的吸引力を全て失い、かつての中華帝国が持っていたソフトパワーを喪失している。

七、中国崩壊の最単純モデルは、国内の擾乱と国外の脅威が合わさった内憂外患の時であるが、今で言えばアメリカとの衝突に敗れ国内経済の破綻と反乱が重なった時がそれに当たる。また、唯一の盟友ロシアの弱体化も中国の覇権に障害になるであろうし、ロシアのウクライナ侵攻でヤルタ体制が崩壊し、日本の政治的自由度が高まりつつあることも中国にとっては脅威になろう。

八、最後に、こうした中国の現状と近未来を見つめつつ、日本がいかに対処すべきかを論じてみた。内容は本分を見てもらえばいいが、最も重要なのは独立の気概であり、それに基づく戦争の抑止である。これには、先人による過去からの助力も加えられよう。一例を挙げれば、今次大戦の玉砕や特攻隊の存在だ。これは戦術的に忌避すべきところが大いにあり、その折に亡くなられた兵士のことを想うと愕然とするばかりだが、無駄死にではやはりなかった。それは「将来への抑止」という点である。具体的には、こんな危険な日本とは戦いたくないとの強烈な思いを発信させてくれたことだ。敵国にとり、最後の一兵まで戦いを止めない守備兵や、自らの死と引き換えに突進してくる特攻隊は、脅威以外何ものでもなかったろう。その生々しい記憶が今なお確かに残存し、相手国に怖れと躊躇を生んでいるのだ。アッツ島の戦いで玉砕した山崎保代部隊長の最後の打電「魂魄は永く祖国を守ることを信ず」は、まさにこのことを指している。日本の国家防衛とは、そうした先人の残してくれた遺産にも助けられているのである。

　戦後日本は、敗戦ショックから来る絶対平和の名の下に「平和と民主主義」をスローガンとし「話し合い至上主義」を金科玉条としてきた。が、平和と民主主義体制が全体主義に勝つであろうとする考えは余りにもナイーブである。話し合いのみで物事が解決するとの考えはさらにナイーブである。全体主義に打ち勝つには、それなりの覚悟と準備が必須となる。今日本に最も求められているのは、その覚悟と準備なのである。

解説――「国家」としての中国近現代史

三浦小太郎（評論家）

西欧列強の侵略がもたらした内的自己と外的自己の分裂

小滝透という知識人は様々な宗教、特にイスラム教及びユダヤ教に対する深い理解者であり、中東政治の優れた解説者である。同時に、戦前からのアジア主義を思想的に受け止め、かつその限界を乗り越える歴史観を思考してきた。小滝の歴史観と現状分析は広範な文明論・宗教論的考察に基づき、かつ、左右の偏差な歴史観を乗り越えているのだ。本書は小滝による近現代中国の通史であり、さらには未来の中国、そして日本の進むべき道をも示唆している。

まず、序章で小滝は、近代史における中国の根源的な変貌を端的に述べている。

> 大英帝国がインドを経て清に至った時のこと、中国史上初めての状況が出現した。それは、延々と続いてきた中華帝国の伝統が清で途切れ、世界が天下でなくなったことである。（1頁）

それまでの中国歴代王朝は何よりも「天下」であった。アジア全域を（少なくとも主観的には）「天命を受けて統治する王朝（天朝）が、周りの国々から朝貢を受け、それに対して冊封（官位と暦の授与）をしながら天下を治める体制」だった。

本書第一章は、中国最後の王朝である清朝の分析に始まる。清朝は、そもそも中国史の範疇を逸脱した帝国だった。本来の「中国史」とは「長城内での儒教天子として君臨する場合のみ」（10頁）であり「藩部と呼ばれた他の地域（満洲、モンゴル、東トルキスターン、チベット）は全く別の範疇」だったのである。もともと満洲人の王朝であった清朝は、漢民族を含む各民族の社会や習慣には一切手を出さず、いわゆる間接統治に終始した。

そして清朝という最後の「天下」を、単なる「国家」に変貌させたのが、イギリスをはじめとする欧米列強の侵攻である。イギリスとのアヘン戦争とその後の「自由貿易」の強要は、従来の中華帝国による冊封朝貢体制を完全に崩壊させ、中国は国際社会の一国家に過ぎない存在となった。この後、清朝の間接支配体制はその弱点を露呈していった。太平天国に代表される地方の反乱を清朝の正規軍は鎮圧できず、各地の自発的な自衛軍が乱軍から地域を守るしかなかった。これが軍閥の起こりである。この軍閥はほとんどが漢人中心であり、各民族地域の漢人支配はこれによって復活していく。

そして、太平天国の乱、さらには義和団の乱についての本書の分析はまことに興味深い。まず、太平天国の乱は、いかにこじつけや誤解があったとしても、キリスト教という西欧イデオロギーに基づく平等社会の実現と清朝打倒を目指した。これにより「上帝（神）を至上の存在とすることで、皇帝至上主義を採る王朝」を否定した（14頁）。これに対し、太平天国と戦った漢人部隊は、伝統的な儒教や、民間信仰である関羽崇拝を思想的な対抗軸とした。これ以後、太平天国の乱に伝統破壊の意志を見た知識人や民衆の中には、西欧列強の侵略への反発も伴い、強力な反キリスト教主義と排外主義が高揚していく。これが義和団の乱である。

本書は、この二つの反乱を、精神分析学の手法を使って分析してゆく。

> 自国を外敵に犯された国家や社会は、激しい屈辱と憤怒を持つ。と同時に、強大な敵を前にしては戦えず、むしろそれに擦り寄る態度を取ろうとする。
> 侵略されたものの心理は、屈辱を晴らすべく一矢を報いようとする内面と屈辱を抑圧しながら敵に擦り寄る外面に引き裂かれる。（15頁）

著者は精神分析家・岸田秀の説を引用し、前者を内的自己、後者を外的自己と定義する。内的自己である義和団からは、外国に擦り寄るキリスト教徒や西欧派知識人のような外的自己は打倒対象となる。この構図は現在の中国にも引き継がれた。現代の中国の歴史観は、義和団を民族愛国運動とみなす「内的自己」に根差している。同時に、中国における民主化運動を「民族の裏切り者」「外国のスパイ」と罵倒する中国政府の悪宣伝も、この内的自己による外的自己への攻撃だ（だからこそ民衆に対し一定の効果を持つ）。同時に忘れてはならないのは、岸田のこの分析が元々日本近代精神史を対象としていたことだ。明治以降の日本人の西欧崇拝を外的自己、攘夷意識や大東亜戦争を内的自己とみれば、私たちの意識にもこの分裂はいまだに根付いているはずであり、この分裂から目を背けてはならないのだ。

そして、西欧列強の侵略と各地方の反乱、特に回族や東トルキスターンでの反乱に悩まされていた清朝は、列強に対する防衛を主眼とし、東トルキスターンは放棄しようとする「海防派」と、東トルキスターンを失えば次はモンゴルに反乱が飛び火し、清朝は崩壊するとみなす「塞防派」に国防方針が分裂するが、結局後者が勝利して、東トルキスターンは征服され「新疆」として併合された。これは、清朝がその伝統的な間接統治を放棄し、直接統治（事実上の植民地）を行ったということである。この歴史的選択も現代にまで通じる「中華帝国主義」の根源をなすものであり、各民族の自決・独立を許せば中国全土の解体につながるという国家意志が確立されたのだった。

日清戦争から辛亥革命へ

本書では、日清戦争が日清両国にもたらした歴史的意義についても的確な分析がなされている。軍事面では優っていた清国の敗北は、国家体制の近代化に遅れた清国の現実をあらわにした。これ以後、アジアで初めて近代化を成し遂げた日本のシステムを徹底的に学ぼうとする勢力と、わが清国が極東の小国、日本に敗北したという怨念を抱く勢力とが生まれていく。これもまた、外的自己と内的自己の分裂であり、現代中国にまでつながる反日意識の始まりである。

一方、日清戦争における日本の勝利は、国内の立憲君主制と国民国家を完成させた。明治天皇は日清戦争に最後まで反対だったが、政府により開戦が決断された。これによって「君臨すれども統治せず」という立憲君主制が成立し、それは「君主への十分な敬意と、その権力行使の否定」（35頁）に基づくものとなった。同時に、戦勝は日本国民の団結と天皇の権威を確立させた。日清戦争と日露戦争の勝利によって、日本は国民国家として成立したのだ。

逆に清国はこの戦争で命運が断たれ、辛亥革命によって中華民国が建国される。この革命には、アジア主義の立場から多くの日本人志士たちが参加していた。だが、この革命は結局、軍閥の台頭と社会の混乱を招いただけに終わってしまう。実は著者は本書末尾で、現代中国が民主化する可能性に対しては懐疑的であり、仮に共産党政権が倒れても、秩序なきアナーキーをもたらす危険性を指摘しているが、辛亥革命はその見本とも言えよう。

辛亥革命の指導者として担がれた孫文だが、その軸足は常に海外にあり、彼の主導した国内の決起はほとんど失敗している（辛亥革命は孫文とかかわりのない軍事的投機がたまたま成功したのだ）。孫文の三民主義や国際協調路線はほとんど思想として影響力を持たず、かつ自前の軍事力を持たない革命政権は、結局独裁者袁世凱に屈した。辛亥革命の挫折は、その後の中国の行方を運命づけるものとなった。

毛沢東と共産党の現代史

本書第二章では、孫文の死後、軍閥を征討し、かつ共産党を打倒して中国を統一しようとした蔣介石と、それに対峙した毛沢東との国共内戦、彼らをめぐるソ連・コミンテルンをはじめとした各国の思惑について系統的に論じられると共に、なぜ最終的に毛沢東と中国共産党が権力を獲得したかが分析される。

それまでの中国における王朝交代劇同様、中国共産党による政権獲得も血まみれの易姓革命・暴力革命の一環であった。しかし、この革命の特徴は、はじめて共産党による全体主義体制を実現したことである。「対日戦や内戦が長期にわたったことにより、根こそぎ動員を伴った総動員体制で戦われ」「それまでの王朝が支配下におけなかった最下層の人民をも直接支配」することに成功したのだ。

中国王朝は常に専制体制であったが、一方では「鼓腹撃壌」と呼ばれる、権力とは無縁の民衆世界が存在していた。しかし、共産主義イデオロギーで武装し、宣伝能力に長け、かつ長きにわたる内戦や共産党根拠地での民衆への徹底的な支配を経た中国共産党は、全中国民衆を統治下におく支配体制を内戦下確立したのだ。

もう一つが「人民解放軍」の成立だ。人民解放軍は何よりも、国民党との内戦に勝利するための軍隊であり、侵略者たちと戦うための軍ではない。そして「人民」とは、共産党により「紅五類」（革命幹部、革命軍人、革命烈士、労働者、農民）に分類された存在であり、人民解放軍はこの階級を護るために存在する。そして「反人民」階級とみなされた「黒五類」（地主、富農、反革命分子、破壊分子、右派）の階級に対しては「鉄槌を下す役目」を担うのだ。だからこそ、一九八九年六月の天安門事件のように、「人民の敵」と共産党政府が見なしたものにはいかなる弾圧も正当化される。この軍は国家の軍ではない、もともと、中国共産党の私兵なのだ。

さらに、この人民解放軍は「階級闘争の軍」であるから、自国の階級闘争のみならず、世界の階級闘争のための軍隊と位置付けられる。「階級は国境を超える」存在であり、人民解放軍は世界の階級闘争（現実的には中国が政治的に支持する過激な左派武装勢力）を支援することも正当化される。この発想は中国政府が共産主義イデオロギーを捨ててからも、一帯一路政策のもと、世界の独裁政権を支援する、または中国型独裁を「輸出」する形に引き継がれている。中国共産党の本質は、国共内戦の時期にほぼ完成していたことがわかる。

また同時に、この人民解放軍は、中国各地の軍閥の性格をそのまま引き継いでもいた。これを著者は「ゲマインデ」という、マックス・ウェーバーの政治概念で説明している。これは外からの影響や指示を一切拒否する閉鎖的共同体のことであり、地域の人民解放軍は、各司令官の下、人間関係と利害関係によって強固な結びつきを持ち、中央政府や法律の干渉から独立した存在となった。法律や国益、公益よりも、地域の人間関係を徹底的に重視する中国人の民族性がこの傾向にさらに拍車をかけた。これは人民解放軍のみならず現在の地方行政も同じである。しかし同時に、軍閥同様、地域においては強力な支配力を持つ。

このような支配構造の中、知識人への憎悪、徹底的な民衆不信、そして暴力と宣伝こそが勝利を導くと信ずる毛沢東の歪んだ性格が結びついた全体主義支配、それが中華人民共和国である。戦術的には、日中戦争の時も強力な日本軍とは戦わず勢力を温存し、将来の国民党との対決に備え続けたからこそ、中国共産党は勝利したのである。アメリカのジャーナリスト、エドガー・スノーを利用した宣伝工作により、アメリカを共産党の味方につけることにも成功した（蒋介石と国民党はドイツやアメリカとの外交にも失敗し、国民党内のスパイによってしばしばかく乱させられていた）。

第二次世界大戦後、国民党は共産党に敗れ、蒋介石は台湾に逃れる。しかしこの時、台湾を防衛したのは、旧日本軍軍人たちだった。本書に記された白団や、旧帝国陸軍根本博の台湾防衛のための金門島の戦いなども、私たち日本人は忘れてはならないだろう。そして、歴史にＩＦはないとはいえ、蒋介石であれ、汪兆銘であれ、日本と反共産主義の立場に立つ中国の政府とが何らかの和平と連携を早期の段階でなしていれば、アジアの歴史は全く変わったのではないかと思わせる。

毛沢東にとっての戦争と内政

第三章「毛の戦争　毛の内乱」には、中国共産党政権が、ウイグル、モンゴル、チベットなどを国内植民地化していくメカニズムとともに、中華人民共和国が、建国以来戦争と内乱を連続して引き起こしてきた理由が明らかにされている。一九五〇年の朝鮮戦争に始まり、繰り返される台湾海峡戦争、対インド戦争、まさに内乱というべき文化大革命、中越戦争、これらの戦争はすべて、国内事情と密接にかかわっている。著者は核心を突いた言葉で、毛沢東の、そして中国共産党の戦争観を見事に解説してみせた。

　通常の戦争では「外に目を向けさせることにより国内矛盾を隠蔽する場合が多い」とされる。だが、毛の場合は「戦争を行うことで、国内の改革を意のままに誘導しようとすること」が多かった。（１２８頁）

　まず第一に朝鮮戦争である。中国が人民解放軍を「義勇軍」と称して大量に朝鮮戦争に派遣したのは、単に韓国による統一を防止するのみならず、ソ連の満洲への干渉を事前に防止することを目指していた。さらに、旧国民党軍の前線への投入、そして国内における反革命分子の弾圧と農民からの徴発、さらにはソ連からの軍事援助を得ることがこの戦争に参加した目的だった。これに続く、台湾戦争の背後での核開発推進、人民公社運動の展開、チベット侵略に次ぐ対インド戦争など、毛沢東時代の戦争と内政との連携についての分析は、毛沢東の言葉「銃口から政権が生まれる」の真の意味を明らかにしている。

さらに第三章における文化大革命について、著者はこの事件を単なる虐殺や文化破壊の悲劇や、毛沢東の権力闘争の側面だけではなく、毛沢東がこの革命にある種の理想を抱いていたことを指摘している。毛沢東の知識人憎悪の背景には、西欧近代の都市文明に対する徹底した否定の意識があった。毛沢東にとって、これは「反西欧近代」の革命であり、その側面を過大評価した先進国の新左翼運動家が、毛沢東思想を近代資本主義を乗り越えたユートピアを目指すものとして評価したのだ。もちろんそれは誤解や幻想にほかならず、中国礼賛や連合赤軍事件のような悲喜劇を生み出しただけだった。

そして、この時期の中国を語る上で忘れてはならないのが中ソ対立である。一九六九年の中ソ国境のダマンスキー島で生じた衝突、ウイグルにおける中ソ両軍の激突と、中国の核施設までも破壊対象としていたソ連の強硬姿勢などが本書ではつぶさに論じられる。中国側が内モンゴルとウイグルが戦場となる覚悟を決め、そのために内モンゴルで大虐殺が行われる悲劇も生じた。この時期には、キューバ危機以上の核戦争、場合によっては第三次世界大戦の危機すら迫っていたことが明らかにされている。この一連の危機を経て、毛沢東は、ソ連と対峙するためにアメリカに接近することを選択、同時に文革を終結させることを決意した。林彪の粛清も、毛沢東の死後のいわゆる「四人組」の失脚も、この選択が決定づけたものであり、紅衛兵たちは用済みの存在として見捨てられた。

鄧小平以後から現代まで――アキュート・アノミーの時代

毛沢東は、文革時代は宿敵とみなした日本やアメリカと国交を結び、中国は毛沢東の死後、鄧小平時代から改革開放の道を歩んでいく。本書は鄧小平の優れたバランス感覚、粛清ではなく保守派と改革派両勢力を見事に操る手腕を描き出している。しかし、一九八九年の天安門事件によって、経済面の改革開放はともかく、政治の民主化は人民解放軍の武力のもとに否定された。そして、それ以上に重要なのは、鄧小平による資本主義導入によって「アキュート・アノミー」（それまでの正誤判断の基準が基本的に失われた社会的無連帯状態）が引き起こされたことだろう。（１８５頁）

天安門弾圧以後、中国における民主化運動が停滞したのは、単に暴力的抑圧のためだけではなく、また、日本が国際的対中経済制裁からいち早く離脱して経済支援を行い、中国に息を吹き返させてしまったためでもない。社会から、文化大革命時代には一切の伝統的価値観が崩壊させられ、今や毛沢東時代には建前では存在した共産主義の理想も否定され、かつ、自由や民主主義（それは個人の尊厳と、国民の党派や階級を超えた連帯意識がなければ成立しない）も暴力によって否定された今、中国においては、拝金主義とエゴイズム、前述した閉鎖共同体内部の利害以外には価値観と呼べるものが消失してしまったのである。

中国共産党は、毛時代の熱狂的支持に支えられた合意独裁から、利益誘導と恐怖によって支配する開発独裁に代わっていく。それが急激な自我の空洞化を引き起こす。（185頁）

これは皮肉な、しかも強烈なまでに現実を突いたジョークを生み出した。

「昔は『人民に奉仕する』が方針だったが、今は『人民元に奉仕する』となっている」（186頁）

中国はこれによって経済犯罪、特に贈収賄の急増が生じた。同時に、この自我の空洞化に耐えられない人たちは、宗教、それも伝統宗教が破壊されているため、新興カルト宗教にすら救いを求める。江沢民時代、胡錦涛時代を、本書は二人のパーソナリティや政治的背景を説明しつつ解説していく。特に胡錦涛は中国社会の問題点に一定程度気付いていたようだが、有効な対策を取れずに終わった。だが、ここでも私たちは、果たして中国だけを笑えるのだろうか。日本に限らない。伝統的な価値観を自ら否定し、共同体や家族、国家を単なる抑圧とみなして解体していった日本を含む「先進国」は、果たして同じアキュート・アノミーや拝金主義に陥っていないだろうか。その結果、精神の空洞を埋めるために、カルト宗教や排外主義、あるいは怪しげな陰謀史観や通俗な文明論に心を捕らわれていないだろうかという内省は必要だろう。

そして現在の習近平体制について、本書は単なる愚かで強権的な独裁者ではなく、改革開放政策を否定する社会主義的な志向性を持つ政権であることを指摘している。習近平の現在の政策（腐敗撲滅の名のもとでの民間企業への圧力など）は明らかに社会・経済両面の停滞を招いているが「習にとってはそれでいいのだ。彼にとっては、権力強化による政治的安定と国家主導の計画経済推進が何よりも重要なのだ」。「習の考える共同富裕と小康社会の実現とは、持てる者から富を奪い、貧者に分配すること」なのだ（２４５頁）。

　これは江沢民時代にも胡錦涛時代にもなかった事態である。習の現在の政策は明らかに経済の停滞と長期的な貧困を招くであろう。また、社会主義への逆行など時代錯誤も甚だしいが、少なくとも習近平はこのような思想を抱く政治家であると著者は指摘する。

　私たちはここでもう一度、毛沢東における戦争と内政の関連に戻らなければなるまい。習近平のこの姿勢は、たとえ短期的であれ、一定程度の中国民衆、それこそ現在の経済的繁栄に無縁な人々に共感を呼ぶ可能性はあり、また、文化大革命のような社会的混乱だけは避けたいと思っている漢民族たちが、ウイグルにおけるジェノサイドや各民族への弾圧を「安定」のために許容する可能性は十分ありうることだ。そしてさらに恐ろしいのは、台湾侵攻などの軍事行動が、再び、戦時統制経済＝社会主義化という内政の目的のために実行される危険性である。

　本書の最終部では、ウクライナ戦争とコロナ禍によって、習近平体制が再度追い詰められている情況と、日本以上の少子化と高齢化、環境破壊の深刻さなど様々な社会矛盾が分析されている。同時に、ウクライナ戦争の世界史的意味として、ついに第二次世界大戦以後の国際秩序の根底をなしてきたヤルタ体制の崩壊が起きつつあり、その体制下、アメリカに従属させられてきた日本が自立するチャンスが来たことが述べられている。しかしそのためには、日本が台湾防衛を含む自力の防衛体制を確立し、自立した国家意識の下、中国とも、最終的にはアメリカとも対峙する自覚を持つことが必要であることを、本書は中国現代史への考察の一つの結論として導き出しているのだ。中国の歴史を学ぶこと、いや、あらゆる外国の歴史を学ぶことは、自国の歴史と未来を学ぶことであり、本書は読者を、過去と、そして未来へといざなう力を持つ一冊である。

◆著者◆
小滝 透（こたき　とおる）

ノンフィクション作家。金沢大学中退後サウジアラビア・リヤード大学に留学、アラビア語とイスラム教を学ぶ。主として、宗教・歴史・政治を対象に著作活動を行う。

著書に『ムハンマド』（春秋社）、『アメリカの正義病、イスラムの原理病』（春秋社）、『神の世界史三部作・イスラム教、キリスト教、ユダヤ教』（河出書房新社）等多数。

近著に『中国から独立せよ』（集広舎）がある。

第二回・第九回毎日二十一世紀賞受賞。

中国共産党――毛沢東から習近平まで　異形の党の正体に迫る

令和 5 年 4 月 6 日　第 1 刷発行

著　者　小滝 透
発行者　日高 裕明
発　行　株式会社ハート出版

〒171-0014 東京都豊島区池袋 3-9-23
TEL.03(3590)6077　FAX.03(3590)6078
ハート出版ホームページ　https://www.810.co.jp

定価はカバーに表示してあります。

ISBN978-4-8024-0153-1　C0031

印刷・製本／中央精版印刷株式会社

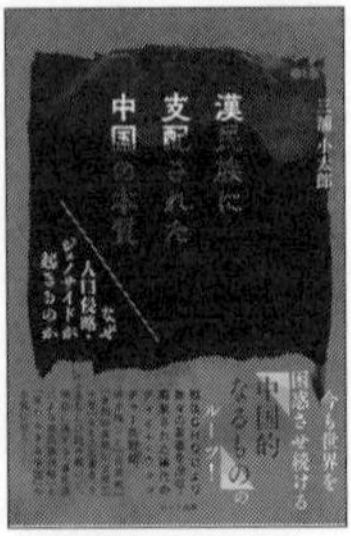

漢民族に支配された中国の本質

なぜ人口侵略・ジェノサイドが起きるのか

稀代のチャイナ・ウォッチャー長野朗。彼が残した数々の名著を今ふたたび読み解き、現在に通ずる「漢民族による他民族侵略」と「変わらざる中国」の本質に迫る――

三浦小太郎 著
ISBN978-4-8024-0127-2　本体 1400 円

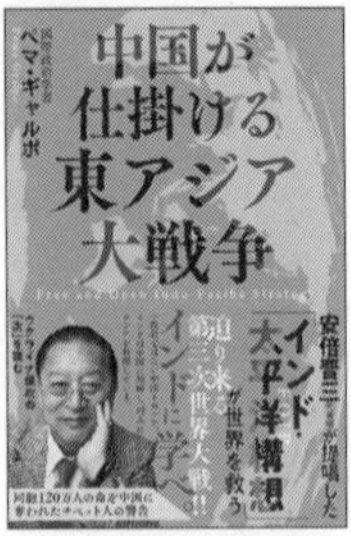

中国が仕掛ける東アジア大戦争

安倍晋三元首相が提唱した「インド・太平洋構想」が世界を救う

ウクライナ侵攻の「次」を読む
迫り来る第三次世界大戦‼　インドに学べ。

ペマ・ギャルポ 著
ISBN978-4-8024-0144-9　本体 1400 円

ステルス侵略

中国の罠に嵌まった日本

知らぬ間に〝無血占領〟されていく属国化列島の現状報告。ウクライナ・台湾有事・安倍氏暗殺で風雲急を告げる日本

佐々木類 著
ISBN978-4-8024-0149-4　本体 1600 円

在日ウイグル人が明かす

ウイグル・ジェノサイド

東トルキスタンの真実

言葉も宗教も奪われ、資源も食料も奪われ、人としての尊厳まで奪われても、独立国家「東トルキスタン」国民としての気概を失わないウイグル人の真の声。

ムカイダイス　著
ISBN978-4-8024-0112-8　本体 1400 円